Fantasy

Herausgegeben von Wolfgang Jeschke

Von Katherine Kurtz erschienen in der Reihe
HEYNE SCIENCE FICTION & FANTASY:

Liebe Leser,

um Rückfragen zu vermeiden und Ihnen Enttäuschungen zu erspa-
ren: Bei dieser Titelliste handelt es sich um eine Bibliographie und
NICHT UM EIN VERZEICHNIS LIEFERBARER BÜCHER. Es ist
leider unmöglich, alle Titel ständig lieferbar zu halten. Bitte fordern
Sie bei Ihrer Buchhandlung oder beim Verlag ein Verzeichnis der
lieferbaren Heyne-Bücher an. Wir bitten Sie um Verständnis.

Wilhelm Heyne Verlag GmbH & Co. KG, Türkenstr. 5—7, Postfach
201204, 8000 München 2, Abteilung Vertrieb

KATHERINE KURTZ

LEHRS VERMÄCHTNIS

Roman

Fantasy

WILHELM HEYNE VERLAG
MÜNCHEN

HEYNE SCIENCE FICTION & FANTASY
Band 06/4851

Titel der amerikanischen Originalausgabe
THE LEGACY OF LEHR
Deutsche Übersetzung von Horst Pukallus
Das Umschlagbild schuf Dieter Rottermund
Die Illustrationen im Text
zeichnete Michael W. Kaluta

Redaktion: E. Senftbauer
Copyright © 1986 by Katherine Kurtz
Copyright © 1991 der deutschen Übersetzung
by Wilhelm Heyne Verlag GmbH & Co. KG, München
Printed in Germany 1991
Umschlaggestaltung: Atelier Ingrid Schütz, München
Satz: Schaber, Wels
Druck und Bindung: Elsnerdruck, Berlin

ISBN 3-453-05405-9

Der Lademeister benahm sich mißmutig, die Schauerleute arbeiteten mürrisch, und der Sicherheitsbeauftragte des Raumhafens hatte sich am Morgen beinahe zu Beleidigungen verstiegen, obwohl er seine Unverschämtheit hinter der Fassade des Behördenkauderwelschs kaschierte, wie man es bei Provinzbürokraten anscheinend unweigerlich zu hören bekam. Nun hatte man zudem auf die schlichte Bitte um Wasser für die kostbare Fracht mit Argwohn reagiert, endlos Formulare ausfüllen lassen und eine gönnerhafte Haltung eingenommen, die nach zwei Tagen des Wartens schließlich nur als äußerster Affront empfunden werden konnte.

Auch die wachsende Menge einheimischer Protestierender, die sich vor den Toren des Raumhafens versammelte, um gegen den Export speziell dieser Fracht zu protestieren, trug nicht zu Wallis Hamiltons Ermutigung bei. Weder sie noch ihr Partner und Ehemann waren nach den dreiwöchigen Aktivitäten auf B-Gem sonderlich beliebt. Als sie die Ladezone unter Bewachung der Imperiumsranger verließ, die das Rückgrat der Expedition gebildet hatten — und die mit nichts außer der Asche zweier Kameraden heimkehrten —, hoffte sie, daß Mather mehr Glück als sie hätte.

Wie vermutet, traf sie ihn in Klausur mit dem Raumhafendirektor an, einem spröden, förmlichen, kleinen Mann namens Irvin Vintar, der ihnen seit der Rückkehr zu seiner Einrichtung nichts als Schwierigkeiten gemacht hatte. Wohl aufgrund irgendeiner Bemerkung Mathers war er gerade hinter seinem mit Utensilien überhäuften Schreibtisch aufgesprungen, aber ausnahmsweise versuchte er diesmal nicht, Mather bei sei-

7

nen weiteren Äußerungen zu unterbrechen. Vintars Gesicht war aus unterdrückter Wut fleckig, verkrampft ballte er die mageren Hände an den Seiten zu Fäusten, und Wallis bezweifelte nicht, daß ein Medscan erhöhten Blutdruck diagnostiziert hätte.

»Mr. Vintar, wir haben inzwischen alles so oft durchgesprochen, daß ich glaube, wir kennen es jetzt in- und auswendig«, sagte Mather Seton mit seiner leisen, ruhigen Stimme. »Sie können meine Autorität unmöglich noch in Frage stellen. Sie selbst haben sie anerkannt, bevor ich die *Walküre* umleiten ließ. Also, sind Sie bereit mit uns zusammenzuarbeiten, oder muß ich drastischere Schritte einleiten, die uns dann nachher beiden leidtäten?«

Er schaute sich nicht um, als Wallis eintrat, doch sie spürte, daß er, sobald sie sich näherte und hinter ihm stehenblieb, ihre Anwesenheit bemerkte. Wenigstens äußerlich war Mather so gelassen, wie sich Vintar erregt aufführte: in seiner gutgeschnittenen, grauen Raummarinekluft wirkte er so seriös und eindrucksvoll. An seinen Schultern und dem offenen Kragen glitzerten die Insignien eines Flottenkommodores, über dem rechten Ärmelaufschlag sah man in Rot und Gold das Halbkreis- und Dreizack-Abzeichen, das der Imperator für persönliche Dienste verlieh. Er vermittelte den Eindruck stiller Macht und Tüchtigkeit, unmißverständlicher Autorität, und über Autorität verfügte er tatsächlich fast unbegrenzt. Daß Irvin Vintar sich ihr seit zwei Tagen ununterbrochen widersetzte, die Erledigung des Auftrags verzögerte, war eine überflüssige Behinderung. Obwohl Mather weitgehend beherrscht in seinem Sessel saß, merkte Wallis am leichten Tappen seines rechten Daumens gegen die Kante der Tischplatte, daß seine Ungeduld zunahm.

»Na, was denn nun, Mr. Vintar? Ich warte auf Ihre Antwort.«

Vintar schluckte, sein Blick huschte verzweifelt hin

und her, sogar in Wallis' Richtung, suchte überall nach einem Ausweg.

»Ich kann's nicht erlauben, Kommodore«, sagte er schließlich. »Es ist zu gefährlich. Das Shuttle so dicht an die Verladestation zu manövrieren, wie Sie es vorhaben, ist ... Nein! Ich darf auf keinen Fall das Shuttle, die Besatzung und die gesamten Anlagen bei einem gefährlichen Manöver riskieren, das unsere Fähigkeiten ziemlich überfordert.«

»*Meine* Fähigkeiten übersteigt es nicht«, widersprach Mather. »Wenn nötig, werde ich das Shuttle persönlich lenken. Aber ich beabsichtige nicht, meine Ladung grundlos zu gefährden, indem ich sie über drei Kilometer offenen Raumhafengeländes befördere. Nicht bei der Stimmung, in der sich draußen die Menge befindet. Habe ich mich klar genug ausgedrückt?«

»Aber ...«

Mehrmals öffnete und schloß Vintar den Mund, während er die volle Tragweite von Mathers Vorschlag endlich erfaßte.

»Das kommt überhaupt nicht in Frage«, entgegnete er halblaut. »Ich kann keinesfalls ...«

»Mr. Vintar«, unterbrach Mather in ungeduldig, »ich glaube, es interessiert mich nicht mehr, was *Sie* können oder nicht können.«

»Aber Sie sind nicht qua ... Ich meine ...«

»Mr. Vintar, wollen Sie etwa behaupten, ein Flottenkommodore der Imperiums-Raummarine wäre ungenügend qualifiziert, um durch Fernsteuerung ein ziviles Shuttle zu landen?« fragte Mather, der dabei verschwieg — wie Wallis auffiel —, daß er offiziell längst keinen militärischen Dienst mehr leistete. »Meine akademische Ausbildung qualifiziert mich für die Steuerung von allen Schiffsklassen einschließlich schwerer Kreuzer. Wenn Sie und Ihr Personal mitmachen«, — er legte eine gerade ausreichend lange Kunstpause ein, um die genannte Voraussetzung unüberhörbar zu unterstreichen —, »kann ich nach meiner Überzeugung ein ziviles Shuttle steuern, wohin ich will.«

Vintar schluckte nochmals, unwillkürlich streifte sein Blick an Mathers stattlicher Gestalt hinauf zu den Kommodore-Schulterstücken, dem Emblem der Imperiumsflotte, dann der schwachen Ausbeulung, die die Nadelpistole unter der Marinejacke erzeugte, fiel zuletzt wieder in Mathers Gesicht. Irvin Vintars Kiefer mahlten infolge der Mühe, die es ihn kostete, sich weitere Gegenreden zu verkneifen, doch es war ziemlich offensichtlich, daß er am Ende seiner Weisheit stand. Wallis konnte den Widerwillen des Mannes nahezu körperlich spüren.

»Na schön, Kommodore.« Steif deutete Vintar knapp eine Verbeugung an, die seinen Ärger nur unzulänglich verbarg. »Aber wenn etwas schiefgeht, werden Sie für alle Sach- oder Personenschäden die volle Verantwortung tragen ... Und das möchte ich schriftlich haben.«

»Das ist von Anfang an klar gewesen.«

Während Vintar aus dem Büro stapfte, seufzte Mather schwer, dann blickte er auf und sah sich um, sah Wallis an, grinste mit einer Bosheit, die man bei ihm nur selten feststellen konnte, doch zum Glück entging Vintar auf dem Weg hinaus das Grinsen.

»So, die Hydra der Bürokratie ist enthauptet worden, zumindest bis auf weiteres«, sagte Mather unbekümmert und stand auf. »Jetzt muß ich bloß noch beweisen, daß ich kann, was ich angekündigt habe. Es ist eine Weile her, seit ich das letzte Mal solche Arbeiten erledigen mußte. Ist unsere Fracht fertig zum Bunkern?«

Wallis, die einen Kopf kleiner war als er, schaute ihm ins Gesicht, lächelte bedächtig auf eine Weise, die seinem Feixen ähnelte. »Na ja, im Vergleich zu deinem Problem hatte ich nur ein paar kleinere Giftspritzen zu zähmen — obwohl sie recht widerwärtig waren, muß ich erwähnen. Aber ja, ich habe alles geregelt ... Glaube ich wenigstens. Weißt du, was die Regierung Seiner Im-

11

perialen Majestät das Wasser kosten wird, das man uns hätte gratis liefern müssen?«

»Sicherlich wird Seine Imperiale Majestät über den Preis entsprechend bestürzt sein«, antwortete Mather. »Allerdings nehme ich an, daß auf lange Sicht um des lieben Friedens willen kein Preis zu hoch ist.« Er schaute zur Plaststahl-Fensterwand hinaus, die Ausblick über B-Gems Raumhafen bot. Kilometerweit schimmerte der Chrombeton des Raumhafengeländes in der Hitze.

»Tja, Vintar sagte, die *Walküre* sollte vor ungefähr zwanzig Minuten in den Orbit einschwenken, deshalb gehe ich davon aus, daß das Shuttle in etwa zehn Minuten eintrifft. Möchtest du mitkommen und zuschauen, wie ich das Fernsteuermanöver durchführe?«

Wallis verzog das Gesicht und schüttelte den Kopf. »Nein, ich glaube, ich werde es mir aus unmittelbarer Nähe ansehen. Falls du das Shuttle auf unsere Fracht statt auf das Landefeld setzen *solltest*, dürfte es vielleicht sowieso besser sein, ich gebe in den Trümmern den Geist auf.«

»Wie, Dr. Hamilton, zweifeln Sie etwa auch an meinen Fähigkeiten?«

»Aber Kommodore Seton, wie könnte ich so etwas nur *denken*?«

Die Wartesäle in der Nachbarschaft der Ladezone waren voll, als Wallis dorthin zurückkehrte. Linien-Sternenschiffe von der Größe und der Reputation der *Walküre* legten selten außerplanmäßige Landungen ein, und noch seltener auf Planeten, die so weit abseits der normalen Flugrouten wie Beta-Geminorum III lagen; folglich hatte die Ansage der Zwischenlandung eine ganze Anzahl Reisender dazu bewogen, ihre Pläne zu ändern und unverzüglich einen Flug zu buchen. ›Die Gruening-Linie gibt sich die Ehre, den Zwischenstop Ihres Luxus-Sternenschiffs der Novaklasse *Walküre* zu avisieren‹, stand an der Faxtafel neben dem Eingang zur Passagierlounge, und im weiteren Text führte man die einschlägigen Kostenfaktoren, vorhandenen Unterbringungsmöglichkeiten und den vollständigen Flugplan auf.

Wallis unterdrückte ein Auflachen, während sie sich durch die Warteschlange am Schalter schob, und fragte sich, ob einer dieser zwei Dutzend Passagiere ahnte, was das Gruening-Personal in Wirklichkeit von der ›Ehre‹ hielt. Georg Lutobo, der Kapitän der *Walküre*, hatte sich darüber nicht im geringsten gefreut. Die *Walküre* hatte sich auf einem Präzisionsflug von Tejat nach Aludra und bei dem voraussichtlich erfolgversprechend gewesenen Versuch befunden, für den Passagierverkehr zwischen diesen beiden Systemen einen neuen Rekord aufzustellen. Nein, selbst wenn Mather Seton die ganze Staatsgewalt der Imperiumsregierung im Rücken hatte, freute es Lutobo überhaupt nicht, den Flug abbrechen zu müssen, der wahrscheinlich den bisherigen Rekord übertroffen hätte, und statt dessen Kurs auf Beta-Geminorum III zu nehmen.

Die Bewohner nannten den Planeten natürlich anders. Wenn sie nicht von Pollox III sprachen, nannten sie ihn B-Gem; und eine frühere Rasse von Bewohnern, die bereits im Aussterben begriffen gewesen war, als die ersten irdischen Kolonisten mit Krankheitskeimen eintrafen, die den Untergang besiegelten, hatte dem Planeten den Namen Il Nuadi gegeben, eine Bezeichnung, die seit kurzem wieder in Mode kam. Nach der mörderischen Cruaxi-Seuche, die vor etwa dreihundert Jahren in der gesamten bekannten Galaxis die menschliche Zivilisation dezimiert hatte, war B-Gem für Generationen isoliert geblieben. Bei der ersten Dekontaktierung durch eine Expedition des Orion-Kartells vor einem Vierteljahrhundert war ein üppig-grüner Planet vorgefunden worden, bevölkert von robusten Leuten mit außergewöhnlichen landwirtschaftlichen Befähigungen, die durchaus in einem intergalaktischen Imperium einen neuen Platz einnehmen konnten.

Und weil B-Gem diesen zweiten Anlauf als Firmen-
planet begann, dessen Management sorgfältig darauf
achtete, die Ressourcen in der Gegenwart und für die
Zukunft optimal zu nutzen, blieb diese Welt relativ gesund. Als junger Planet, weit weniger entwickelt als die
Welt, die die Menschheit hervorgebracht hatte, wurde
B-Gem rasch zum Magneten für Zoologen und Botani-
ker aus dem gesamten Imperium; auf ihm gab es eine
berühmte Wildnis mit einer bis dahin nie katalogisier-
ten Flora und Fauna. Und da sich die Existenz einer
Alienzivilisation für kurze Zeit mit der Ankunft erster
Menschen überschnitten hatte, fand sich auch für An-
thropologen und Archäologen eine vorher beispiellose
Gelegenheit zu Forschungen.

Aber es war B-Gems Wildheit, die für Laien eine der
anziehendsten Einzelattraktionen blieb. Hier gab es
ausgedehnte Gebiete unkartografierter Wildnisse,
Dschungel und schroffer Schluchten, die noch kein
Mensch betreten hatte; und dazu ein so vielfältiges wil-
des Tierleben, daß man in manche Gegenden Jagdexpe-
ditionen nahezu ohne Auflagen durchführen durfte. Sie
boten die Gelegenheit, die Trophäe des Lebens zu er-
beuten.

Fremde Interessen dieser Art hatten Mather Seton
und Wallis Hamilton nach B-Gem gebracht, obwohl
Mathers nachrichtendienstliche Verbindungen und Wallis' medizinische Ausbildung das Paar auch für außeror-
dentlichere Aufgaben als die Jagd auf exotisches Wild
geeignet machten. Allerdings hatten sie den Planeten
nicht für *irgendeinen* Jagdausflug aufgesucht, sondern
zum Zwecke einer *bestimmten* Jagd. Die Beute waren Exemplare der wilden, scheuen, blauen Kreaturen gewesen, die die Benennung Lehr-Katzen trugen und von
denen man bis jetzt lediglich zwei in Gefangenschaft
gehalten hatte, und zwar in der Privatmenagerie des
Imperators.

Nun tappten vier dieser Geschöpfe durch die Enge

getrennter Plaststahl-Käfige, die in der Lagerhalle neben den Schalter- und Wartesälen für die Passagiere standen, und ihre unheimlichen Schreie griffen allen eisig ans Herz, die sie hörten, sobald sich die Verbindungstür zwischen den beiden Bereichen öffnete. Statt nur zu zoologischen Kuriositäten waren diese vier Katzen unversehens zu Bauern im Spiel intergalaktischer Vertragsverhandlungen geworden, zu Geschenken, die ein Alien-Botschafter seinen nach neuen Planeten gierigen Herren mitnehmen sollte, um ihnen unbefriedigende Angebote zu versüßen. Sie hatten schon mehrere Menschenleben gekostet.

»Dr. Hamilton?«

Wallis hob zum Gruß eine Hand, als der junge Rangerleutnant, sobald sie die Frachthalle betrat, sie ansprach. Sein dunkelgrüner Overall war vorschriftsmäßig tadellos, doch das schmale Gesicht spiegelte die Erschöpfung und Anspannung wider, unter der sie seit der Ankunft auf B-Gem alle während ihrer Tätigkeit litten. Auf der anderen Seite der Glassitwand hinter seinem Rücken schauten die Lehr-Katzen in ihren Käfigen grimmig umher, sperrten in regelmäßigen Abständen den Rachen zu Schreien auf, die ohne die Schallisolierung der Trennwand den Anwesenden nachgerade die Trommelfelle zerrissen hätten.

»Was gibt's, Wing?«

Der junge Mann schaute an ihr vorbei zu den Passagieren in der Lounge hinüber, von denen einige aus trotziger Sympathie für die draußen vor den Toren des Raumhafens versammelten Demonstranten verdrossen seinen Blick erwiderten, dann winkte er Wallis näher, während er zu der Tür zurückwich, durch die man zu den Großkatzen gelangte. Nach Art seiner asiatischen Vorfahren hatte er eine schlanke, drahtige Gestalt, aber größenmäßig sah er auf die winzige Wallis herab.

»Die Katzen werden schauderhaft unruhig, Doktor. Ich glaube, Sie sollten sie sich mal ansehen.«

Seine Hand berührte den Schalter der Tür, und kaum rollten die Schiebetüren beiseite, drang die volle Lautstärke der Schreie, die die Katzen ausstießen, aufs Gehör ein. Als Wallis und Wing eintraten, nahmen zwei Imperiumsranger zackig Haltung an; sie hatten die Nadelkarabiner für alle Fälle schußbereit über den Schultern, und vier andere Ranger patrouillierten zwischen den Stapeln anderen Frachtguts rings um die Käfige.

»Merken Sie, was ich meine?« Wing mußte die Stimme heben, damit man ihn durch das laute Heulen der Katzen verstehen konnte. »Sie haben damit losgelegt, gleich nachdem Sie sich auf den Weg zu Kommodore Seton gemacht haben.«

»Hmmm, vielleicht bin ich vermißt worden«, schmunzelte Wallis ironisch, während sie einen Medscan vom Gürtel löste und dicht an den nächststehenden Käfig hielt. »Es ist doch kein Fremder hier gewesen, oder?«

»Soll das 'n Witz sein, Doktor? Nicht mal unsere eigenen Leute halten sich bei diesem Krawall gern hier auf. Mir ist schon, als müßte mir der Kopf platzen.«

Kurz schwenkte Wallis den Medscan in seine Richtung, versuchte sich ein Grinsen zu verkneifen, als sie ihre Aufmerksamkeit wieder den Katzen schenkte.

»Nehmen Sie eine Kopfschmerztablette, Leutnant.«

»Vielen Dank für Ihren nützlichen Rat, Doktor.«

Die Katzen betrugen sich *wirklich* aufgeregter als sonst. Daran hatte Wallis keinen Zweifel. Dem Männchen, dem sie den Namen Sebastian gegeben hatten, sträubten sich die Haare, es fauchte, als Wallis sich zu weit vorbeugte, sein Halsfell kräuselte sich rund um die goldenen großen Augen wie eine elektrischblaue Pusteblume. Feine Barthaare ragten aus den Backen wie saphirblaue Strohhalme, zitterten bei jedem Brüllen, das es ausstieß. Reflexartig fuhr Wallis zurück, als das kleinere Weibchen im Nachbarkäfig plötzlich gegen den Plaststahl-Maschendraht sprang und mit einer Pranke in der Größe einer Melone nach ihr zu schlagen versuchte.

»He, bleib anständig, Emmaline! Hast du Mama vergessen?«

Sie erhielt nur ein Knurren als Antwort.

Leider vermutete Wallis, daß sie schon wußte, woraus das Problem bestand — und daß sie es vorläufig nicht beheben konnte. Ursprünglich waren die vier Käfige an den Seiten miteinander verbunden gewesen, so daß die vier Katzen den gesamten Innenraum der vier Behältnisse zur Verfügung und zueinander Zugang gehabt hatten. Vor einer Stunde hatte Wallis allerdings wegen des bevorstehenden Eintreffens der *Walküre* die Ranger angewiesen, das Käfigsystem wieder in vier gesonderte Abteile zu trennen, um den Transport zu erleichtern. Die Käfige standen noch in der vorherigen Anordnung nebeneinander, aber doppelte Plaststahl-Schiebewände beschränkten jetzt jede Katze auf einen Einzelkäfig. Umständehalber ließ diese Maßnahme sich nicht vermeiden, aber man konnte von den Katzen kaum erwarten, daß sie den Grund verstanden.

»Vielleicht paßt ihnen die Trennung nicht«, meinte Wing, während Wallis nochmals den Scanner ablas.

»Oh, das spielt bestimmt auch eine Rolle«, antwortete sie. »Und sie sind verängstigt. Und natürlich auch ein bißchen hungrig, aber daran können wir nichts ändern, bis wir an Bord der *Walküre* sind. Sobald sie wieder zusammen sind und Futter bekommen haben, werden sie sich schon beruhigen.«

»Ich hoffe schwer, Sie behalten recht, Doktor«, murmelte Wing halblaut und schrieb eine Notiz auf ein Klemmbrett. »Zu dumm, daß wir sie nicht betäuben dürfen.«

Wallis konnte gegen Wings Äußerung kaum Einwände erheben, da gerade eines der Weibchen noch schriller als zuvor kreischte, doch hatten sie durch Fehlschläge gelernt, daß die Katzen auf die meisten Medikamente sehr empfindlich reagierten. Unabsichtlich hatten sie zwei von ihnen durch Überdosen getötet, ehe sie herausfanden, daß die standardisierte Drogendosis, die man in den Projektilen der Nadelwaffen einsetzte, mehrfach höher war als zum Betäuben erforderlich. Trotz der Verwendung der Schwachdosis-Projektile, die sie gegenwärtig benutzten, hatten sie fast Rudolf verloren, das kleinere der beiden gefangenen Männchen.

Und wie die Katzen ohne Medikamente die Hyperraumsprünge vertragen würden, blieb vorerst offen, obwohl Wallis und Mather ständig Hypersprünge durchführten, ohne Medizin zu nehmen, und keine nachteiligen Folgen erlebten — oder jedenfalls spürte *sie* keine. Die Katzen mußten das Risiko einfach tragen, denn die Hypersprung-Standardmedikation hatte auf sie eine besonders giftige Wirkung.

Nicht zum erstenmal während dieses Auftrags neigte Wallis beinahe zu dem Wunsch, lieber Tierärztin als Humanmedizinerin zu sein. Allerdings wußte kaum irgendwer irgendwo viel mehr als sie über Lehr-Katzen. Wahrscheinlich wußten die Bewohner Il Nuadis einiges mehr, weil sie die Tiere seit mehreren hundert Jahren kannten; doch die Zoologen, die der Planet selbst seit seinem Wiederanschluß an die galaktische Zivilisation hervorbrachte, hatten die Katzen strikt in Ruhe gelassen, weil ein kompliziertes geschlossenes Legenden-Tabu-Mythos-System jede Belästigung dieser Lebewesen verbot. Das war die Ursache, die die Menge angelockt hatte, die draußen die Raumhafentore belagerte, der Grund, aus dem es fast zu einem globalen Zwischenfall kam, während sie die Katzen nach dem Einfangen zum Raumhafen beförderten.

Ein dunkles Rumpeln rumorte durch den Raum, man fühlte es mehr, als daß man es hörte, und ihm folgte erst ein heftiges Zittern, dann völlige Stille. Die Katzen blieben volle fünf Sekunden lang ruhig, ehe sie ihr Geheul mit neuem Nachdruck fortsetzten.

»Das wird das Shuttle sein«, sagte Wing, lief zu einer verdunkelten Sichtwand, wo ein anderer Ranger bereits die Schaltung der Polarisation betätigte. »Der Pilot muß es direkt auf dem Dach gelandet haben.«

Die Wand wurde leicht transparent, gerade genug, damit sich der stromlinienförmige schlanke Rumpf des Shuttles erkennen ließ, das nun keine zwanzig Meter entfernt parkte, ein elegant gestylter Flugkörper in den Firmenfarben der Gruening-Linie, Braunrot und Silber.

»Sieh an, sieh an, Susmens neues Modell!« konstatierte der ältere Ranger gedämpft. »Gruening knausert nicht, was?«

»Woll, 'n richtig schönes Stück«, stimmte Wing zu, nachdem er durch die Zähne einen gedehnten Pfiff ausgestoßen hatte. »Ich wußte auch nicht, daß Gruening so verwegene Piloten beschäftigt.«

Es bereitete Wallis erhebliche Mühe, nicht über die Überschwenglichkeit des jungen Mannes zu lachen. Wing war der jüngste der überlebenden Ranger — fast so jung, daß er Wallis' Sohn hätte sein können — und noch ein ziemlicher Grünschnabel.

»Tut sie nicht«, sagte Wallis und grinste, »aber ich denke mir, Mather würde sich durch Ihr Kompliment geschmeichelt fühlen. Möglicherweise wäre er sogar tatsächlich auf dem Dach gelandet, wäre er sicher gewesen, daß es das Gewicht trägt. Dann bräuchten wir die Katzen überhaupt nicht ins Freie schaffen.«

»Kommodore *Seton* hat das Shuttle gelandet?« Wing schnappte nach Luft, während der ältere Ranger mit einer Miene des Durchblicks nur nickte. »Und zudem muß er's per Fernsteuerung getan haben«, fügte Wing hinzu. »Ich habe gehört, daß er vor seiner Pensionierung Elitepilot gewesen ist, aber man glaubt ja nicht mal die Hälfte aller Geschichten, die an der Akademie erzählt werden.«

»*Einige* davon *kann* man glauben«, murmelte Wallis fast wie im Selbstgespräch, während sie hinter vorgehaltener Hand ein Lächeln verbarg und beobachtete, wie das Bodenpersonal schon die Luken entriegelte, das Aussteigen von Passagieren und das Löschen der Ladung vorbereitete.

Eine Stunde später begegnete die Rückkehr des Shuttles von der Planetenoberfläche an Bord der *Walküre* unterschiedlichen Reaktionen, die davon abhingen, ob sie seitens eines Passagiers oder eines Besatzungsmitglieds erfolgten. Die Besatzung sah in dem Zwischenhalt kaum einen Anlaß zur Befriedigung, denn die Flugplanänderung hatte sie um den Bonus gebracht, den man ihnen für den Fall versprochen hatte, daß die *Walküre* einen neuen Rekord aufstellte.

Dagegen störten nur wenige Passagiere sich daran, weil der unvorhergesehene Aufenthalt im Orbit um B-Gem in der Monotonie eines Langstrecken-Raumflugs, wie sie sich nicht einmal auf einem großen Luxus-Linienschiff wie der *Walküre* vermeiden ließ, eine gewisse Abwechslung bot. Das Zusteigen neuer Passagiere und exotischer Frachten zählte zu den Glanzereignissen jedes langen Raumflugs, und ein außerplanmäßiger Stopp bei einer der entlegeneren Welten des Imperiums löste fast unter Garantie auch beim abgebrühtesten Sternenreisenden Interesse aus.

Das Management der Gruening-Linie war keineswegs blind für die Faszination derartiger Gelegenheiten. Seit langem im Geschäft und darauf eingestellt, die Wünsche einer wohlhabenden und manchmal exzentrischen Klientel zu befriedigen, hatte Gruening über den Shuttlehangars ein Aussichtsdeck eingerichtet, auf dem interessierte Passagiere hinter sicheren Fenstern An- und Ablegemanöver mitansehen konnten und der Besatzung aus der Quere blieb. Weniger aktive Passagiere vermochten dank bordeigener Kameraübertragung sogar aus der Privatsphäre ihrer Kabinen zuzuschauen. Der Unterhaltungscomputer des Raumschiffs machte fünfzehn Videokanäle zugänglich, von denen mehrere

Einblick in den Routinebetrieb des Schiffs gaben, und hatte außerdem eine größere Anzahl von Bibliotheksfunktionen, die Informationen lieferten und visuelles Amüsement ermöglichten.

Auf dem Aussichtsdeck hatten sich vor dem B-Gem-Rendezvous über ein Dutzend Passagiere eingefunden. Es wären wohl mehr gewesen, hätte der Bordtag nicht erst vor einer Stunde begonnen, so daß viele noch in ihren Kajütenbetten schliefen. Eine Handvoll Erwachsener, unter ihnen ein paar exotisch gekleidete Aliens, verfolgten das Geschehen mit mäßiger Neugier, aber zu einem großen Teil waren Kinder zur Stelle, die anscheinend jedesmal Bescheid wußten, wenn ein Aus- oder Einbooten bevorstand. Fünf von den Kleinen klammerten sich an diesem Morgen, die Augen in den frischen Gesichtern weit aufgerissen, an die Geländer der Sichtfenster; offenbar juckte es sie, zu den Schleusenkammern hinunterzusteigen, um das Shuttle, die neuen Passagiere und etwaige Fracht von interessantem Aussehen aus größerer Nähe betrachten zu können.

Als erste verließen die neuen Fluggäste das Shuttle, jeden Einzelreisenden und jede Reisegruppe nahm ein Steward in Empfang und geleitete ihn beziehungsweise sie zum Büro des Zahlmeisters, das an den Empfangsraum der Passagiere grenzte. Auch der Kapitän der *Walküre* war da, um die Neuen zu begrüßen, jedoch weniger aus Leutseligkeit als aus mit Gereiztheit vermischter Wißbegierde, denn er wartete auf einige *bestimmte* Passagiere, und ganz besonders auf einen, den Mann, der sein Raumschiff buchstäblich abkommandiert hatte. Als Mensch von untadeligem Können und mit Launen, die bisweilen so düster wurden, daß sie der dunklen Farbe seines gutaussehenden Gesichts nicht nachstanden, war Kapitän Georg Lutobo niemand, der die Tatsache, dazu gezwungen worden zu sein, das Ansehen der Gruening-Linie zu schmälern, was pünktliche Einhaltung des Flugplans betraf, ohne weiteres übergehen mochte;

statt dessen verfinsterte sich seine Stimmung von Minute zu Minute. Sobald im Andrang der Passagiere, die beim Zahlmeister vorsprechen mußten, eine Unterbrechung entstand, stapfte Lutobo kurz hinüber zum unteren Ende der Rampe, die vom Shuttlehangar herabführte, maulte einen Gepäckträger an, der soeben Koffer von teurem Design anschleppte.

»Kaum stört etwas die normale Routine, bricht der ganze Betrieb zusammen«, schalt Lutobo, kehrte zum Zahlmeister zurück. »Mr. Diaz, was *ist* hier eigentlich los?«

Das Gellen eines Frei-Signals in der benachbarten Hangarbucht übertönte seine Worte, und Lutobo merkte, daß der Mann ihn nicht gehört hatte. Überall auf Diaz' Tisch lagen Zollerklärungen, Visa, Pässe sowie andere Reise- und Transportpapiere, auf eine Weise sortiert, die offensichtlich für ihn einen Sinn ergab, jedoch für sonst niemanden. Momentan loggte er gerade einen Medchip einer dreiköpfigen Familie, fragte die üblichen Informationen über besondere Ernährungsanforderungen oder nötige Milieuanpassungen ab.

»Mr. Diaz«, wiederholte der Kapitän.

Diaz hob den Blick, nickte knapp, als er sah, daß der Kapitän vor ihm stand.

»Guten Morgen, Kapitän. Wie kann ich Ihnen behilflich sein?«

Erfolglos versuchte der Kapitän, eine freundlichere Miene aufzusetzen. »Dieser Kommodore Seton — ist er schon an Bord?«

»Seton? Nein, Sir. Ich glaube, er und seine Mitarbeiter halten sich noch bei ihrer Fracht auf. Aber jemand hat mir ihre Papiere gebracht.«

Mißgestimmt nickend nahm der Kapitän den Stapel Pässe zur Hand und durchsuchte ihn, bis er fand, was er haben wollte: *Seton, Dr. ling. psych. Mather, V. Flottenkommodore a. D., Imperiale Raummarine, Status 1A1.* Der Paß enthielt einen von Prinz Cedric, dem Bruder des Imperators, abgezeichneten Zusatzvermerk, der ein Kreditlimit ohne näher spezifizierte Obergrenze garantierte, doch Lutobo war sich darüber im klaren, daß die anschließende Codezahl, wenn er eine Kreditprüfung vornahm, eine Summe in astronomischer Höhe ergäbe.

Bei diesem Anblick räusperte Lutobo sich aus Mißbilligung, betrachtete übellaunig den Vermerk *a. D.*, noch grimmiger den Hinweis auf den 1A1-Status, schob den Stapel Pässe zurück auf den Tisch des Zahlmeisters und strebte zielbewußt zur Shuttleschleuse. Gerade als er wieder den Fuß der Rampe erreichte, erschienen am oberen Ende zwei Imperiumsranger in dunkelgrünen Overalls, die vorsichtig eine unter einen großen Plaststahl-Container geklammerte Antigrav-Transportpalette herablenkten. Ein junger Ranger von irgendwie asiatischem Äußeren folgte ihnen mit einem Klemmbrett, begleitet von einer ziemlich kleinen tizianblonden Frau, die so gut wie jedes Alter über zwanzig haben konnte. Lutobo war ihnen bereits ein Stück weit die Rampe hinauf entgegengegangen, als er erkannte, was sich in dem an der Vorderseite nur mit Maschendraht geschlossenen Behältnis befand und hastig nach unten zurückwich.

»Wir kommen vorbei, Kapitän!« rief einer der Ranger.

Das Tier hatte sich zu einer festen, pelzigen, blauen Kugel eingerollt, schien aber trotzdem den ganzen Käfig zu füllen. Lutobo schätzte, daß es in Normschwerkraft fast einhundert Kilo wiegen mußte, doch gegenwärtig schwebte es gewichtslos im Antigravfeld der Transportpalette, auf der man den Käfig beförderte. Der Käfig kippte leicht, während die Ranger ihn behutsam übers Ende der Rampe zu bugsieren versuchten, und die Veränderung des Winkels entlockte dem Wesen einen Schrei — er klang wie etwas zwischen einem Kreischen und den Geräuschen aus einer Schrottpresse —, und das Pelzbündel verwandelte sich schlagartig in eine riesige blaue Katze mit gesträubtem Fell, die fauchte und knurrte. Rund um die zornigen goldgelben Augen hatte sie eine Mähne wie ein irdischer Löwe, und die spitzen, an den Schädel gelegten Ohren verliehen ihrem Gesicht einen Ausdruck ungewöhnlicher Schläue. Das Geschöpf schlug den über einen Meter langen, mit einer Schwanzquaste verzierten Schweif so kräftig gegen die Seitenwand des Käfigs, daß ihn und die Transportpalette ein Ruck durchfuhr, während es, um Halt zu finden, messerscharfe Klauen in den Maschendraht krallte. Noch einmal heulte das Wesen, blinzelte in die helle Beleuchtung des Decks, und seine Laute jagten Lutobo ein Schaudern über den Rücken. Und unmittelbar bevor die Kreatur das Maul schloß, glänzte das Licht auf fürchterlichen Reißzähnen.

Der Kapitän schluckte, das Atmen fiel ihm auf einmal schwerer, er trat noch weiter zurück, während man den Käfig vorbeilenkte, und wischte sich heimlich die klamm gewordenen Hände an den Seiten seiner kastanienbraunen Uniformhose ab — Katzen hatte er noch nie ausstehen können —, dann setzte er wieder die vorherige böse Miene auf, als er einen hochgewachsenen stämmigen Mann in grauer Kluft die Rampe herunterkommen und auf die Ranger zugehen sah. An den Kragenaufschlägen schimmerten die Insignien eines Flottenkommodores, und am Ärmel trug er das Wappen des Imperators. Das Namensschild über der rechten Brusttasche kennzeichnete ihn als genau den Mann, den der Kapitän suchte.

»Kommodore Seton, wen ich nicht irre?«

Mather drehte sich um und musterte den Kapitän, Offenheit im angenehmen rundlichen Gesicht.

»Ja, ich bin Seton. Sie müssen Kapitän Lutobo sein. Es tut mir leid, daß wir keine andere Wahl hatten, als Ihr Raumschiff zu requirieren, aber wie schon gesagt, Kapitän, wir handeln auf direkten imperialen Befehl.«

Er streckte dem Kapitän die Hand entgegen, aber Lutobo mißachtete sie demonstrativ.

»Sie sagten, Sie hätten dringende Angelegenheiten

des Imperators zu erledigen«, antwortete Lutobo in kühlem Ton. »Sie haben angedeutet, es drehe sich um eine Sache von höchster Wichtigkeit. Daß es dabei um den Transport von Tieren für den Zoo des Imperators geht, haben Sie allerdings verschwiegen. Ich weiß nicht, ob es Ihnen klar ist, Kommodore, oder nicht oder ob Sie sich überhaupt darum scheren, aber die Gruening-Linie hat einen Ruf zu wahren. Es ist untragbar, daß halbamtliche imperiale Organisatoren aus nichtigen Gründen ihre Flugpläne durcheinanderbringen.«

Mather hatte die Hand gesenkt, sobald Lutobo mit seinen Vorwürfen anfing, und nun hakte er bedächtig die Daumen in den Hosenbund. Obwohl die Bewegung dem Anschein nach nicht wirkte, als beruhe sie auf Berechnung, straffte sie an einer Körperseite den Stoff der Jacke, so daß sich darunter mit unmißverständlicher Deutlichkeit die Umrisse der Nadelpistole abzeichneten, die er unter der linken Achsel trug. Die haselnußbraunen Augen unter dem Schopf hellbraunen Haares, das er etwas länger hatte, als es militärische Vorschriften erlaubten, spiegelten keinerlei Bedrohlichkeit wider, und er gab mit ruhiger, sorgsam neutraler Stimme Antwort; trotzdem merkte man ihm an, daß er dazu imstande war, Macht kaltblütig einzusetzen.

»Ich zweifle daran, daß Sie zu entscheiden in der Lage sind, ob die Handlungen des Imperators ›nichtige Gründe‹ haben, Kapitän«, sagte Mather gelassen. »Und während weniger flexible Männer als ich sich unter Umständen genötigt fühlen würden, an Ihrer indirekten Beleidigung Anstoß zu nehmen, bin ich der Überzeugung, daß Sie nur aus ernstem Interesse an Ihrer Pflichterfüllung so reagieren, so wie ich meine Pflicht zu erfüllen versuche. Ich versichere Ihnen, daß meine Leute und ich alles tun werden, was im Rahmen unserer Möglichkeiten steht, um Ihnen dabei zu helfen, den durch den Zwischenstop entstandenen Zeitverlust wieder auszugleichen.«

Lutobo zwinkerte, Mathers maßvolle, jedoch unerschütterlich feste Erwiderung bestürzte ihn; er faltete die Hände auf dem Rücken, richtete sich höher auf.

»Ich bitte um Entschuldigung, falls ich mich voreilig geäußert haben sollte, Kommodore«, lenkte er ein. »Leider können Sie an dem Zeitverlust, der sich ergeben hat, wohl nichts mehr ändern. Auch wenn wir inzwischen jede Chance verloren haben, einen neuen Geschwindigkeitsrekord aufzustellen, und meine Crew den Bonus nicht gewinnen wird, darf ich das Wohlergehen der Passagiere nicht riskieren, indem ich zusätzliche Hyperraumsprünge durchführe oder planmäßige Sprünge in zu kurzen Abständen aufeinanderfolgen lasse. Der gute Ruf der Gruening-Linie stützt sich noch stärker als auf Pünktlichkeit auf Sicherheit und Komfort der Passagiere. Meine Vorgesetzten würden wahrscheinlich keine Vorgehensweise billigen, die diesen Ruf gefährdet.«

Mather spreizte die Hände zu einer Geste der Versöhnlichkeit. »Ich habe volles Verständnis, Kapitän. Aber vielleicht kann ich Sie trotzdem bei der Navigation unterstützen, indem ich Ihrem Personal vor den planmäßigen Hyperraumsprüngen bei der Präzisionseinstellung behilflich bin. Den Rekord werden Sie deshalb nicht mehr brechen, möglicherweise können wir dadurch einige verlorene Zeit aufholen. Ich ... äh ... kenne mich mit dem Margall-Seton-Antrieb einigermaßen aus.«

»Ich weiß Ihr Angebot zu würdigen, Kommodore, aber ...«, begann Lutobo. »Moment mal!« platzte er dann heraus. »Sie sind doch nicht *der* Seton, oder?«

Mather schmunzelte. »Nein, das war meine Tante. Im Ernst, Kapitän, wenn Sie einverstanden sind, helfe ich gern.«

»Tja, vielleicht *könnten* wir's schaffen ...«

Bevor Lutobo aussprechen konnte, was er meinte, unterbrach ihn eine dem Zahlmeister unterstellte Verwaltungsoffizierin, die eilig, das sonst beherrschte Gesicht zu einer sorgenvollen Miene verzogen, vor ihn trat.

»Kapitän, auf dem Aussichtsdeck hat es einen Zwischenfall gegeben.« Sie schaute über ihre Schulter, und die beiden Männer blickten unwillkürlich in dieselbe Richtung. »Ein Passagier hatte eine Art von hysterischem Anfall und machte eine Szene. Es ist ihm gelungen, damit mehrere andere Passagiere in Aufregung zu versetzen, und der Deckoffizier mußte das Aussichtsdeck schließen.«

»Was ist mit dem Passagier?« erkundigte sich Lutobo. »Ist er wohlauf?«

»Das konnte ich nicht feststellen, Sir. Es war einer der aludranischen Pilger. Sie wissen, wie zurückhaltend sie sich benehmen. Anscheinend hat ein Begleiter ihn in Obhut genommen, sie sind in ihre Kabine gegangen, aber wahrscheinlich sollte jemand aus der Medizinischen Station ihn sich mal ansehen. Ein anderer Passagier erwähnte, der Aludraner hätte was über Dämonen geschrien.«

»Dämonen?« wiederholte Lutobo.

»Ich nehme an, er hat eine der Katzen gesehen«, sagte Mather leise. »Wenn ich mich richtig entsinne, sollen aludranische Dämonen grün sein, nicht blau, ansonsten jedoch beträchtliche Ähnlichkeit mit Lehr-Katzen aufweisen.«

Lutobo seufzte. »Ich hätte gut weiterleben können, ohne das zu erfahren, Kommodore.«

»Tut mir leid, Kapitän.«

Matt schüttelte Lutobo den Kopf und rieb sich den Nacken. »Tscha, ich habe das Gefühl, wir müssen unsere Unterhaltung ein anderes Mal fortsetzen. Entschuldigen Sie mich, Kommodore.«

»Selbstverständlich, Kapitän.«

Während sich Mather umwandte, um die Rampe zu ersteigen, auf der sich soeben zwei Ranger mit dem

27

nächsten Käfig zeigten, folgte Lutobo der Verwaltungsoffizierin zum Zahlmeister.

»Mr. Diaz, wie viele Aludraner haben wir auf diesem
Flug an Bord?«

Der Zahlmeister legte einen letzten Hefter auf den
Stapel, den er aus einer ganzen Anzahl solcher Mappen
gebildet hatte, und schüttelte den Kopf. »Bloß fünf oder
sechs, Sir. Möchten Sie 'ne Namensliste?«

Der Kapitän schnaufte gedämpft, bevor er ebenfalls
den Kopf schüttelte. »Nein, nicht nötig. Ich werde mich
an Dr. Shannon wenden. Ich wollte ohnedies in die Medizinische Station. Der heutige Morgen beschert mir
scheußliches Kopfweh.«

»Ich bedaure, das zu hören, Sir.« Hoffnungsvoll
wölbte der Zahlmeister die Brauen. »Aber könnten Sie,
wenn Sie die Medizinische Station sowieso aufsuchen,
vielleicht die medizinischen Daten der neuen Passagiere
mitnehmen, Sir? Bestimmt will Dr. Shannon sie so
schnell wie möglich in die Dateien einsortieren.«

Mit einem Schulterzucken und einer Gebärde der
Gleichgültigkeit nahm Lutobo den Stoß Chip-Plättchen,
auf denen sich die medizinischen Daten befanden,
seufzte noch einmal und durchquerte den Vorraum der
Shuttlehangars zum Personallift. Hinter ihm beobachtete Mather Seton, wie die Ranger den dritten Katzenkäfig die Hangarrampe hinabschafften; das darin einge-
sperrte Tier schrie in gellenden Tönen, die an das Kreischen von Metall erinnerten.

KAPITEL 2

Wenn man mich mit der *Walküre* nach Tejat zurückschickt, werde ich mit Ihnen zum Tanzen gehen, Doktor«, sagte der Beinlose und rang sich ein tapferes Lächeln ab, während er die Handsteuerung seines Antigravitations-Korsetts betätigte und sich umständlich vom Behandlungstisch schweben ließ. »Das ist mein voller Ernst, also putzen Sie besser schon mal Ihre Tanzschühchen.«

Dr. Shivaun Shannon, Bordoberärztin der *Walküre*, zwinkerte dem jungen Major vergnügt zu, schenkte ihm ein entgegenkommendes Lächeln und schloß den Rest der Medizin, die den Schmerz unterdrückte, ohne die Bewußtseinsklarheit zu beeinträchtigen, für die nächsten zwölf Stunden weg. »Ich würde mich darauf freuen, Major, aber bis dahin werden sich Dutzende anderer Frauen darum reißen, mit Ihnen tanzen gehen zu dürfen. Bis Ihnen die neuen Beine nachgewachsen sind, haben Sie mich wahrscheinlich vergessen.«

»Sie glauben, ich könnte Sie vergessen, Doktor?« Der Major sorgte dafür, daß das Antischwerkraft-Korsett ihn in seiner normalen Stehhöhe in die Senkrechte schwenkte, ergriff mit der freien Faust Shannons Hand, versuchte die Ärztin zu sich herumzuwirbeln. »Am liebsten würde ich schon jetzt mit Ihnen tanzen, bestände nicht die Gefahr, daß die anderen Passagiere neidisch werden. Außerdem ...« Er lachte, als statt sie *er* sich drehte. »Außerdem macht dieses verdammte Korsett nicht mit. Aber ich werde weiter üben. Vielleicht kann ich's noch austüfteln, ehe wir im Med-Zentrum eintreffen.«

»Könnte sein«, meinte Shannon fröhlich, nutzte die zeitweilige Gewichtslosigkeit des Majors aus, um ihn rücksichtsvoll zur Tür zu schieben. »Allerdings wär's eine nur vorübergehend nützliche Fähigkeit. Sie werden neue Beine haben, bevor Sie sich versehen. Lassen Sie sich ermahnen: Wenn Sie sich zusehr anstrengen, wird das Schmerzmittel keine vollen zwölf Stunden wirksam bleiben, und Sie werden Beschwerden haben, ehe ich Ihnen die nächste Dosis verabreichen darf. Also gehen Sie jetzt und gönnen Sie sich Ruhe.«

»Spielverderberin!«

»Ja, ich weiß, ich bin eine herzlose, hartgesottene Ärztin ohne das geringste Mitgefühl für einen mutigen Kriegshelden. Auf Wiedersehen, Major.«

»Bis dann, Doktor.«

Shannon lächelte noch, während der Major den Korridor hinabschwebte, und das humorige Funkeln in ihren Augen besänftigte sogar die strenge Miene Lutobos, der sich unterdessen aus der anderen Richtung näherte.

»Sie sind ja heute früh in schrecklich heiterer Laune, Doktor.«

»Na ja, es trägt dazu bei, das Befinden der Patienten zu bessern, Kapitän. Ach, ich sehe, Mr. Diaz hat Sie dazu überredet, mir die Daten der neuen Passagiere zu bringen, stimmt's?«

Gutmütig schnob Lutobo, während er ihr die Unterlagen übergab. »Irgendwie vergeß ich's immer, daß Diaz einen genauso wie Sie einzuwickeln versteht, auch wenn Sie's sicher leugnen würden. Jedenfalls hat Ihre Fähigkeit, jemandem zu schmeicheln, heute morgen Major Barding zum Lächeln bewogen.«

»Ja, wirklich, das hab' ich geschafft. Er hat sogar versprochen, mich während des Heimflugs zum Tanzen einzuladen.«

Shannon schob die Chip-Plättchen mit den medizinischen Daten in einen Sammelkorb auf dem Schaltertisch der Anmeldung, wollte schon fragen, weshalb Lutobo *nicht* lächelte, beschloß jedoch, bei dem neutralen

Thema Barding zu bleiben, während der Kapitän sie mit einem Gesichtsausdruck, der weitere Frivolitäten wenig ratsam wirken ließ, in ihr Büro winkte.

»Barding macht tatsächlich erhebliche Fortschritte. Es wäre bloß besser, er würde nicht übertreiben, damit die Dosis seines Schmerzmittels die vorgesehene Dauer anhält. In der letzten Stunde leidet der Mann jedesmal Höllenqualen.«

»Ich gehe momentan selbst duch die Hölle, Doktor«, sagte Lutobo gedämpft, folgte ihr ins Büro und schloß die Tür. »Was haben Sie gegen anständige scheußliche Kopfschmerzen?«

»Na, ›anständig‹ und ›scheußlich‹ sind eigentlich diametral entgegengesetzte Bewertungen, wenn man von Kopfschmerzen redet«, sagte Shannon, nahm an ihrem Schreibtisch Platz und öffnete eine Schublade. »Aber das hängt natürlich auch stark davon ab«, fügte sie hinzu, indem sie ein Lächeln unterdrückte, »wodurch sie verursacht wurden.«

Sie schüttelte eine Kapsel aus einem Fläschchen und reichte sie Lutobo, der sie dankbar schluckte, ehe er sich ebenfalls setzte.

»Möchten Sie's mir erzählen?« fragte Shannon.

Lutobo machte die Augen zu, massierte sich mit beiden Händen energisch das Gesicht und lehnte sich in den Sessel.

»Wissen Sie, was die ›Spezialfracht‹ ist, der Grund, warum man uns nach B-Gem umdirigiert hat?«

»Wie sollte ich, Kapitän?«

»Es sind *Katzen!*« Lutobos Tonfall vermittelte alle Geringschätzung eines eingefleischten Katzenhassers. »Vier große, haarige, blaue Katzen für den Privatzoo des Imperators. Sie kreischen wie Furien. Es ist mir schleierhaft, wie Diaz und seine Mitarbeiter unter solchen Verhältnissen dort unten noch ihre Aufgaben erledigen können. Abscheulich aussehende Biester ... Die Katzen meine ich.«

Als Lutobo sie anschaute, wölbte Shannon die Brauen.

»So, Katzen?« Sie lachte leise auf, aber ein bedrohlicher Schimmer in Lutobos Augen warnte sie rechtzeitig, und sie verwandelte das ansatzweise Lachen in ein Hüsteln. »Hm, ja, ich ... äh. Ich kann verstehen, wieso Sie sich aufregen, Kapitän. Wir haben 'ne Menge Zeit verloren, nicht wahr? Ganz zu schweigen vom Bonus.«

»Ja. Und obendrein hat's auf dem Aussichtsdeck 'n Zwischenfall gegeben. Einer Verwaltungsoffizierin zufolge, die es vom Zahlmeister weiß, der es wiederum vom Deckoffizier erfahren hat, ist einer der aludranischen Passagiere hysterisch geworden, anscheinend beim Anblick der Katzen, als sie an Bord kamen, und er hat immerhin eine derartige Szene veranstaltet, daß das Deck geräumt werden mußte. Es war die Rede von Dämonen oder ähnlichem Humbug. Ich hätte gern eine Untersuchung durchgeführt.«

»Bei dem Aludraner?«

Lutobo nickte.

»Wissen Sie, welcher von ihnen es ist?«

Der Kapitän schüttelte den Kopf. »Ein Mitreisender soll ihn in seine Kabine gebracht haben. Aber wenn wir's an Bord meines Schiffs mit durchgedrehten Aliens zu tun kriegen, will ich zumindest den Anlaß kennen. Vor allem möchte ich wissen, was ihn so aus der Bahn geworfen hat. Wenn's die Katzen waren ...«

Shannon beugte sich in ihrem Sessel vor und nickte. »Ich werde sehen, was ich herausfinden kann, Kapitän. Soweit ich mich entsinne, haben wir bloß sechs Aludraner dabei, und ihre Kabinen liegen nebeneinander. Sonst noch irgend etwas?«

Als der Kapitän aufstand, hallte ein leiser dunkler Läutton durch das Raumschiff, zeigte das unmittelbar bevorstehende Verlassen des Parkorbits an. Das Medikament hat die vom Kopfweh verursachten Furchen in seinem Gesicht bereits gelockert.

»Ja, wenn Sie mit den Aludranern fertig sind, könnten Sie mal 'n Blick auf die Katzen werfen. Sprechen Sie mal mit diesem Kommodore Seton, der uns die Viecher an Bord gebracht hat. Es soll auch ein Arzt unter seinen Mitarbeitern sein. Vielleicht können Sie von ihm was erfahren. Und lassen Sie sich nicht aufhalten. Unser erster Hypersprung ist in kaum einer Stunde fällig.«

Zehn Minuten später strebte Shannon durch den Korridor zu den Quartieren der Aludraner, eine Artztasche über die Schulter geschlungen und im Besitz einer Vielfalt neuer Informationen über die aludranischen Passagiere.

Mit dem Rassentyp war sie selbstverständlich längst vertraut. Im Lauf ihrer Ausbildung mußten junge Ärzte in der Anatomie Leichen von Verstorbenen aller großen physiologischen Gruppen sezieren und zudem gewisse Pflichtkurse zur Aneignung von Alienspsychologie und Kenntnissen der Alienkulturen besuchen. Letzterer Teil der Ausbildung hatte gründlicher vertieft werden müssen, sobald Shannon die Arbeit bei der Gruening-Linie aufnahm, denn vom Bordarzt eines Sternenschiffs erwartete man, daß er eine weit größere und unterschiedlichere Anzahl von Alienpatienten zu behandeln verstand, als die meisten auf Planeten tätigen Ärzte im ganzen Leben zu sehen bekamen. Innerhalb von zwei Jahren war Shannons Können bereits beträchtlich auf die Probe gestellt worden.

Lutobos Bemerkung bezüglich Dämonen beunruhigte sie, weil sie wußte, daß die Aludraner ein sehr mystisch orientiertes Volk waren, das ein altes kompliziertes System von Mythen hatte und wahrhaftig an übernatürliche Wesen glaubte. Unter ihresgleichen wendeten sie eine schwache telepathische Begabung an — die bei der Kommunikation mit anderen Rassen allerdings nutzlos blieb —, und das bedeutete, ein erschrockener Aludraner konnte alle übrigen sozusagen anstecken. Die rasche Durchsicht der vorhandenen Daten hatte bestätigt, daß es sich bei diesen Aludranern um religiöse Pilger handelte, die zu einer Art von Exerzitien nach Tel Taurig reisten; dieser Planet wäre das nächste Ziel des Schiffs gewesen, hätte man es nicht nach B-Gem umgeleitet. Der Führer des Grüppchens, ein *Lai* oder Priester namens Muon galt an mehreren angesehenen Universitäten auf seiner Heimatwelt und anderen Planeten als geachtete Person von ausgeglichenem Charakter; jedoch konnte man beim Anlegen menschlicher Maßstäbe an Aliens nie so recht sicher sein, ob die Einschätzungen als vergleichbar eingestuft werden konnten. Shannon erinnerte sich daran, Muon anläßlich des vom Kapitän veranstalteten Empfangs am ersten Abend nach dem Abflug kurz begegnet und von ihm beeindruckt gewesen zu sein.

Shannon straffte die Schultern, als sie vor der ersten Kabine der Aludraner stand, drückte mehrmals die Taste des Interkoms. Weder damit noch mit mehrfacher Wiederholung hatte sie irgendeinen Erfolg. Auch bei der zweiten Kabine hatte sie kein Glück.

Aber vor der dritten Kabine, die Muon und seine Gattin bewohnten, hörte sie Geräusche von Bewegung und gelegentlich ein Schluchzen oder Aufstöhnen, obwohl die Kabinen relativ schallgeschützt sein sollten. Diesmal führte das Summen, als sie die Taste drückte, im Innern der Kabine zu einem plötzlichen vollkommenen Schweigen, doch meldete sich niemand am Interkom. Nach noch mehreren vergeblichen Versuchen zückte sie einen Korrekturschlüssel und steckte ihn in einen Schlitz neben der Interkomtaste, drückte ihn, als sie Widerstand spürte, energisch hinein.

Eine Schaltung erfolgte, der Rufer summte nochmals, und in der Taste glomm ein grünes Licht auf.

»Hier ist Dr. Shannon, die Schiffsärztin«, sagte Shannon mit verhaltener Stimme, sprach in das Mikrofongitter unterhalb der Taste. »Ich habe einen Korrekturschlüssel benutzt, weil der Kapitän mich gebeten hat, mich davon zu überzeugen, daß es Ihnen gut geht. Ich bedaure die Störung, aber soviel ich gehört habe, hat eines Ihrer Gruppenmitglieder eben ein unangenehmes Erlebnis gehabt.«

Für kurze Zeit blieb es still, dann hörte man aus dem Interkom hastige Füße und das Hauchen von Atemzügen.

»Bitte lassen Sie uns in Ruhe, Doktor!« ziepte eine leise, schwache Stimme mit auffälligem Akzent. »Sie können für uns nichts tun.«

Shannon betrachtete den Lautsprecher und den daneben befindlichen inaktiven Vid-Schirm, wünschte sich, ihre ärztlichen Privilegien erlaubten es ihr, nicht nur Sprechgeräte, sondern auch visuelle Übertragungsanlagen zu übersteuern. In Notfällen durfte sie den Öffnungsmechanismus der Tür übersteuern, mußte ihr Vorgehen aber später rechtfertigen, falls sich der Bewohner der Kabine beschwerte. Bis jetzt sah sie keine Anzeichen für das Vorliegen eines wirklichen Notfalls.

»Ich will Ihnen keineswegs widersprechen«, antwortete sie, »aber woher soll ich wissen, ob ich nichts tun kann, wenn Sie mir nicht sagen, was passiert ist? Ich habe Verständnis für Ihre Aufregung, andererseits jedoch meine Anweisungen. Darf ich wenigstens Muon sprechen, Ihren Führer?«

»Nein!« lautete die nachdrückliche Erwiderung. »*Lai* Muon wünscht mit niemandem zu sprechen. Ich spreche für ihn. Ich bin seine *Laia*. Dieser Fall betrifft Sie nicht, Doktor.«

»Ich bin Ärztin, also betrifft es mich zweifellos, wenn einer unserer Passagiere Beschwerden hat«, äußerte Shannon freundlich. »Dürfte ich bitte zumindest für einen Augenblick hineinkommen? Ich verspreche Ihnen, daß ich keine Maßnahmen ohne Ihre Einwilligung ergreifen werde, und ich werde gehen, sobald Sie es wünschen, nachdem ich bei Ihnen gewesen bin und die Gewißheit habe, daß sie alle wohlauf sind.«

Aus dem Hintergrund hörte Shannon halblautes Zwitschern, das auf einmal gedämpfter klang, als jemand drinnen das Mikrofon mit etwas verdeckte. »Danach werden Sie gehen?« fragte die Stimme in flehentlichem Ton.

»Natürlich, nachdem ich Sie aufgesucht habe.«

Shannon zog den Korrekturschlüssel heraus, sobald ein leises Klicken anzeigte, daß man den Türöffner aktiviert hatte. Ein Schwall feuchtheißer Luft blies ihr ins dunkle Haar, als die Tür zur Seite glitt, und als sie die Schwelle überquerte, merkte sie, wie sich ihr Gewicht ein wenig erhöhte. Die von Aludranern geatmete Atmosphäre war reich an Sauerstoff und roch scharf nach einer unbekannten fremdartigen Substanz, doch sie wußte, daß das normale aludranische Umweltmilieu Menschen nicht schadete. Aufgrund der Temperatur von dreißig Grad brach ihr sofort der Schweiß aus, und sie hoffte, daß sich kein Anlaß ergab, sich allzulange in der Kabine der Aludraner aufzuhalten.

»Kommen Sie da entlang, Doktor!« bat die Aludranerin, die sie eingelassen hatte. »Hier ist Muon.«

In der Kabine war es trübe, aber nicht so dunkel, daß Shannon zu erkennen außerstande gewesen wäre, wie vier Aludraner um den Sessel eins fünften, älteren, gequält aussehenden Aludraners standen oder knieten. Im allgemeinen waren Aludraner farbenprächtig gezeichnet, insbesondere die Männer mit ihrem schillernden Gefieder, aber dieser männliche Aludraner machte einen beinahe einfarbenen Eindruck. Selbst die scharlachroten und gelben Brustfedern wirkten inmitten des gräulichen Flaums, der Hals und Handrücken bedeckte, fast ausgeblichen, und die Haut, die sich über die Flächen seines spitzen, kantigen Gesichts spannte, war aschfahl. Die Augen hatte er geschlossen, der Schädel ruhte an der Kopfstütze des Sessels, und den Pelzmantel, den er außerhalb der Wärme der Kabine tragen mußte, hatte man nach den Seiten geschlagen, so daß man darunter ein schlichtes Kleidungsstück aus bernsteingelber Kristallseide sah, das vom Gelehrtenkragen und der Gelehrtenstola in Scharlachrot bis zu den Krallenzehen der Füße hinabreichte und sie teils verhüllte. Die Frau, die die Tür geöffnet hatte —. passend zum Gefieder trug sie rosenrote Kleidung —, eilte zu ihm und kniete sich neben ihn; sie legte eine zierliche Hand auf die Hand des Pilgerführers, ehe sie sich an Shannon wandte.

»Das ist *Lai* Muon, Doktor. Sie sehen, er ist gesund und ruht sich aus. Gehen Sie jetzt?«

Shannon, die sich bei der Sichtung der medizinischen Daten auch noch einmal die Grundlagen der aludranischen Umgangsformen in Erinnerung gerufen hatte, grüßte sorgfältig in der Weise, wie sie es für einen Heiler vor einem aludranischen Ältesten vorschrieben, indem sie zwei Finger an die Lippen hob, sie dann auf die Brust legte und zum Schluß die offene Hand in der Höhe ausstreckte, wie man es bei annähernd Gleichrangigen für angebracht hielt. Mehrere andere Aludraner zwitscherten sich überrascht, sichtlich erfreut, etwas zu, und die Frau, die an Muons Seite kniete, neigte bedächtig zum Zeichen der Anerkennung den Kopf.

»Sie kennen unsere Sitten.«

»Einige wenige«, schränkte Shannon ein. »Muß ich unverzüglich gehen? Daß *Lai* Muon so verstört worden ist, macht mir *wirklich* Sorge.«

Die Frau nickte knapp, aber nicht, um Shannon fortzuschicken.

»Entschuldigen Sie, Doktor, aber was *Lai* Muon zugestoßen ist, hat unsere Gruppe tief bestürzt, und die Mehrzahl spricht Ihre Sprache schlecht. Ich spreche für Muon. Wie Sie sehen, gönnt er sich gegenwärtig Ruhe.«

Shannon nickte, näherte die linke Hand vorstohlen den Kontrollen des in ihre Arzttasche integrierten Medscan.

»Könnten Sie mir erzählen, was passiert ist?« fragte

sie. »Der Kapitän erwähnte, Muon hätte etwas von ...
Dämonen gesagt.«

Im Gesicht der Frau spiegelten sich undurchschaubare Gefühle wider, doch bevor sie antworten konnte,
schlug Muon seine scharfen gelben Augen auf und
schüttelte andeutungsweise den Kopf.

»Co-mekkatta, Ta'ai«, schalt er die Aludranerin verhalten. »Ich habe mich zu entschuldigen, Doktor, wenn ich
dem Kapitän Anlaß zur Unruhe gegeben habe. Leider
hat jemand mich mißverstanden. Bitte machen Sie sich
keine Sorgen. Wir können tun, was getan werden
muß.«

Aufmerksam musterte Shannon ihn, ihre ärztlich geschulten Augen beobachteten den Alien, während sie
sich ihm geringfügig näherschob.

»Sind Sie sicher, daß Ihnen nichts fehlt, Sir?«

»Ich bin sicher, Doktor.«

»Sie haben nichts dagegen, daß ich Sie scanne, Sir,
um mich davon zu überzeugen?«

»Wenn es sein muß.«

Shannon unterzog ihn einem Scanning, und ein rascher Blick auf die Statusanzeigen bestätigte ihr, daß
Muon, zumindest was seine körperliche Gesundheit anging, die Wahrheit sprach. Mit einem Aufseufzen ließ
sie den Medscan in sein Fach in der Arzttasche zurückrutschen; ihr Blick streifte die übrigen im Raum Anwesenden.

»Tja, Sir, anscheinend sind Sie in zufriedenstellendem gesundheitlichen Zustand. Wenn Sie mir nur anvertrauen würden, was ...«

»Bitte, Doktor«, raunte Muon.

»Ich weiß, ich habe zu gehen versprochen, und ich
werd's tun«, antwortete Shannon resigniert.»Aber ich
hoffe, Sie werden sich an mich wenden, sollten noch
mehr Schwierigkeiten entstehen. Ich möchte helfen,
falls ich's kann.«

»Vielen Dank, Doktor«, murmelte Muon zur Beendigung der Unterhaltung. »Wenn es Ihnen recht ist, möchte ich mich nun ausruhen.«

»Wie Sie wünschen, Sir.«

Shannon verabschiedete sich, indem sie eine Verbeugung andeutete, und kehrte erleichtert in den kühleren Korridor zurück. In der Kabine hatte sie es nicht gemerkt, doch klebte ihr die Uniform am Rücken, Schweiß juckte ihr auf der Kopfhaut und bildete Perlen auf ihrer Oberlippe. Sie widerstand der Versuchung, sich über die Schulter umzuschauen, als die Tür zuglitt, und fand sich vorerst damit ab, daß das, wodurch die Aludraner so aufgebracht worden waren, bis auf weiteres ein Rätsel bleiben sollte. Sie entschied, daß sie zwischendurch noch genügend Zeit hatte, um sich abzukühlen, und eine frische Uniform anzuziehen, bevor sie sich die sonderbaren Kreaturen ansah, die allem Anschein nach die Aliens derartig verschreckt hatten.

Unterdessen hatten Mathers Ranger in dem für die fraglichen Geschöpfe zur Verfügung gestellten Frachtraum — einer viereckigen Kammer mit hoher Decke und etwa zwanzig Meter Seitenlänge — fast die gesamte Ausrüstung verstaut, die man vom Shuttle an Bord des Raumschiffs umgeladen hatte. Was nicht an den Seitenwänden befestigt oder in Lagerschränke eingeschlossen worden war, hatte man in das kleine Aufsichtsbüro befördert, das an die Frachträume grenzte, wo zwei Männer — sehr zum Staunen der drei Sicherheitsbeauftragten des Raumschiffs — die restliche Ausstattung den vorhandenen Sicherheitsanlagen anschlossen. Gleich vor dem Ausgang des Frachtraums konstruierten Mather und zwei andere Ranger etwas, das erhebliche Ähnlichkeit mit einer aus Plaststahl-Maschendraht fabrizierten Schleuse hatte. Die übrigen drei Ranger beschäftigten sich unter Wallis' Anleitung mit dem Zurechtrücken der vier Käfige, damit sie wieder miteinander verbunden werden konnten. Einer schaltete die

Scanner auf den Käfigdächern von Batteriebetrieb auf die Energieversorgung des Raumschiffs um. Das alles geschah unter lautstarker Begleitung durch die vier übellaunigen Lehr-Katzen.

Wallis gelangte, während sie die lange Reihe der Käfige umrundete und dabei von ihrem Handscanner Daten ablas, zu der Einschätzung, daß die Katzen den Transport von B-Gem ins Sternenschiff ziemlich gut überstanden hatten. Richtiggehende Panik hatten sie nur gezeigt, als man die Antischwerkraft-Generatoren an den Käfigen anbrachte und sie darin zu schweben begannen.

Doch als die Schwerelosigkeit ihnen keinen spürbaren Schaden zufügte, war ihr Entsetzen anscheinend Neugier gewichen. Und als ihr Gewicht verringert zurückkehrte, sobald man sie ins Shuttle verladen hatte — die Standardschwerkraft des Imperiums unterschritt den Normalwert B-Gems um ein Sechstel —, fühlten die Tiere sich daher leichter, beweglicher und schließlich, als das Rendezvous mit der *Walküre* bevorstand, sogar leicht berauscht. Der einzige andere kritische Moment hatte sich ergeben, während man die Katzen aus dem Shuttle in die *Walküre* umlud und sie ihr Mißvergnügen am Gehör aller ausgelassen hatten, die sich im Umkreis der Hangars aufhielten.

Richtig beruhigt hatten die Großkatzen sich noch nicht. Das durfte man auch nicht erwarten, ehe die Käfige wieder miteinander verbunden waren und man die Tiere gefüttert hatte. In Abständen stieß die eine oder andere von ihnen, ohne daß ein Grund zu erkennen gewesen wäre, ein lautes Brüllen aus und bereiteten damit vor allem den drei Sicherheitsbeauftragten des Sternenschiffs Kummer, obwohl sie die Tür des Aufsichtsbüros geschlossen hatten, um vor dem Lärm geschützt zu sein.

Doch wenigstens hatten die Katzen damit aufgehört, sich wild gegen den Maschendraht zu werfen, ein Verhalten, mit dem sie sich auf B-Gem ab und zu die Zeit vertrieben hatten. Die beiden Männchen wirkten, als wären sie vom ganzen Geschehen ziemlich verwirrt, und das Weibchen mit dem Namen Emmaline hatte sich so weit beruhigt, daß es vor sich hindöste, die ovalen goldfarbenen Augen zu Schlitzen verengt, nur die büscheligen Ohren zuckten. Das andere Weibchen war von Anfang an das am wenigsten umgängliche der vier Tiere gewesen, es tappte auch jetzt noch im Käfig auf und ab, knurrte und peitschte den Schwanz ans Gitter. Offenbar war es auch dieses Exemplar, das den meisten Krach verursachte.

»Tja, die alte Matilda ist ganz schön mitteilsam«, sagte Mather zu Wallis, als er zu ihr trat, um ihr über die Schulter zu schauen und sich die Medscan-Daten anzusehen. »Glaubst du, sie hat 'ne Ahnung von Hyperraumsprüngen?«

Wallis feixte und widmete ihm einen Seitenblick. »Du hast doch nichts ausgeplaudert, oder? *Manche* Personen brauchen keine Medikamente, um sie gut zu überstehen, und die *meisten* Leute reagieren auf die Pillen nicht schlimmer als auf einen Hypersprung. Wir wollen mal lieber hoffen, daß unsere kleinen Schoßkätzchen mehr von meinem als von deinem Schlag sind.«

»Mir genügt's, wenn sie's überleben«, sagte Mather. »Casey, sind wir bald so weit, daß wir die Sicherheitsschleuse in Betrieb nehmen können?«

Ein blonder Ranger am Eingang streckte einen Daumen in die Höhe.

»In zwei Minuten, Kapitän.«

»Gut. Webb, wie steht's mit dem Wiederverbinden? Ich nehme an, daß ein Großteil der Katzenmusik ein Ende hat, wenn sie wieder zusammen sind ... Jedenfalls hoffe ich's.«

»Kann direkt nach dem Hypersprung ausgeführt werden, Sir.«

»Ausgezeichnet.«

Während Webb und ein anderer Ranger sich weiter

mit der Aufgabe befaßten, die Käfige zurechtzurücken, und Mather zu ihnen schlenderte, um zuzuschauen, setzte Wallis das Scanning der Katzen fort. Sie drehte sich jedoch um, als einer der Ranger an der Tür eine dunkelhaarige junge Frau in Offizierskleidung aufhielt, die beim Betreten des Zugangs zum Frachtraum innerhalb der Sicherungsschleuse verharrte und eine Miene des Befremdens schnitt. Ihre Dienstabzeichen und der um die Schulter geschlungene Medscan machte ersichtlich, daß sie zum medizinischen Personal der Raumschiffsbesatzung zählte.

»Können wir irgendwas für Sie tun, Doktor?« erkundigte sich Mather, wies Casey mit einem Wink an, sie durchzulassen.

»Ach, Sie müssen Kommodore Seton sein«, sagte Shannon. »Eigentlich suche ich den Arzt, der zu Ihrer Truppe gehören soll. Ich bin Shivaun Shannon, die Bordärztin.«

»Dann bin ich es, die Sie suchen«, ergriff Wallis das Wort, ging mit einem Lächeln und ausgestreckter Hand auf die jüngere zu. »Ich bin Dr. Wallis Hamilton. Mather und ich haben die Leitung dieser Operation.«

Aufgrund ihrer guten Manieren schüttelte Shannon den beiden die Hand, doch ihre Aufmerksamkeit galt schon nicht mehr ihnen, sondern ihr Blick war unwiderstehlich von den vier in die Käfige gesperrten Katzen angezogen worden.

»So, *das* sind also die Tiere, die die Nerven unserer Passagiere zerrütten und dem Kapitän Kopfschmerzen bereiten«, meinte sie leise, gehörig beeindruckt von dem Anblick; aber sie nahm sich unverzüglich zusammen, schenkte dem Paar ein verschwörerisches Grinsen. »Beide haben's an Bord so eines Raumschiffs nicht leicht, müssen Sie wissen.«

Wallis zuckte mit den Achseln und erwiderte das Grinsen. »Was kann ich dazu sagen, Doktor, außer daß es mir leid tut? Wer hätte voraussehen können, daß sich ausgerechnet heute morgen Aludraner auf dem Aussichtsdeck aufhalten? Und was den Kapitän betrifft ... Na ja, leider ist das Gebrüll unserer Freunde wohl durchaus von der Art, die jemandem, der dazu neigt, Kopfweh verursachen kann.«

»Tja, und unser Kapitän ist so jemand, und er hat Kopfschmerzen gekriegt«, antwortete Shannon. »Natürlich ist es nicht Ihre Schuld. Ich nehme an — ich frage bloß, um ihn und sonstwen, der vielleicht danach fragt, beruhigen zu können —, daß sie unmöglich ausbrechen können, oder?«

Mather hob die Brauen. »Ausbrechen trotz des Plaststahls und eines Margall-Kraftfelds? So was ist kaum wahrscheinlich, Doktor. Nein, ich glaube, die einzige Gefahr, die gegenwärtig von unseren pelzigen Freunden ausgeht, ist die Möglichkeit, daß sie diesem oder jenem auf die Nerven fallen, und auch diese Belästigung wird minimal sein, wenn wir's ihnen erst einmal eingerichtet haben.«

Wie um die Tatsache zu unterstreichen, daß es ihnen noch *nicht* behaglich war, stieß das kleinere Männchen ein markerschütterndes Geheul aus, in das sein Weibchen und das andere Pärchen sofort einfielen. Shannon verzog das Gesicht und bedeckte sich die Ohren, lachte unsicher, während das Geheul verklang.

»Na, ich hoffe, das wird bald sein. Die erste Hypersprungphase steht kurz bevor. Ich vermute, das Medikament wird sie etwas beruhigen ... Das heißt, ist es eigentlich möglich, sie ruhigzustellen?«

Resigniert schüttelte Wallis den Kopf. »Leider nicht, Doktor. Bedauerlicherweise sind sie gegen die standardmäßige Hypersprungmedikation allergisch, sogar mit letaler Folge. Bisher haben wir kaum irgend etwas gefunden, das sie *überhaupt* vertragen. Die vorherige Expedition, die das bislang einzige Paar gefangen hat, verlor fünf Exemplare infolge falscher Medikamentenanwendung, Nervenkrisen und schlichter Sturheit. Auch wir haben zwei verloren — trotz des Vorteils, die Erfahrungen der früheren Expedition zu kennen —, nicht zu reden von zwei Rangern und mehreren Einheimischen.«

»Tragen Sie dann kein viel zu hohes Risiko?« fragte Shannon. »Und wozu die Mühe, zumal bei so beträchtlichen Kosten?«

Wallis seufzte. »Ich weiß, es wirkt lächerlich. Leider hat das Paar des Imperators sich in der Gefangenschaft nicht vermehrt, und er braucht diese Exemplare sehr dringend. Ich wollte, ich könnte Ihnen den Grund sagen, aber ich kann's nicht. Jedenfalls sind diese Exemplare in weit besserer Form als alle, die bisher lebend gefangen worden sind. Wir hoffen, daß sie die Hypersprünge ohne ernste Beeinträchtigung überleben, obwohl sie ihnen voraussichtlich unangenehm sein werden.«

»Und uns auch«, murmelte Mather.

Mehrere Sekunden lang beobachtete Shannon die Katzen sehr aufmerksam, ehe sie sich wieder an die zwei Wissenschaftler wandte. »Soll ich Sie also so verstehen, daß Sie die Hypersprungphase hier bei den Katzen zu verbringen beabsichtigen?«

»Ja, richtig«, sagte Wallis.

Das unaufdringliche Läuten eines Phasenwarnsignals unterbrach sie; die Beleuchtung dämmerte herab, normalisierte sich gleich wieder. Shannon schaute hinüber zu einem Rotlicht, das über der Tür hartnäckig zu blinken angefangen hatte, lächelte beherrscht, während sie sich in die Richtung des Ausgangs in Bewegung setzte.

»Tja, das zeigt die letzten fünf Minuten an. Ich wollte Sie zu mir in die Medizinische Station einladen. Wir testen neue Suspensoren, die anscheinend noch besser als Medikamente geeignet sind, Leuten beim beschwerdefreien Durchstehen der Hypersprünge zu helfen. Allerdings ...«

Wallis wiederholte das ratlose Schulterzucken der Arztkollegin. »Tut uns leid, wir nähmen Ihr Angebot gern an, aber es könnte sein, daß unsere Freunde uns brauchen. Aber vielleicht kann Mather Ihre neuen Geräte das nächste Mal ausprobieren. Ihm sind Hypersprünge zuwider, und von der Standardmedikation wird ihm mulmig.«

»Und von den *Hypersprüngen* wird mir erst recht mulmig.« Mather seufzte. »Ein schönes Schicksal für einen ehemaligen Raumschiffskommandanten, was, Dr. Shannon? Weder setzen mich die Sprünge außer Gefecht, noch die Medizin — beide sind für mich nur 'ne verdammte Quälerei. Die Ungerechtigkeit ist, daß Wallis die Sprünge ohne alle Beschwerden aushalten kann und keinerlei nachteilige Wirkung verspürt.«

»Soll das heißen, Sie machen die Hypersprünge ohne Medikament mit?« Vor der Sicherungsschleuse blieb Shannon stehen. »Von so was habe ich noch nie gehört.«

»Ich hatt's vorher auch nie«, sagte Wallis. »Im Moment des Phasenbeginns hat es den Anschein, als ob mein Verstand einfach abschaltet. Ich habe Mather beizubringen versucht, es ebenso zu machen, aber ...« Sie stieß ein Aufseufzen aus und zuckte die Achseln, zeigte Shannon eine übertriebene Miene langen, geduldigen Leidens, und Shannon schüttelte in amüsierter Ungläubigkeit den Kopf.

»Hm, da haben Sie wirklich ein Problem. Übrigens, falls Sie nach einem Hypersprung ohne Medikamente noch Appetit haben, Sie sind beide beim Kapitän zum Abendessen gebeten. Der Zahlmeister hat mich beauftragt, Ihnen eine förmliche Einladung auszurichten.«

Falls Mather im Hinblick auf den wahrscheinlichen Zustand seines Magens zur Essenszeit Bedenken hegte, ließen sie sich seiner begeisterten Annahme der Einladung zumindest nicht anmerken. Nachdem Shannon fort war, befand sich Mather in nahezu jovialer Stimmung, während er die Ranger sowie die Sicherheitsexperten des Sternenschiffs für die Hypersprungphase ins benachbarte Aufsichtsbüro schickte und die Sicherungsschleuse aktivierte. Wallis musterte ihn von der Seite, während sie bei den Katzenkäfigen ein Sauerstoffgerät bereitstellte.

»Hui, amoröse Anwandlungen heute?« bemerkte sie mit pfiffigem Schmunzeln. »Na ja, sie *ist* schön, Mather, und wahrscheinlich sehr intelligent.«

Mather suchte sich einen Platz zwischen zwei stählernen Streben und machte sich, als erneut ein Warnsignal durch den fast leeren Frachtraum hallte und eine Restfrist von einer Minute einleitete, auf den Hypersprung gefaßt.

»Von einer Ärztin ist es gar nicht nett, Schadenfreude zu zeigen, wenn jemandem Unannehmlichkeiten bevorstehen«, sagte er im Ton gespielten Beleidigtseins. »Wenn du so großartig bist, warum findest du dann kein Mittel, das mir hilft? Und ja, du hast recht, sie wirkt ziemlich gescheit.«

Mit einem gedämpften Lachen zur Antwort schaltete Wallis die auf jedem Käfig installierten Hauptscanner und ihre Aufzeichnungsfunktion ein, stützte sich mit nur einer Hand an ein Schott, während ein Pulsieren der Beleuchtung die letzten zehn Sekunden des Countdowns abzählte. Mather verschaffte sich festeren Halt, er spreizte die Füße, klammerte die Fäuste kraftvoll um die Streben, murmelte etwas mit dem Tenor, sie sei schuld, wenn er den Tod fände.

Dann erfolgte für einen scheinbar endlosen Augenblick ein völliges Ausbleiben von Geräuschen, Licht, Wärme und Schwerkraft — und an ihre Stelle trat das hohe Singen von Schwingungen, die sich zunächst an Mathers Schädelbasis zu ballen schienen, gleich darauf jedoch hinter seinen Augen einen fürchterlichen Schmerz erzeugten, als wären von oben bis unten sämtliche Zellen seines Körpers ausgetauscht und stark elektrisch geladen worden.

Er spürte die längst vertrauten Symptome schauriger

Übelkeit und Desorientierung, als sein Gewicht und alle sonstigen Wahrnehmungen wiederkehrten; als er die Augen der Helligkeit öffnete, die es ihm ermöglichte, sich zurechtzufinden, krampfte ihn der Schmerz im Hinterkopf zusammen. Wallis widmete ihre Beachtung, nachdem sie ihm einen flüchtigen Blick zugeworfen hatte, um sich davon zu überzeugen, daß es ihm nicht mieser als sonst ging, den Katzen, die auf den Käfigböden lagen und gerade kläglich zu miauen anfingen. Trotz seiner Beschwerden stand Mather gleich hinter ihr: er begann Sauerstoff in den Käfig des kleineren Männchens zu blasen, das offensichtlich Schwierigkeiten beim Atmen hatte, während Wallis den Zustand der drei übrigen Exemplare überprüfte.

Nach wenigen Minuten atmete das Tier wieder müheloser, und es stimmte ins Maunzen seiner Artgenossen ein. Mit einem Seufzer der Erleichterung drehte Mather den Stutzen des Sauerstoffgeräts sich selbst zu und nahm mehrere tiefe Atemzüge.

»Armer alter Sebastian«, sagte er. »Weißt du, es würde mich nicht wundern, wenn Hypersprünge diesen bedauernswerten Viechern noch mehr als mir zuwider sind. Wie steht's um die anderen?«

Wallis betrachtete die medizinischen Statusanzeigen über den Käfigen und vollzog einige kleinere Adjustierungen.

»Na ja, zumindest ist klar, daß Hypersprünge sie nicht umbringen«, antwortete sie. »Sie werden im Handumdrehen wieder mit ihrer Brüllerei loslegen. Ich glaube, wenn die Männer uns ablösen kommen, werde ich sie die Käfige miteinander verbinden lassen. In Gesellschaft werden die Katzen sich viel wohler als einzeln fühlen. Wie geht's dir?«

»Grauenhafte Kopfschmerzen, wie immer, aber sie hören ja irgendwann auf«, sagte Mather. »Wenn du mich jetzt nicht mehr brauchst, werde ich versuchen, unsere Kabine ausfindig zu machen, und mich vor dem

Essen noch ein bißchen hinlegen. Soviel mir zu Ohren gekommen ist«, — in seinen Augen zeigte sich eine Andeutung ihres üblichen humorvollen Funkelns —, »soll die Küche der *Walküre* nämlich ganz hervorragend sein.«

Während sie wortlos auflachte, streckte sich Wallis, um mit dem Mund kurz seine Lippen zu streifen, doch während er zur Tür strebte, galt ihre Aufmerksamkeit schon wieder den Scannern.

KAPITEL 3

I ch habe gehört, daß Lehr-Katzen Menschenfresser
sind, Kommodore Seton. Ist das wahr?«

Der Fragesteller war ein älterer Hydroponikingenieur,
der an der Tafel im Luxusspeisesalon der *Walküre* mehrere Plätze von Mather entfernt saß. Ein mit Diamanten
geschmückter Anstecker an seinem Revers wies ihn als
Gefolgsmann des Derwal von Ain aus. Der Mann stellte
dumme Fragen, seit er Platz genommen hatte. Allerdings war er in dieser Beziehung nicht allein, denn inzwischen hatte sich das Vorkommnis auf dem Aussichtsdeck unter den meisten Passagieren herumgesprochen, und sie wußten, daß die Katzen sowohl für den
Abstecher nach B-Gem verantwortlich waren, wie auch
für diesen Vorfall.

Nachdem die Stewards das Suppengeschirr abge-
räumt hatten und nun die Vorspeise servierten, kostete
es Mather erhebliche Mühe, ein friedlicher Tischgenos-
se zu bleiben. Er lockerte den Stehkragen der schwarzen
Galauniform und drehte den Kopf, sah den Frager
freundlich an. Neben Mather gab Wallis in ihrem schim-
mernd-weißen Kleid altgriechischen Stils, das lange ka-
stanienbraune Haar im Nacken zu einem losen Knoten
geknüpft, ein Bild klassischer heiterer Gelassenheit ab,
doch er spürte, wie ihre Gereiztheit wuchs und sich allmählich seiner Verärgerung anzugleichen drohte.

»Tatsächlich ist es bis heute völlig unbewiesen, daß
die Katzen Menschenfleisch bevorzugen, Mr. Ander-
son«, sagte Mather ungezwungen. »Wir füttern unsere
Tiere mit eingefrorenem Fleisch auf B-Gem erlegten
Wilds. Zum Glück nehmen sie auch die dort von den ersten Siedlern eingeführten Kleintiere als Nahrung an,
so daß ihre Futterversorgung keine Probleme aufwerfen

wird. Trotzdem, ich würde nicht meine Hand in den Käfig stecken, um zu klären, ob sie Menschenfleisch mögen oder nicht.«

Gegenüber am Tisch schauderte es einer jungen Frau in Türkis, die bislang den Mund gehalten hatte und nun mit einer Gabel im Essen stocherte. »Also, ich habe natürlich noch keine gesehen, aber nach den Fotos zu urteilen, wirken sie ja richtig furchterregend. Sind sie genauso wild wie Löwen? Einen Löwen«, — den letzten Satz fügte sie wie einen nachträglichen Einfall hinzu —, »habe ich einmal gesehen.«

Kapitän Lutobo, der am Kopfende der Tafel einen immer zerstreuteren Eindruck erweckte, enthielt sich jeden Kommentars, täuschte statt dessen starkes Interesse am Gemüsegang vor, den ein Steward ihm soeben zur Begutachtung präsentierte. Peinliches Schweigen entstand am Tisch; es dauerte, bis sich Wallis, während sie herzlich lächelte, an die junge Frau wandte.

»Na ja, sicherlich besteht eine oberflächliche Ähnlichkeit mit irdischen Löwen. In der Tat lautet ihre ursprüngliche wissenschaftliche Bezeichnung *Felis leo caeruleus:* Blaue Löwenkatzen. Die Klassifizierung geschah durch Dr. Samuel Lehr. Er beschrieb sie als große, goldäugige Katze mit dichtem blauen Fell, Halsmähnen bei den Männchen, Schwanzquasten und Haarbüscheln an den Ohrspitzen. Sie sind im wesentlichen Nachttiere, leben manchmal auf Bäumen und sind eindeutig Fleischfresser, und wenn sie sich bedrängt fühlen, können sie so bösartig wie furuditische Steinspalter werden. Es ist Lehr nie gelungen, ein Exemplar lebend zu fangen.«

»Aber fand Lehrs Expedition nicht während der *zweiten* Entdeckung und Kartografierung des Planeten statt, Doktor?« fragte ein hagerer älterer Mann von eindrucksvollem Äußeren, der nicht namentlich vorgestellt worden war, weil er zu spät an die Tafel des Kapitäns kam. »Wenn ich mich recht an die historischen Abläufe

51

entsinne, stieß die *erste* Expedition auf eine dünngesäte eingeborene Population Humanoider, die die Katzen als Boten einer Mondgöttin verehrten — wegen der Veränderlichkeit der Augen und dergleichen, verstehen Sie ... Leider starb die Eingeborenenbevölkerung in den Jahren der Isolation nach der Cruaxi-Seuche aus. Infolge der durch Menschen eingeschleppten Krankheiten, glaube ich.«

Nachdenklich richtete Mather den Blick seiner haselnußbraunen Augen auf den Mann. »Anscheinend kennen Sie sich in der Geschichte B-Gems sehr umfassend aus, Mister ...«

»Ich bin *Dr.* Torrell.« Die hämische Arroganz des Mannes, die bereits darin zum Ausdruck kam, wie er ein Glas in die Hand nahm und den Stiel gemächlich zwischen Daumen und Zeigefinger drehte, hatte fast zur Folge, daß Mather von seinem Platz hochfuhr. »Dr. *Vander* Torrell. Und ich verwende für den bewußten Planeten lieber den älteren Namen, Il Nuadi: Licht der Leuchtenden. Er hat einen viel prachtvolleren Klang, nicht wahr?«

»Stimmt«, sagte Mather halblaut, hob das Glas und trank, ehe er so wütend werden konnte, daß er dem Mann seine Verachtung zeigte.

Wenigstens kannte er nun das zu dem Namen gehörige Gesicht. Vander Torrell war einer der fachlich anerkanntesten, gleichzeitig als Person jedoch unbeliebtesten Historiker und Archäologen, die sich gegenwärtig mit der Erforschung von Alienkulturen beschäftigten. Beim Zusammensuchen der Mitglieder der B-Gem-Expedition Mathers und Wallis' hatten die Imperiumscomputer als brauchbaren Spezialisten vorrangig Torrell empfohlen, und Wallis hatte ihm mehrere Spacogramme geschickt, eines bittstellerhafter als das vorherige, um ihn für die Mitarbeit zu gewinnen.

Aber Torrell hatte keinerlei Interesse gezeigt, nicht einmal für das von der Imperiumsregierung gebotene

enorm hohe Honorar, und schließlich hatte er sogar eine Einladung Prinz Cedrics persönlich — sie hatte beinahe an eine Vorladung gegrenzt — schroff abgelehnt. »Andere dringende Verpflichtungen«, hatte er die Weigerung begründet.

Andere dringende Verpflichtungen, wahrhaftig, dachte Mather, während der Steward sein Glas auffüllte. Obwohl er es momentan nicht nachprüfen konnte, hegte er stark den Verdacht, daß Torrells ›dringende Verpflichtungen‹ aus nichts anderem als dem Wunsch bestanden, an Bord der *Walküre* zu sein, wenn sie einen neuen Geschwindigkeitsrekord aufstellte — ein angenehmer Zeitvertreib, wenn man auf so etwas Wert legte, das mußte Mather zugestehen, und zweifellos versüßte die stattliche Blondine, die ihrem Gönner über den Tisch hinweg voller Bewunderung Kußhändchen zublies, ihn Torrell um so mehr. Aber es gab so etwas wie wirkliche Pflicht. Es bereitete Mather eine perverse Art von Genugtuung, daß die *Walküre* auf diesem Flug keine Rekorde mehr brechen würde und folglich Torrell um den Höhepunkt des Vergnügens kam.

Er spürte, wie seine Frau mit dem Fuß sachte seinen Fuß berührte, und gleichzeitig empfand er dank der nahezu empathischen Gefühlsübereinstimmung, die bisweilen zwischen ihnen aufflammte, daß sie die Meinung, die er von dem Mann hatte, vollauf teilte. Es versuchte ihn sehr, das Gespräch in der von Torrell vorgegebenen Richtung weiterzuführen und ihn als den Heuchler zu entlarven, der er tatsächlich war, doch bevor er oder Wallis sich irgendwie äußern konnten, stellte Shannon, die in ihrem schneeweißen Kleid außerordentlich hübsch und lebhaft aussah, ihr Glas ab und beugte sich vor.

»Ich habe mehrere Ihrer Bücher gelesen, Dr. Torrell«, sagte sie und lenkte die Konversation schwungvoll zu seinem Vorteil auf ein anderes Thema. »Besonders hat mir die Lektüre Ihrer Veröffentlichung über die untergegangene Zivilisation Wezens Eins Spaß gemacht. Beabsichtigen Sie weitergehende Forschungen auf diesem Gebiet?«

Torrell neigte den Kopf so umgänglich, wie es jemandem wie ihm wohl gerade noch möglich war, doch es erwies sich schnell, daß er über Wezen I nicht reden mochte.

»Vielen Dank, Dr. Shannon, sehr freundlich, aber zur Zeit gilt meine Tätigkeit ausschließlich Il Nuadi. Hätte ich gewußt, daß die *Walküre* dort einen Zwischenstopp einschiebt, wäre es allerdings denkbar gewesen, daß ich meinen Reiseplan änderte und dem Planeten einen neuen Besuch abstattete.«

Hättest du uns begleitet, dachte Mather erbittert, *läge jetzt ein weiterer Besuch hinter dir, und zudem hätte sich der Imperator dafür bei dir bedankt. So wie es ist, hat dein Fernbleiben wahrscheinlich mehrere Menschenleben gekostet.*

»Ja, ich habe von Ihren Untersuchungen hinsichtlich der ausgestorbenen Rasse Il Nuadis gehört, Dr. Torrell«, sagte er aber lediglich. »Sie sind die wirklich anerkannte Kapazität dieses Fachgebiets, oder nicht?«

»Bei aller Bescheidenheit vermute ich, daß es so ist, Kommodore«, antwortete Torrell glattweg. »Wußten Sie zum Beispiel, daß auffällige Parallelen zwischen Ihren Lehr-Katzen und den katzenähnlichen Kreaturen existieren, die bei mindestens drei anderen untergegangenen Zivilisationen bekannt gewesen sind? Mit der Besonderheit allerdings, daß man die anderen Katzenwesen als gefährliche Dämonen und Seelenverschlinger statt Boten von Mondgöttern betrachtet hat. Ein merkwürdiger Unterschied, meinen Sie nicht auch? Und ich glaube, die Aludraner, die keineswegs ausgestorben sind, vertreten eine vergleichbare Ansicht.«

Die junge Frau, die vorhin das Wort ergriffen hatte, keuchte und sperrte den rot geschminkten Mund weit auf. »Dämonen?« Sie schaute sich beklommen über die Schulter um, und es schauderte sie noch einmal. »Sie

55

wollen doch nicht etwa andeuten, die Lehr-Katzen könnten ...?«

»Ebenfalls Dämonen sein?« Salbungsvoll lächelte Torrell. »Das bezweifle ich stark, meine Liebe. Andererseits hat Kommodore Seton uns bisher verschwiegen, was aus Samuel Lehr geworden ist. Es ist Ihnen doch bekannt, nicht wahr, Seton? Und Ihnen auch, Dr. Hamilton?«

Wallis verkniff sich ein Aufstöhnen; die Entwicklung, die die Unterhaltung nahm, verstimmte sie, und außerdem war sie nahezu davon überzeugt, daß Torrell von Anfang an vorgehabt hatte, Mather und sie auf diese Gesprächsebene zu locken. Der Mann wurde ihr noch unsympathischer als vorher. Und wenn er dies Geschwafel über Dämonen und Seelenverschlinger fortsetzte, konnte er womöglich unter den Passagieren eine Welle der Beklemmung auslösen. Man redete ohnehin schon zuviel über die Katzen.

»Selbstverständlich wissen Mather und ich Bescheid, Dr. Torrell«, sagte Wallis. »Aber nicht jeder hier am Tisch ist ausgebildeter Wissenschaftler, der selbst bei den gräßlichsten Geschichten gelassen bleiben kann. Ich dachte mir ganz einfach, das wäre etwas, worüber die junge Dame nicht unbedingt beim Essen sprechen möchte.«

»Wieso? Weil Lehr von einer seiner Katzen gefressen worden ist?«

Voller Unbehagen senkte Wallis den Blick, sie spürte deutlich, welche Wirkung Torrells Worte auf eine wachsende Zahl der Tischgenossen hatte. Neben ihr hatte Mather damit angefangen — nur sie konnte es aus ihrem vorteilhaften Blickwinkel beobachten —, die Serviette, die für alle anderen unsichtbar auf seinem Schoß lag, systematisch zu zerknüllen.

»Ach, kommen Sie, Doktor«, fügte Torrell hinzu, »Tiere töten nun einmal, um zu leben. Menschen verhalten sich ebenso. Abgesehen davon, ich bin der Auf-

56

fassung, daß der gute Dr. Lehr seinerseits nicht wenige Katzen getötet hat. Welches passendere Schicksal hätte ihn treffen können?«

Rund um die Tafel gab man, sehr zu Mathers und Wallis' Betroffenheit, eine Reihe nervöser Bemerkungen von sich; doch ehe sie notgedrungen auf die neue Stichelei eingehen konnten, erfolgte eine Ablenkung in Gestalt eines Stewards, der sich vorbeugte und Shannon kurz etwas ins Ohr flüsterte. Ein paar Sekunden lang hörte die junge Ärztin aufmerksam zu, während ringsum die Konversation abebbte, legte dann die Serviette beiseite und lächelte zur Beschwichtigung der Anwesenden.

»Sie müssen entschuldigen, meine Herrschaften, aber leider ist ein Arzt stets auf Abruf. Kapitän, ich glaube nicht, daß etwas Ernstes vorliegt, aber ich würde mich gern vergewissern.«

»Natürlich, Doktor. Ich schaue später bei Ihnen vorbei, um mich zu informieren.«

»Vielen Dank, Kapitän.«

Als Shannon aufstand, sah sie Wallis an. »Dr. Hamilton, möchten Sie mich vielleicht begleiten? Kann sein, Sie finden unsere medizinische Ausstattung besichtigungswert. Und Ihnen, Kommodore, könnte ich danach, wenn Sie möchten, die neuen Suspensoren zeigen.«

Allen mußte offensichtlich sein, daß Shannons Vorschläge weit über kollegiale Höflichkeit hinausgingen, doch nicht einmal Torrell war Grobian genug, um diese Tatsache offen auszusprechen. Nachdem auch Wallis und Mather sich entschuldigt hatten, folgten sie Shannon aus dem großen Luxusspeisesalon. Erst als sie einen Personallift betraten und die Tür geschlossen war, blickte Shannon die beiden direkt an.

»Vielen Dank fürs Mitspielen«, sagte sie. »Ich hoffe, Sie haben nicht den Eindruck, daß ich Sie herumkommandiere, es ist nur so, daß Muon anscheinend einen neuen Anfall seiner Angstzustände hat. Er ist der Aludraner, der heute morgen«, — das erklärte sie, sobald sie die'ratlosen Blicke des Paars sah —, »als Sie die Katzen an Bord beförderten, in Panik geriet. Ich habe mir überlegt, daß Sie mir möglicherweise helfen können, ihn zu beruhigen, indem Sie ihm glaubwürdig machen, daß Ihre Katzen ihn nicht fressen werden ... oder was es ist, was er von ihnen befürchtet. Sie beherrschen doch das Aludranische, habe ich recht, Kommodore? Sind Sie nicht Linguist?«

»Auch Sprachkenntnisse zählen zu meinen zweifelhaften Fähigkeiten«, bestätigte Mather mit einem Nikken. »Wenn ich kann, will ich gern behilflich sein.«

»Danke«, antwortete Shannon. »Der Steward hat jedenfalls gesagt, Muon liege im Delirium. Er faselt dauernd über Teufelskatzen und Dämonen, die im Dunkeln lauern ... Ähnliches Zeug, wie Torrell es eben beim Essen gequasselt hat. Mein Assistent ist bei ihm, aber er steckt noch im Praktikum, er will Internist werden. Ich glaube, er hat noch zuwenig Erfahrung für die Handhabung eines solchen Falls.«

Shannon verstummte, als der Lift hielt und die Tür sich öffnete. Sie bat mit einer Gebärde um Schweigen, während sie Mather und Wallis den Korridor hinabführte, denn sie begegneten unterwegs anderen Passagieren. Die Tür zur Schlafkabine der Aludraner glitt auf, noch ehe sie die Interkomtaste drücken konnte, und der jüngste der vier männlichen Aludraner ließ die Ankömmlinge mit einer Verbeugung ein.

»Gut Sie kommen, Doktor«, sagte der Alien umständlich. »Muon ganz schlecht. Sie machen gut, eh?«

Die feuchtschwüle Luft umschloß die drei, als sie die Schwelle überquerten, wie eine klamme Faust; Mather und Shannon, die Stehkragen trugen, plagte das andersartige, bedrückende Milieu besonders. Im Hintergrund der Räumlichkeit gestikulierten Deller und ein gestreßt wirkender Medizinaltechniker auf eine Frau ein, die hysterisch weinte: Ta'ai, erkannte Shannon, Muons Gattin. Deller hatte einen Injektor in der Hand und versuchte anscheinend Ta'ai zu überreden, sich ein Beruhigungsmittel verabreichen zu lassen, doch die Alienfrau stellte sich nur mit um so entschlossenerer Nachdrücklichkeit zwischen die beiden Männer und die hinterste Schlafnische. In dieser Nische schlug jemand, wahrscheinlich Muon, wie ein Rasender um sich, und die schattenhaften Gestalten anderer Aludraner hatten allem Anschein nach keinen Erfolg bei ihren Bemühungen, ihn zu besänftigen. Ebensowenig gelang es offenbar Deller, dem Medtech und einem weiteren männlichen Aludraner, sich der völlig zerrütteten Ta'ai verständlich zu machen.

»Dr. Deller«, meinte Shannon ruhig, »ich übernehme das jetzt.«

Ihre Stimme durchdrang die hochfeuchte, dichte Luft mit dem Klang gefaßter Autorität, und der Internist drehte ruckartig den Kopf, er sah Shannon mit einem Blick der Erleichterung an.

»Dr. Shannon, ich bin ja so froh, daß Sie endlich da sind!«

Während er seinen widerwilligen Patienten den Rükken zukehrte, eilte Deller Shannon und den anderen entgegen, sein schlichtmütiges ernstes Gesicht schimmerte vor Schweiß. »Er hat irgendeine Art von Anfall, Shivaun. Vorhin trat fast so etwas wie Krämpfe auf, aber sie will mich nicht zu ihm lassen, und ich hab's nicht gewagt, Druck auszuüben. Vielleicht können Sie sie zur Vernunft bringen.«

»*Laia* Ta'ai«, sagte Shannon, während sie an Deller vorbeistrebte und sich an die Alienfrau wandte. »Dr. Deller hat nur zu helfen versucht. Und Sie, verzeihen Sie mir, wenn ich das sagen muß, sind keine Hilfe, solange Sie weinen wie ein Kind und es uns verwehren, *Lai* Muon ärztlichen Beistand zu leisten.«

»Sie werden uns töten! Sie werden uns alle verschlingen!« Ta'ai weinte ununterbrochen und schüttelte wie eine Besessene den Kopf. »Muon hat es gesehen. Muon weiß es!«

»Was hat er gesehen, *Laia* Ta'ai?« fragte Shannon, langte mit einer Hand hinter ihrem Rücken unauffällig nach dem Injektor, den Deller vergeblich zu benutzen versucht hatte. »Niemand an Bord dieses Raumschiffs wird Sie verschlingen, das kann ich Ihnen versprechen. Sie befinden sich vollständig in Sicherheit.«

Trotz Shannons Vorsicht bemerkte Ta'ai, wie der Injektor den Besitzer wechselte, schüttelte den Kopf und wich mit aufgerissenen Augen zurück.

»Nein, ich darf nicht schlafen! *Er* darf nicht schlafen! Die Schreier in der Nacht werden ...«

Ehe sie mitteilen konnte, was die ›Schreier in der Nacht‹ tun würden, näherte sich ihr einer der anderen Aliens von hinten und preßte Ta'ais Arme an ihre Seiten, gab Shannon mit einem Nicken zu verstehen, daß sie handeln sollte. Ta'ai kreischte, bekam Schluckauf und wollte sich losreißen, aber schon hatte Shannon ihr den Injektor fest an den Hals gesetzt, überzeugte sich blitzartig von der Richtigkeit der ausgesuchten Stelle und drückte den Auslöser. Das Zischen des Injektionssprays war noch nicht verklungen, da sank Ta'ai bereits in den Armen ihres Rassegefährten zusammen. Der Alien bettete sie Muon gegenüber in eine leere Schlafnische, winkte danach Shannon zu dem Ältesten, der noch schwach zuckte.

»Ich bin Bana, Ta'ais Bruder«, stellte der Alien, der eben eingegriffen hatte, sich auf stockende Weise vor, während der Medtech zu Ta'ai trat, um ihren Zustand zu scannen. »Sie Muon jetzt helfen?«

»Ich werd's können, wenn Sie mir verraten, was eigentlich los ist«, antwortete Shannon, indem sie den Injektor gegen einen Medscan-Apparat austauschte, den ihr Deller reichte. Sie beugte sich vor, bewegte ihn an Muons Körper entlang. Während Wallis und Mather ein wenig näher traten, schluckte Bana sichtlich und senkte den Kopf.

»Ich glaube, wir alle sind in sehr großer Gefahr, Doktor. Muon ist Seher. Er hat das Zweite Gesicht.« Vorsichtig blickte er auf, als rechne er mit Schelte. »Es ist wahr«, ergänzte er das Gesagte.

»Ich bezweifle es nicht im geringsten«, meinte Mather leise. »Bitte erklären Sie weiter.«

Nervös betrachtete Bana die goldenen Lorbeeren auf Mathers Schulterstücken und am Kragen, sah anschließend Shannon an.

»Ist ... ist es gut, vor dem Imperiumsmann zu sprechen?« erkundigte Bana sich besorgt.

»Ja, er ist ein Freund«, sagte Shannon. »Und die Dame ist auch Ärztin. Sagen Sie uns ruhig alles, Bana.«

»Ich ... ich will es tun.« Bana seufzte. »Vor einer Weile ging Muon in ... in Bet-Trance. Ich kenne Ihr Wort nicht, aber das ist es, was es ist. Muon zuerst wohlauf. Er ist einer der besten Seher, die ich kenne. Aber bald sieht er im Dunkeln Teufel mit Augen wie Glutfunken ... und Reißzähnen. Und die Teufel im Dunkeln haben den Namen Tod. Muon voll Furcht.«

»Wie sahen diese Teufel aus, Bana?« fragte Mather, obwohl er befürchtete, die Antwort schon allzugut zu kennen.

»Sie müßten es wissen, Imperiums-*Lai*«, entgegnete Bana. »Sie brachten Teufel an Bord. Vielleicht ohne etwas zu ahnen. Aber bald wird es für uns alle zu spät sein.«

»Warum kommen Sie nicht mal zur Seite und erläutern mir genau, was Sie eigentlich damit meinen?« schlug Mather vor, faßte den merklich ängstlichen Bana energisch am Ellbogen und zog ihn beiseite. »Muon ist in Dr. Shannons Obhut bestens aufgehoben.«

Die übrigen Aliens kamen näher, als sie merkten, daß Mather sich, um an Bana weitere Fragen zu richten, nun ihrer Sprache bediente, so daß Shannon und Wallis die

Gelegenheit erhielten, den nach wie vor im Delirium befindlichen Muon ungestört zu untersuchen. Der Älteste hatte mit dem wilden Gezappel aufgehört und stöhnte nur noch, während er den Kopf von einer zur anderen Seite wälzte, vor sich hin, die Augen geschlossen.

»Wenn er so weitermacht, wird er seine Kräfte völlig verschleißen«, sagte Shannon und runzelte die Stirn, während sie mit einer Hand Muons mageres Handgelenk hielt, ihm mit der anderen Hand behutsam ein Lid hochschob. »Deller, wir wollen ihm drei Einheiten Suainol geben. Sogar für einen Aludraner ist sein Herzschlag zu schnell und der Blutdruck zu hoch, und es liegt noch etwas anderes vor, das ich noch gar nicht durchschaue.«

»Er ist noch in Bet-Trance«, konstatierte Bana mit Nachdruck, indem er den Hals reckte, um sehen zu können, was Shannon tat; sofort lenkte Mather ihn mit zusätzlichen Fragen ab.

Deller reichte Shannon einen anderen Injektor; da streckte Wallis rasch die Hand aus und packte Shannons Handgelenk.

»Warten Sie!« bat Wallis. »Ich habe eine Idee. Geben Sie ihm vorerst nur die halbe Dosis. Wenn Sie ihm die volle Dosis spritzen, wird er bis morgen schlafen, vielleicht sogar länger. Aber ich erführe gern mehr über die Ursache, die ihm solche Furcht eingejagt hat.«

Anzüglich schaute Shannon ihre Hand an, und langsam ließ Wallis sie los. Obwohl Shannon den Injektor nachdenklich senkte, machte sie keine Anstalten zur Verringerung der Dosis.

»Ich trage für das gesundheitliche Wohlergehen dieses Patienten die Verantwortung, Dr. Hamilton. Leider muß ich meine Verantwortung höher als Ihre Neugier bewerten.«

»Es geht um mehr als Neugier«, sagte Wallis. »Sehen Sie mal: Mather und ich wissen einiges über diese Bet-Trance, die Bana erwähnt hat. Ich glaube, wir könnten sie zu unserem Vorteil nutzen. Es ist angedeutet worden, unsere Katzen seien an Muons Verfassung schuld, und Muon selbst hat eine Warnung geäußert. Ich respektiere die Begabungen der Aludraner viel zu sehr, um so eine Warnung ohne nähere Nachforschungen einfach zu übergehen.«

»Wollen Sie sagen, Ihre Katzen *sind* ›Teufel im Dunkeln‹. Doktor?« fragte Shannon. »Kommen Sie, das ist doch abergläubischer Unsinn!«

Wallis schüttelte den Kopf. »Zum Teil ist es vielleicht so. Aber ich glaube, ein paar Nachforschungen lohnen sich, um herauszufinden, was diese spezielle abergläubische Reaktion bei diesem Aludraner hervorgerufen hat. Normalerweise lassen sie sich durch Gefühlsangelegenheiten nicht beirren, Shannon, am wenigsten ein *Lai* von Muons Rang. Wenn Sie die Sache ohne weiteres von sich weisen, tun Sie ihm und uns keinen Gefallen.«

Shannon seufzte und musterte Muon, der unverändert stöhnte, las Daten vom Medscan ab, dann drückte sie den Injektor Wallis in die ausgestreckte Hand und trat beiseite.

»Sie lassen mir kaum eine Wahl, stimmt's, Doktor? Weigere ich mich, wird Ihr Gatte sich wahrscheinlich auf die Autorität der Imperiumsregierung berufen, und Sie kriegen doch Ihren Willen.« Ergeben verschränkte sie die Arme, während Wallis das Gerät auf die schwächere Dosis umstellte. »Wenigstens wird die halbe Dosis seine Körperfunktionen normalisieren, und sie machen momentan einen kritischen Eindruck. Ich denke mir, schaden kann's nicht, mit ihm zu sprechen.«

Der Injektor zischte an der Innenseite von Muons dünnem Handgelenk. »Nein, es könnte im Gegenteil aufschlußreich sein«, sagte Wallis. »Mather, du wirst gleich gebraucht.«

Mather, der in aller Ruhe die Unterhaltung mit den übrigen Aliens fortgeführt hatte, während seine Frau und Shannon diskutierten, kam herüber; Wallis nahm Shannons Scanner, besah sich die Anzeigen, verabreichte schließlich noch eine minimale Zusatzdosis des Medikaments. Die Aliens drängten sich hinter und neben Mather, als er einen Sessel dicht neben Muons Schlafnische schob und sich setzte.

»Er dürfte nun soweit sein«, sagte Wallis.

Mather nickte. »Also gut, dann wollen wir's mal versuchen. *Lai* Muon, mein Name ist Mather Seton. Bana meint, ich könnte durchaus mit Ihnen reden. Geht es Ihnen jetzt besser?«

Andeutungsweise nickte Muon, die Augen blieben friedlich geschlossen, die falkenhaften Gesichtszüge hatten sich entspannt. Mather warf erst seiner Frau, dann Shannon einen kurzen Blick zu und legte danach eine Hand sachte an Muons Handgelenk. Mit der anderen Hand überschattete er die Augen, stützte den Ellbogen auf die Armlehne des Sessels.

»*Lai* Muon, ich werde Ihnen ein paar Fragen stellen. Ich möchte, daß Sie ganz locker bleiben und mir zuhören. Um es Ihnen zu erleichtern, werde ich Ihre Sprache verwenden. *Essa di?*«

Wieder reagierte Muon mit einem schwächlichen Nikken.

»*Farsh. Durada-dan i?*«

»*Muon Vai-di-Chorrol, Lai Murrata gogorros e-do.*«

»*Farsh. Sura-kei?*«

Das Gespräch dauerte beinahe eine Viertelstunde; Mather sprach in beschwichtigendem Tonfall, und Muon antwortete zunächst einsilbig, nach und nach jedoch mit umfangreicheren Erläuterungen, von denen Wallis, im Gegensatz zu Shannon, immerhin die allgemeine Aussage begriff. Schließlich seufzte Mather und hob den Kopf, stand auf und gab Wallis durch ein Zeichen zu verstehen, sie könne nun den Rest der ursprünglich von Shannon vorgesehenen Dosis Suainol spritzen. Die anderen Aliens verbeugten sich respektvoll vor ihm, als er sie anschaute, bevor er sich an Shannon wandte.

»Es wäre gut, wenn Sie Dr. Deller oder einen anderen Ihrer Mitarbeiter bäten, während der Nacht bei ihm zu bleiben. Er hat heute, in der Zeit zwischen seinen Visionen und meiner Befragung, reichlich viel mitgemacht. Leider habe ich ihm auch hart zugesetzt.«

Shannon nickte. »Dr. Deller kann ich nicht lang entbehren, aber Jay kann die Nachtwache übernehmen«, sagte sie, wies mit dem Kinn auf den Medtech. »Haben Sie denn wenigstens irgend etwas Nützliches erfahren?«

»Wir unterhalten uns darüber auf dem Weg zum Laderaum«, sagte Mather und verbeugte sich, während er zur Tür strebte, knapp in die Richtung der Aludraner. »Ich sähe gern, bevor ich für heute Schluß mache, noch einmal bei den Katzen nach dem rechten.«

Shannon nickte ihrem Assistenzarzt zu und folgte Mather und Wallis zur Tür hinaus. Die normale Schiffstemperatur wirkte im Anschluß an die Wärme in der Kabine wie die Kälte des Weltraums, und mit der Rückkehr in die Standardschwerkraft wurden sie auf einmal alle von ihrer Müdigkeit eingeholt.

»Also?« hakte Shannon nach, während sie zum Personallift gingen.

Mather rang sich ein mattes Lächeln ab. »Ich bin mir nicht sicher, ob meine Informationen Ihnen sinnvoll vorkommen werden, Doktor, aber *mir* erklären sie jedenfalls eine Menge, und ich glaube, das gleiche gilt für Wallis. Außerdem paßt es dazu, was Torrell beim Abendessen geredet hat, obwohl ich nicht die Absicht habe, *ihm* das zu erzählen. Offenbar haben die Aludraner eine mythische Überlieferung — man könnte von einem Rassengedächtnis sprechen, wenn man will —, in der große katzenähnliche Wesen für sie das Äquivalent von Teufeln abgeben. Sie sind eher grün als blau und — statt richtiger Schnurrhaare, wie Katzen sie haben — mit winzigen Tentakeln versehen, aber die Ähnlichkeit ist, beschränkt man die Vergleiche auf Vorgänge im Unbewußten, sehr wohl ganz beträchtlich.«

»Sie sind also der Meinung, daß ... eine Erinnerung im Rassengedächtnis geweckt worden ist, als Muon heute früh die Katzen sah, und sein Anfall darauf zurückgeht?« fragte Shannon.

Mather nickte. »Das erklärt allerdings nicht die Episode heute abend, wenigstens nicht direkt. Nun ja, der Anblick der Katzen am Morgen war wohl ein länger wirksames traumatisches Erlebnis, und es ist möglich, daß Muon in der Bet-Trance, die Bana erwähnt hat, in eine Art von Wachtraum geraten ist ... und daß dabei das gesamte Grauen vor diesen Katzenwesen aus dem Rassengedächtnis an die Oberfläche schwappte.«

»Aber daß derartiger Aberglauben ihn so umwerfen soll ...«, sagte Shannon versonnen. »Muon ist doch eine gebildete Persönlichkeit, Kommodore. Was befürchtet er denn von den Katzen?«

»Sie haben's selber ausgesprochen, Doktor, obwohl ich annehme, es war Ihnen damit keineswegs ernst«, sagte Wallis. »Er fürchtet tatsächlich, von ihnen verschlungen zu werden. Ta'ai hat das gleiche behauptet. Genau wie Muon. Soviel habe ich verstanden.«

»Das ist doch lachhaft«, entgegnete Shannon unverblümt. »Die Lehr-Katzen sind keine Dämonen. Es ist völlig unmöglich, daß sie ausbrechen und im Raumschiff Unheil anrichten.«

Sie betraten den Lift, und Mather neigte den Kopf in Shannons Richtung, als sie die Taste für die Ebene mit den Frachträumen drückte.

»Ihnen ist das klar, Doktor, und mir und Wallis auch. Aber wenn man sich mit dem Unbewußten beschäftigt, dreht es sich nicht ausschließlich um rationale Reaktionen. Und vergessen Sie nicht, daß Muon bei seinem Volk als Seher gilt. Man glaubt eben, daß er einer ist, und wir können's uns nicht erlauben, diesen Glauben schlichtweg zu mißachten. Was die Art und Weise betrifft, wie unsere Katzen Schaden anrichten können sollten, so habe ich nicht die geringste Ahnung, wie er sich das vorstellt, und ich bezweifle, daß er selbst davon eine Vorstellung hat.«

»Wahrscheinlich würde er sagen, es ist alles Magie«, spöttelte Shannon und schnob. »Was meinen Sie damit, er ist ein Seher? Daß er in die Zukunft gucken kann?«

»Na ja, vielleicht erhält er gewisse Einblicke in die Zukunft«, sagte Wallis. »Ich weiß, es klingt alles wie aus der Luft gegriffen, man darf aber nicht außer acht lassen, daß die Aludraner eine Spezies mit rasseninterner, halbtelepathischer Gabe sind, die über hochentwickelte Fähigkeiten in einigen Bereichen verfügt, die wir gewöhnlich keinesfalls als ›wissenschaftlich‹ einordnen würden. Natürlich geschieht Muons ›Sehen‹ in Symbolen, die er erst in Worte übertragen muß, und Mather kann leicht etwas mißverstanden haben, zumal er ja kein Aludraner ist. Aber auch wenn Muon nicht von physischem Tod spricht, bin ich mir durchaus nicht sicher, ob ein mentaler oder psychischer Tod erfreulicher wäre. Schauen wir uns doch einfach noch einmal die Katzen an, um jedes Risiko auszuschließen, ja?«

KAPITEL 4

Sie hörten die Katzen brüllen, lange bevor sie den Frachtraum erreichten, in dem man die Tiere untergebracht hatte. Der Lärm war bereits zu hören, als sie am anderen Ende des Frachtdecks den Lift verließen; das Deck erwies sich als nahezu menschenleer, denn alles entbehrliche Personal hatte inzwischen wichtige Gründe gefunden, um sich von dem Deck zu verdrükken und anderswo Aufgaben zu erledigen.

Die äußerlichen Sicherheitsvorkehrungen des Aufenthaltsraums der Katzen genügten allem Anschein nach den Anforderungen. Hinter der Sicherungsschleuse, die den einzigen Zugang des Laderaums sicherte, tappten die Tiere in ihren nun zu einer Art von langer Raubtierbehausung miteinander verbundenen Plaststahl-Käfigen auf und ab. Aber ihre Schreie gellten ohrenbetäubend laut, durchschrillten mehr als drei Oktaven, bis in einen Bereich, den das menschliche Gehör nicht erfaßte.

»Guter Gott!« entfuhr es Mather, und er zog den Ranger namens Perelli in die relative Stille des anliegenden Aufsichtsraums, während Wallis mit Shannon zu den Scannern eilte. »Wie lange geht das schon so?«

Perelli schnitt eine Grimasse. »Ziemlich lange, Sir. Sie haben angefangen, gleich nachdem wir die Verbindung zwischen den Käfigen wiederhergestellt hatten, und seitdem eigentlich nicht mehr aufgehört.«

»Na, und hat jemand ihnen in den Schwanz gekniffen, oder was? Es klingt, als hätten sie Schmerzen.«

»Wenn es sich so verhalten sollte, Sir, dann durch nichts, was sich mit einem Medscan feststellen ließe«, antwortete der Ranger mürrisch. »Sie sind zusammen, sie haben frisches Wasser und Futter gekriegt, und die Käfige sind gesäubert worden. Wir sind zu dem Entschluß gelangt, sie einfach brüllen zu lassen. Peterson hat sogar versucht, ihnen was vorzusingen.«

Darüber mußte selbst Mather lachen, denn Petersons Stimme fehlten eindeutig sämtliche Eigenschaften, die sich geeignet hätten, um diese wilden Bestien zu beruhigen. Während Wallis bei jeder Katze mehrere medizinische Scannings vornahm, sichtete Mather die Aufzeichnungen der Sicherheitsanlagen, suchte nach irgendeiner Unregelmäßigkeit, die die Veränderung im Verhalten der Katzen erklärt hätte, beispielsweise das Eindringen eines Außenstehenden, der sie gestört haben könnte. Doch nach fast einer halben Stunde mußte mangels einer besseren Erklärung die Schlußfolgerung gezogen werden, daß es den Katzen eben gegenwärtig paßte, nur herumzubrüllen. Und was auch Muons neuen Anfall verursacht haben mochte, es hatte den Anschein, als wären die Katzen, wenigstens was einen direkten Zusammenhang betraf, völlig schuldlos.

»Also, ich bin mir jedenfalls sicher, daß *ich* keine Ahnung habe, was das alles zu bedeuten hat«, sagte Shannon, als feststand, daß sich so leicht keine Lösung finden ließ. »Bei menschlichen Patienten kann ich jederzeit … Da fällt mir ein, ich sollte wohl zurück in die Medizinische Station und nachschauen, ob keine sonstigen Notfälle aufgetreten sind, bevor ich ins Bett gehe. Ich werde auch noch einmal nach Muon sehen. Teilen Sie's mir mit, wenn ich irgendwie behilflich sein kann.«

Nach einer letzten Inspektion der Sicherheitsvorrichtungen des Frachtraums suchten auch Mather und Wallis ihre Kabine auf. Mather zeigte richtige Nervosität, während er sich an die Bibliothekskonsole setzte und eine Anfrage zu tippen begann; er unterbrach sich dabei nur einmal, um seinen Stehkragen zu lockern.

»Mather, wir kennen doch längst alle Veröffentlichungen über Lehr-Katzen«, sagte Wallis, die hinter ihn getreten war und ihm über die Schulter schaute, während sie das Haar löste. »Was nicht in den Menkarer Datenbanken steht, werden wir wohl kaum in der Bibliothek eines Sternenschiffs finden.«

Mather nickte bloß und tippte weiter. »Kann sein. Aber wir haben uns bei diesem Computer noch nie erkundigt. Vielleicht ist er dazu imstande, uns ein völlig neues logisches Denkmuster vorzuschlagen. Möglicherweise ist die ganze Sache so einfach, daß wir's übersehen.«

»Glaubst du das wirklich?«

»Nein.«

Wallis schüttelte das Haar aus, begann es zu bürsten und beobachtete die grünen Buchstaben von Mathers Anfrage, die über den Bildschirm wanderten.

Stichwort: Dominante Lebensformen von Eta Canis Majoris II. Querverweise zwischen parapsychischen Talenten der panhumanoiden Spezies mit der Bezeichnung Aludraner und vergleichbaren Qualitäten der dominanten Lebensformen von Beta Geminorum III (Il Nuadi), insbesondere der als Lehr-Katzen bekannten Spezies. Bitte Auskunft.

Die Antwort der Bibliothek erfolgte fast unverzüglich.

Die Humanoiden des Planeten Eta Canis Majoris III, im folgenden Text Aludraner genannt, sollen beschränkte, innerhalb der eigenen Spezies effektive telepathische Fähigkeiten besitzen. Eine mündliche Version der aus der prätelepathischen Ära überkommenen Schriftsprache ist verbreitet; seit der Kontaktaufnahme mit anderen Rassen hat sie sogar wieder an Verbreitung zugenommen (s. Stichwort ›Aludranisch‹).

Die dominante Lebensform des Planeten Beta Geminorum III (Il Nuadi) ist der Homo sapiens. Die Bewohner stammen von im Laufe der Ersten Expansionsperiode vor der Cruaxi-Seuche (s. Stichwörter ›Cruaxi-Seuche‹, ›Alienkontakte‹ etc.) auf dem Planeten angesiedelten Kolonisten ab. Umfangreiche Hinweise auf die Existenz einer einheimischen Rasse vor der Cruaxi-Seuche sowie eine Koexistenz mit den ersten menschlichen Siedlern sind vorhanden, doch anläßlich der Dekontaktierung durch die Lawry-Expedition 42 A. I. konnten keine

Beweise eines Fortbestands mehr gefunden werden (vgl. Sir Gregory Lawry: Die Epansion des Imperiums. Bericht der Ersten Wiederentdeckungsexpedition im ehemaligen Fernmeyer-Konsortium. *Staatsverlag des Imperiums, Menkar, 51 A. I.; Vander Torrell:* Verschollene Alienrassen. *Verlag der Freien Universität Dursah, Ravanah, Hyadum Primus IV, 92 A. I.).*

Mathers Hand schwebte bereits über der Beenden-Taste, als die Erwähnung Torrells auf dem Bildschirm erschien, doch er hielt sich zurück, weil weitere Angaben folgten.

Von den auf Il Nuadi entstandenen einheimischen Lebensformen sind unterschiedliche Grade höherer psychischer Leistungsfähigkeit in empathischer Hinsicht bekannt, vor allem unter den karnivoren Spezies. Außer in jüngster Zeit haben keine nachweisbaren Kontakte zwischen Aludranern und Lebensformen Il Nuadis stattgefunden.

Die Auskünfte wurden noch umfangreicher, jedoch war bald klar, daß die Informationen einen immer allgemeineren statt detaillierteren Charakter annahmen. Perplex beendete Mather die Funktion und schaute Wallis an, die mit dem Haarebürsten aufgehört hatte und sich auf etwas anderes konzentrierte, anscheinend tiefschürfende Überlegungen, die irgendeiner vielleicht vom Computer angedeuteten Möglichkeit galten. Nach einem Moment des Nachdenkens tippte Mather ein zweites Mal die Anfrage-Taste und holte eine andere Auskunft ein.

Stichwort: Lehr-Katzen. Sind sie in der vorhin gegebenen Beschreibung der einheimischen Lebensformen von Beta Geminorum III eingeschlossen? Bitte Auskunft.

Die Antwort kam sofort.

Über die psychischen Fähigkeiten der Lehr-Katzen sind keine genaueren Daten vorhanden. Obwohl die Lehr-Katzen bereits 43 A. I. durch Dr. Samuel Lehr (s. d.) entdeckt und klassifiziert wurden, sind seither keine weiterführenden erfolgreichen Forschungen ...

Enttäuscht hieb Mather die Faust auf die Beenden-Taste und drehte sich zu Wallis um, sah sie an. Sie bürstete sich nun wieder das Haar, war aus ihrer Grübelei zurückgekehrt.

»Tja, was meinst du?« fragte Mather.

»Zu der Möglichkeit, daß die Katzen telepathische Rufe ausstoßen? Ich vermute, es *wäre* möglich. So etwas wäre für ein Raubtier, dessen hauptsächliche Nahrungsquelle andere empathiebegabte Tiere sind, eine recht vorteilhafte Befähigung. Ich habe nie irgendwelche Daten abgelesen, die auf eine telepathische Begabung der Katzen hinwiesen, allerdings habe ich auch nicht darauf geachtet. An den Abläufen psychischer Phänomene verstehen wir noch eine ganze Menge nicht.«

»Soviel ist sicher«, stimmte Mather zu, dachte an seine spürbaren und dann wieder ruhenden psychischen Besonderheiten. »Gibt's keine Methode, um uns Klarheit zu verschaffen? Ich meine, über die Katzen.«

Einen Moment lang dachte Wallis nach. »Wahrscheinlich könnte ich ein Testgerät basteln und es damit versuchen. Die erforderlichen Einzelteile wird uns wohl Dr. Shannon leihen. Aber Resultate kann ich nicht versprechen.«

»Das ist mir klar.«

»Andererseits neige ich, nachdem sich so viele Jahre hindurch unsere Mutmaßungen meistens als richtig herausgestellt haben, durchaus dazu, davon etwas zu erwarten«, ergänzte Wallis. »Morgen früh werde ich als erstes Shannon eine Liste mit Geräteteilen vorlegen.«

Mather nickte und schloß die Konsole, gähnte gewaltig, während er auch die restlichen Knöpfe der Uniformjacke öffnete. »Hört sich aussichtsreich an. Bis dahin sollten wir uns ein bißchen Schlaf gönnen, solange uns die Gelegenheit bleibt. Wenigstens wissen wir, daß die Katzen sicher aufgehoben sind, und Muon wird diese Nacht auch nicht mehr aus der Koje steigen.«

Wallis nickte und gähnte gleichfalls, schlang ihm hinterrücks die Arme um den Hals und lehnte den Kopf müde in seinen Nacken. »Das ist die beste Idee, die wir den ganzen Tag gehabt haben.«

»Dr. Deller, ich glaube, der Obersteward hat mich vergiftet.«

Die Stimme, die aus dem Behandlungszimmer neben Shannons Büro ertönte, hatte einen durchdringend-aufdringlichen Klang, und Shannon war froh, daß nicht sie heute morgen die Behandlungen vornehmen mußte. Der im großen und ganzen im weiteren Verlauf vorhersehbare Wortwechsel im benachbarten Raum würde für den jungen Deller eine lehrreiche Erfahrung sein, aber Shannon mochte sich nicht daran beteiligen, sondern wollte es lediglich durch die einen Spaltbreit offene Tür belauschen, um zu sehen, wie Deller ihn meisterte. Sie tat so, als wäre sie vollständig von der Aktualisierung ihres ärztlichen Tagebuchs in Anspruch genommen, während Deller halblaut eine nichtssagende Antwort gab. Es spielten sich beinahe jeden Tag die gleichen Szenen ab, seit sich Jacob Carvan an Bord befand.

»Sie denken, ich mach 'n Witz, was, Doktor?« quengelte die Stimme weiter. »Aber nee, tu ich nich. Er *hat* mich vergiftet!«

»Aber, aber, Mr. Carvan, warum sollte Mr. Verley so was anstellen? Bestimmt haben Sie bloß 'n Kater.«

»Einen Kater? Doktor, glauben Sie, ich weiß nich, wie sich 'n Kater anfühlt? Ich sag's Ihnen, ich bin vergiftet worden! Ich wünsche, daß Sie die ärztlichen Untersuchungsergebnisse in meine medizinischen Daten aufnehmen.«

»Bitte trinken Sie das, Mr. Carvan.«

Kurzes Schweigen. »Wissen Sie, 's wird Ihnen nix nutzen«, nörgelte Carvan danach weiter. »Ich bin vergiftet worden, und ich weiß, daß 's kein Gegenmittel gibt. Sollte ich trotzdem irgendwie überleben, werde ich eine Klage gegen ... Schmeißen Sie ihn raus!«

Dem Geräusch, mit dem sich eine Außentür schloß, folgte die Stimme des Chefstewards, und man merkte ihm alles andere als gute Laune an.

»Das habe ich in seiner Kabine gefunden, Doktor. Nach der Kontrollnummer hat er die Flasche erst gestern im Bordshop gekauft. Wenn er sie gestern abend leergetrunken hat, ist es kein Wunder, daß er das Gefühl hat, an einer Vergiftung zu leiden.«

»Nun hören Sie mal her, junger Mann!« Das war wieder der Passagier. »Wenn Sie behaupten wollen, ich könnte nichts vertragen, sind Sie nich bloß 'n Giftmörder, sondern auch 'n Lügner! Mir ging's gestern abend glänzend, bis Sie mir den taucischen Punsch gebracht haben. Sie haben versucht, mich zu vergiften, so leicht können Sie sich da nicht rauswinden.«

»Furuditischer Whiskey und ein taucischer Punsch?« meinte der Steward halblaut. »Nein, das ist wirklich kein Wunder. Doktor, wir konnten unmöglich ahnen, daß er so unvorsichtig ist, beides zusammen zu trinken. Er ist jetzt noch nicht nüchtern.«

»Ich bin so nüchtern wie ... wie ...«

Unerwartet verklang die Stimme, und es folgte das Geräusch eines Körpers, der auf den Fußboden plumpste.

»Sanitäter!« rief Deller.

Während sie andeutungsweise den Kopf schüttelte, lehnte Shannon sich weit genug im Sessel zurück, um durch den Türspalt in den benachbarten Behandlungsraum lugen zu können, wo Deller und der Steward gerade den besinnungslosen Jacob Carvan aufhoben. Ein stämmiger Sanitäter lenkte vom Korridor eine Antigrav-Bahre herein.

»Alles in Ordnung, Doktor?« fragte Shannon, schmunzelte ein wenig, als Deller herüberschaute.

Deller seufzte und verzog das Gesicht. »Wann werden *Sie* wieder Frühdienst machen?« erkundigte er sich, während er dabei half, Carvan auf die Bahre zu laden.

»Gestern sind's Darro-Likör und tejatischer Brandy gewesen, und er war davon überzeugt, er müßte auf der Stelle vergehen. Heute ... Na, Sie haben's ja wohl gehört. Und wer weiß, welche Kombination er morgen ausheckt? Eines Tages wird er sich *tatsächlich* vergiften.«

»Aber Sie müssen zugeben, für *Sie* ist es eine gute Ausbildung.«

»Ja, ich kann rundum von Glück reden«, sagte Deller wehmütig, begann jedoch vor sich hinzulachen, während er dem bewußtlosen Carvan nachblickte, den der Sanitäter nun aus dem Behandlungszimmer schaffte. »Sie glauben doch nicht, es macht ihm *Vergnügen*, sich den Magen auspumpen zu lassen?«

Shannon grübelte noch immer über das erstaunlich schlechte Urteilsvermögen mancher Fluggäste nach, als einige Minuten später Mather und Wallis zu ihr kamen.

»Ah, guten Morgen«, begrüßte sie sie, schaltete am Computer das Tagebuch ab. »Kann ich, da Sie nach dem Vorfall gestern abend heute schon so früh hier sind, davon ausgehen, daß Sie in bezug auf unsere aludranischen Freunde ein paar neue Gedanken haben? Sie können die Tür schließen, falls es sich um heikle Angelegenheiten dreht.«

Mather schloß die Tür, schüttelte jedoch den Kopf. »Es ist nichts Heikles, und es steht nicht einmal direkt mit den Aludranern im Zusammenhang«, antwortete er, nahm neben Wallis Platz. »Wir haben eine Theorie, die wir gern an den Katzen überprüfen würden.«

»Nun ja, es sind Ihre Katzen.« Shannon schwieg einen Moment lang. »Welche Theorie?« fragte sie dann.

»Eigentlich mehr so etwas wie eine Vermutung«, sagte Wallis, holte aus der Tasche ihres Hosenanzugs ein gefaltetes Stück Papier und gab es Shannon. »Das ist eine Liste von Gerät, das wir uns leihen möchten, falls Sie's haben. Oder wenn Sie nur einiges nicht haben, können wir vielleicht improvisieren. Wir halten es für denkbar, daß die Katzen eine schwache telepathische

Begabung aufweisen, vor allem als psychische Sender. Die Aludraner, müssen Sie wissen, *sind* Telepathen.«

»Hm, ich entsinne mich, darüber was gelesen zu haben«, sagte Shannon leicht zerstreut, weil sie gerade die Liste durchsah. »Aber ich verstehe nicht, was das mit ...«

An ihrer Tischkonsole erscholl ein schrilles Rufzeichen, neben dem Bildschirm leuchtete ein rotes Lämpchen auf. Mit gewohnheitsmäßiger Geste drückte Shannon die Ein-Taste, ohne aufzublicken.

»Shannon.«

»Sicherheitsdienst Deck Drei, Doktor. Ein Notfall liegt an: zwei Passagiere im Schock oder in Hysterie und einen Exitus.«

»Einen Toten?«

Shannon schnappte nach Luft, als sie aufschaute und auf dem Monitor den Gesichtsausdruck des Sicherheitsbeauftragten sah. Ohne den Blick abzuwenden, betätigte sie rasch die Signaltaste, die Deller und das übrige Sanitätspersonal alarmierte und dazu veranlaßte, sich auf einen Notfall vorzubereiten.

»Was ist passiert?« fragte sie. »Wer ist denn gestorben?«

»Ein Passagier. Wir glauben, er heißt Fabrial. Und er ist nicht einfach gestorben — er ist ermordet worden.«

»Ermordet?«

»Genau. Die beiden anderen Passagiere haben ihn gefunden. Sie sind noch zu durcheinander, um eine Aussage zu machen, deshalb dachten wir uns, Sie könnten Sie befragen, wenn Sie sie ruhiggestellt haben. Wir überstellen Ihnen die Leiche, sobald unsere Tatortuntersuchung abgeschlossen ist.«

»Sind Sie sicher, daß er *tot* ist?« fragte Shannon, um sich zu vergewissern.

»O ja, er ist ganz bestimmt mausetot.«

Unruhe im Vorzimmer kündigte die Ankunft der betroffenen Passagiere an, und Shannon eilte hinüber.

Mather und Wallis schauten sich gegenseitig an, dann das Gesicht des Sicherheitsmanns, ehe es von der Mattscheibe verschwand, traten anschließend zur Tür, um zuzusehen und zuzuhören. Zwei Stewards führten eine weinende Frau von ungefähr dreißig Jahren herein. Deller ließ sie in einen anliegenden Behandlungsraum bringen und rief eine Arzthelferin. Unmittelbar hinter der Schwelle des Vorzimmers verharrte, am Ellbogen von einem Sicherheitsexperten gestützt, ein Mann mittleren Alters, der gehörig geschockt und verstört wirkte. Auf seinem Handrücken und an der Vorderseite der teuren Kleidung sah man Flecken verschmierten getrockneten Bluts, und ein ähnlicher Fleck war schwach am kastanienbraunen Ärmel des Sicherheitsmitarbeiters zu erkennen.

»Lord Elderton und seine Frau«, stellte Shannon leise fest. »Das hat uns gerade noch gefehlt. Deller, das ist Lady Elderton, ich glaube, ihr Vorname lautet Anne. Sorgen Sie dafür, daß sie sich beruhigt und ihr Kreislauf sich stabilisiert, bis ich komme, um ihre Aussage aufzunehmen.«

Als sie ihre Aufmerksamkeit Lord Elderton widmete, bemerkte sie besorgt, daß ihre Äußerungen bei ihm keinerlei Reaktion hervorriefen.

»Ist er verletzt, Matt?« erkundigte sie sich bei dem Sicherheitsbeauftragten, ergriff Eldertons Handgelenk, um seinen Puls zu fühlen — er schlug kräftig, jedoch zu schnell —, und auch diesmal verhielt der Lord sich völlig unbeteiligt, als wäre er geistig abgetreten. »Was ist vorgefallen? Haben Sie was gesehen?«

Der Wachmann schüttelte den Kopf. »Eigentlich nichts, Doktor. Das Opfer war schon tot, als ich am Tatort eintraf. Lord Elderton kauerte neben ihm, schaukelte auf den Fersen vor und zurück und stöhnte vor sich hin, und die Lady schrie. Ihre Schreie haben uns hingelockt. Er hat wenig gesagt, aber ich habe den Eindruck gewonnen, er hat wenigstens zum Teil gesehen, was geschah. Ich bin ziemlich sicher, daß er bei dem Opfer war, noch bevor es starb.«

»Ist es vorstellbar, daß er es getan hat?« fragte Shannon, bewegte die Hand vor den Augen des Lords hin und her, ohne ihn zu einem Wimpernzucken zu reizen.

»Ausgeschlossen«, beteuerte der Wachmann unumwunden.

»Na schön, herein mit ihm!« verlangte Shannon und strebte zügig durch ihr Büro voraus ins benachbarte andere Behandlungszimmer, wo Mather dabei half, den wie stumpfsinnigen Patienten auf den gepolsterten Behandlungstisch zu betten. Auch Wallis machte sich sachkundig nützlich, schwenkte an der Zimmerdecke montierte Standard-Diagnoseapparate über die Liege. Shannon lud einen Injektor. Eldertons Augen starrten fortgesetzt ausdruckslos ins Nichts.

»Den Rest erledige ich, Matt«, sagte Shannon zu dem Sicherheitsmitarbeiter. Sie beobachtete die Scanner, während sie am Injektor die Dosis einstellte. »Vielen Dank fürs Bringen. Gehen Sie sicher, daß man mir Bescheid sagt, sobald die Leiche geliefert wird. Und falls der Kapitän noch nicht informiert worden ist, veranlassen Sie bitte, daß jemand ihn benachrichtigt.«

»Alles klar, Doktor.«

Sobald der Mann die Tür hinter sich geschlossen hatte, traten Mather und Wallis an die andere Seite der Liege, um Shannons weiteres Vorgehen beobachten zu können. Elderton waren die Lider zugefallen.

»Ich bin der Meinung, wir dürfen fürs erste unterstellen, daß das Blut vom Opfer ist, ohne ernsthaft einen Irrtum zu riskieren«, sagte Shannon, deutete auf den Blutfleck auf der Kleidung, bevor sie dem Mann über der rechten Halsader die Injektion spritzte. »Ich werde das Labor darauf ansetzen, nachdem wir seinen Zustand stabilisiert und eine Aussage erhalten haben. Ich nehme an, Ihnen ist klar, daß Sie an sich nicht anwesend sein dürften.«

Mather hob die Brauen. »Wäre es Ihnen lieber, wenn wir gehen?«

Shannon quälte sich ein Lächeln ab. »Ich glaube nicht. Offen gestanden, ich wäre Ihnen sogar für Unterstützung dankbar. Kriminalmedizin zählt nicht zu den Spezialgebieten, auf die bei der Ausbildung für den Dienst an Bord eines Sternenschiffs Wert gelegt wird. Natürlich kenne ich die Grundlagen, aber ... Nun ja, ich denke, im Rahmen Ihrer Tätigkeit haben Sie wohl schon öfter Ähnliches erlebt. Ich kann ohne Schwierigkeiten eine normale Aussage aufnehmen, aber machen Sie mich darauf aufmerksam, falls ich etwas vergesse.«

»Wir helfen Ihnen gern«, sagte Wallis.

Während sie sich besprachen, tat das Elderton verabreichte Medikament seine Wirkung, er entkrampfte sich, alle Lebenszeichen zeigten Entspannung und Beruhigung an. Shannon wartete noch einige Sekunden lang ab, warf einen letzten Blick auf die Medscan-Anzeigen, langte dann über der Behandlungsliege in die Höhe und zog einen Kamerarecorder herunter, fuhr das Mikrofon bis in die Nähe des Munds ihres Patienten aus und justierte die Kamera anhand eines grünen Schwachlaserlichts. Mit einem Fingerdruck aktivierte sie einen Testcheck, korrigierte anschließend ein wenig die Kameraeinstellung, und zum Schluß postierte sie sich am Rand des Tischs, legte beide Hände auf die Kante und musterte das Gesicht des Patienten.

»Lord Elderton, können Sie mich hören? Bleiben Sie ganz locker und lassen Sie das Medikament wirken. Ich weiß, daß Sie vorhin etwas Schreckliches durchgemacht haben, aber Sie befinden sich jetzt in völliger Sicherheit und werden sich von dem Schreck erholen. Allerdings brauchen wir von Ihnen eine Aussage. Glauben Sie, daß Sie mir erzählen können, was passiert ist? Nicken Sie nur, wenn Sie dieser Ansicht sind.«

Der Mann bewegte schwach das Kinn, befeuchtete sich mit der Zunge die Lippen, dann nickte er.

»Sehr gut.« Shannon sah das Mikrofon an und atmete tief durch, ehe sie mit dem Protokoll begann.

»Für die Akten wird festgestellt: Dies ist eine ärztliche Befragung und vorläufige Aussage des Passagiers Lord Robert von Elderton. Als diensttuende Ärztin ist Dr. Shivaun Shannon anwesend, Bordoberärztin auf dem zur Gruening-Linie gehörigen Sternenschiff der Nova-Klasse *Walküre*. Als Zeugen sind anwesend: Dr. Wallis Hamilton und Kommodore der Imperiumsflotte Mather Seton.«

Sie schaute das Paar an und wölbte die Brauen, sprach weiter, sobald Mather genickt hatte.

»Patient Elderton ist heutigen Datums nach Erleiden eines schweren Nervenschocks, angeblich durch Teilbeobachtung eines Mordes, in die Medizinische Station gebracht worden. Stabilisierung ist durch Spritzen von fünf Kubikzentimetern Pentomerisol an der rechten Halsvene erzielt worden. Es folgt die Befragung. Lord Elderton, hören Sie mich? Bitte antworten Sie.«

»Ja«, vermochte Elderton schwächlich hervorzustoßen.

»Sehr schön. Ich möchte, daß Sie mir jetzt erzählen, was auf Deck Drei geschehen ist und Sie erschreckt hat.«

Nochmals benetzte Elderton sich mit der Zungenspitze die Lippen, dann begann er den Kopf matt von Seite zu Seite zu drehen, verkniff dabei fest die Augen.

»O Gott, ich kann nicht! Es war zu entsetzlich! Ich will mich nicht erinnern.«

»Mir ist klar, daß es sich um nichts Angenehmes handelt, Lord Elderton, aber wir müssen erfahren, was Sie gesehen haben.« Shannons Stimme klang ruhig, aber mit Bestimmtheit. »Entsinnen Sie sich zunächst auf das Geschehen unmittelbar vor dem Zwischenfall. Sie gingen den Wandelgang auf Deck Drei entlang.« Kurz schwieg Shannon. »Woher kamen Sie?«

»Da ... davor war ich in meiner Kabine. Ich war unterwegs zum Frühstücken.«

»Ausgezeichnet. Sie machen Ihre Sache vorzüglich. Hat jemand Sie begleitet?«

»Meine ... meine Frau Anne. Aber ... o Gott, lassen Sie nicht zu, daß sie's sieht! Es ist zu gräßlich!«

»Nur die Ruhe, Lord Elderton! Ihre Gattin ist vollauf in Sicherheit. Es gibt keinen Grund mehr, sich vor irgend etwas zu fürchten. Es wiederholt sich nicht, Sie erinnern sich lediglich. Sie gingen also mit Ihrer Gattin auf Deck Drei den Wandelgang hinab und waren auf dem Weg zum Frühstück. Hat sich etwas Ungewöhnliches ereignet?«

Elderton schluckte geräuschvoll, aber antwortete. »Ich ... ich hörte einen Aufschrei. Eigentlich war es kein Schrei ... es klang mehr wie ein ... ein Gurgeln, als ob jemand ertränke. O Gott, ich will mich nicht erinnern!«

»Sie müssen sich daran erinnern, Lord Elderton. Es ist wichtig. Sie haben also einen Schrei oder einen anderen seltsamen Laut gehört, der Sie erschreckte. Was ist danach passiert?«

»Ich ... ich lief am Gepäcklagerraum um die Ecke, und dort lag Gustav ... in einer Blutlache. Wir ...« Elderton unterdrückte ein Schluchzen. »Wir hatten erst gestern mit ihm zu Abend gegessen.«

Er bedeckte das Gesicht mit den Händen und fing zu zittern an, doch Shannon zog ihm die Hände sachte hinab auf den Brustkorb, hielt sie locker fest.

»Es tut mir sehr leid, Lord Elderton. Können Sie mir Gustavs vollständigen Namen nennen?«

»Er lautet F-Fabrial ... Gustav Fabrial. Wir ... wir sind zusammen zur Schule gegangen. Er ... O bitte! Lassen Sie's gut sein!«

»Schhhht ... bleiben Sie ganz ruhig«, säuselte Shannon. »Es geschieht nicht wirklich, Sie erinnern sich nur. Ich bedaure, daß ich Ihnen das zumuten muß, aber bitte erzählen Sie mir auch den Rest. Haben Sie in seiner Nähe irgendwen gesehen?«

Elderton schluckte und schüttelte den Kopf; anscheinend trug Shannons Berührung einiges zu seiner Beruhigung bei.

»Nei-nein.«

»Nun gut. Jetzt kommt das Schwerste, aber leider ist es erforderlich, daß Sie mir schildern, wie Sie Gustav fanden. Lebte er noch, als Sie zu ihm gelangten?«

Jetzt rannen Elderton hemmungslos Tränen übers Gesicht. Er nickte. »Er ... er lag auf dem Bauch. Er ... stöhnte. Ich rannte zu ihm und drehte ihn um ... Gott, sein Körper war vorn ganz voller Blut! Und auch der Teppichboden unter ihm schwamm von Blut! Er röchelte etwas von Blau und von Augen ... Augen, die ihn verfolgten ... goldenen Augen! Richtig sprechen konnte er nicht mehr, weil seine Kehle ... Oh, ich kann nicht mehr!«

»Bleiben Sie locker, Lord Elderton«, sagte Shannon leise, sah mit Unbehagen Wallis und Mather an und suchte neues Injektionsmaterial heraus. »Nur noch einen Moment. Versuchen Sie sich zu entsinnen. Hat er außerdem irgend etwas gesagt?«

»Nein. Er ist ... dort gestorben, in meinen Armen ... und ich konnte es nicht verhindern ... Und überall war Blut, und ... Hören Sie auf, bitte! Ich mag mich nicht mehr erinnern. Bitte aufhören!«

»Schon gut, es ist nicht mehr nötig. Sie haben sich glänzend gehalten.« Der Injektor zischte, als Shannon ihn erneut an Eldertons Hals abdrückte. »Schlafen Sie jetzt. Entspannen Sie sich und schlafen Sie.«

Gleich darauf schwenkte Shannon, ohne die Aufzeichnung zu beenden oder Mather und Wallis zu beachten, die Blicke der Verwunderung wechselten, ein anderes Instrument von der Decke herab und richtete es mit peinlich genauer Sorgfalt auf Elderton, lenkte das Ziellicht direkt zwischen seine Augen. Nachdem sie einen Timer eingestellt hatte, aktivierte sie das Gerät an einem auf ihren Daumenabdruck adjustierten Schalter. Das Licht pulsierte mehrere Sekunden lang blau, ein tiefes Summen schwoll auf und ab, verklang zuletzt. Shannon vermied es noch immer, die beiden Zuschauer anzusehen, während sie den Apparat an seinen Platz zurückschob und dem Kamerarecorder die Kassette entnahm.

»Nur zu, sprechen Sie Ihre Meinung aus, Dr. Hamilton«, sagte sie, legte die Kassette auf einen Abstelltisch hinter ihrem Rücken, lehnte sich an die Tischkante und blickte das Paar endlich wieder an. »Zumindest Sie werden wohl wissen, was ich gerade getan habe.«

Wallis nickte. »Jedenfalls kann ich nicht verschweigen, daß ich überrascht bin. Ich hätte nicht gedacht, daß Sie den Zeugen eines Mordfalls einer Gehirnwäsche unterziehen.«

»*Und* außerdem gänzlich ohne seine Einwilligung, ich weiß«, entgegnete Shannon. »Trotzdem war es erforderlich. ›Gehirnwäsche‹ ist natürlich, wie Sie bestimmt genau wissen, eine völlig verfehlte Bezeichnung. Wenn er in einigen Stunden aufwacht, die er sicher in seiner Koje verschlafen hat, wird er sich, falls er es ernsthaft versucht, nach wie vor an das Erlebnis erinnern können. Es wird ihm aber wie ein Traum vorkommen, ohne alle scheußlichen Einzelheiten und ohne die emotionalen Eindrücke des tatsächlichen Geschehens. Selbstverständlich ist die Erinnerung nicht wirklich verloren — jeder tüchtige Psychotechniker kann sie leicht wieder wecken —, sondern nur durch weniger bedrohlichen Symbolismus übertüncht und verschleiert. Wir werden seiner Frau die gleiche Gefälligkeit erweisen. Im übrigen ist das nicht meine Idee, sondern Firmenpolitik.«

»Eingriffe ins Gedächtnis eines freien Bürgers als Firmenpolitik?« meinte Mather in verhaltenem Ton.

Shannon stieß einen Seufzer aus. »Kommodore, die Gruening-Linie mag keine nachteilige Publizität. Solche Vorfälle könnten das Ansehen des Unternehmens schädigen. Ich muß die Firmenpolitik nicht unbedingt gutheißen, aber ich arbeite für Gruening, und ich verdanke der Linie in beträchtlichem Umfang meine berufliche Ausbildung. Ich bin hier tätig, anstatt ein luxuriöses Dasein auf einem der großen Forschungssatelliten zu führen, weil ich mein Studium als Beste meiner Fachgruppe abgeschlossen habe. Davon abgesehen, ist die Prozedur keineswegs rechtswidrig. Sie wird oft vorgenommen, wenn ein zuständiger Arzt der Auffassung ist, daß eine traumatische Erinnerung dem Wohlergehen eines Patienten schaden kann.«

»Oder dem Wohlergehen des Arztes«, sagte Mather.

»Oder seiner Position«, ergänzte Shannon zustimmend. »Auch das ist ein Grund, weshalb das Protokoll angefertigt worden ist. Es umfaßt eine rechtsgültige Aufzeichnung der Aussage Eldertons, und sollte der Sachverhalt später in Frage gestellt werden, brauchen wir uns deswegen keine Sorgen zu machen.«

Ohne eine Erwiderung abzuwarten, drückte Shannon eine Taste und ging hinaus, während ein Sanitäter und ein Medtech mit einer Antigrav-Bahre hereinkamen. Die Aufzeichnung mit Eldertons Aussage nahm Shannon mit. Nachdem der Medtech mehrere Proben von den Blutflecken an Eldertons Hand und seiner Kleidung sowie eine Blutprobe des Lords selbst genommen hatte, hoben er und der Sanitäter den Bewußtlosen auf die Bahre und beförderten ihn aus dem Behandlungszimmer.

Wallis und Mather schlossen sich ihnen an, rechtzeitig genug, um Shannon aus Dellers Behandlungsraum kommen zu sehen; sie hatte jetzt zwei Kassetten in der Hand, schaute in nachdenklichem Ernst zu, wie Deller eine zweite, mit der Lady beladene Antigrav-Bahre herausbugsierte, damit der anderen Bahre folgte, und beide Bahren verschwanden in den inneren Bereichen der Medizinischen Station. Aber ehe das Paar entscheiden konnte, ob es Shannon noch einmal ansprechen sollte, öffnete man die Außentür des Vorzimmers, und ein angegriffen wirkender Medtech sowie ein Sicherheitsexperte steuerten noch eine Antigrav-Bahre herein, auf der eine dritte, diesmal verhüllte Gestalt lag.

Niemand sprach ein Wort, während Shannon die Bahre an ihrem Büro vorbei in einen Operationssaal dirigierte, wo sie sie eigenhändig auf den OP-Tisch senkte, doch der Sicherheitsexperte warf Mather und Wallis, als sie in den OP folgten und blieben, während Shannon die Strahler über dem Tisch einschaltete, einen Blick des Befremdens zu. Und als Shannon von der Leiche das Laken zurückschlug, achteten sowohl der Sicherheitsexperte wie auch der Medtech auf Wallis' und Mathers Reaktion.

Wallis entfuhr ein Keuchen. Mather unterdrückte einen Fluch. Shannons Gesicht wurde weiß, während ihr Blick den Toten erfaßte.

Aber nicht die Leiche als solche war es, auch nicht die Todesart des Opfers, die diese unterschiedlichen Reaktionen hervorrief. Die offensichtliche Todesursache bestand aus einer schweren Halsverletzung — unverkennbar die Quelle des Bluts, das die gesamte Vorderseite des Toten rötete, so wie es von Elderton beschrieben worden war —, doch war die Wunde nicht schlimmer als ähnliche Verwundungen, wie jeder der drei sie schon gesehen hatte. Vielmehr war es die rechte Hand des Opfers, die sofort alle Aufmerksamkeit auf sich zog, der ganze Arm war übel aufgerissen und blutüberlaufen, mehrere Fleischwunden hatten Sehnen und Knochen entblößt.

Und in den Fingern des Toten stak ein Büschel langer blauer Haare.

KAPITEL 5

F ür einen Augenblick von scheinbar endloser Dauer
  sagte niemand etwas. Die blauen Haare sprachen
für sich. Die grauenhaften Wunden der Leiche verstärk-
ten die naheliegende Schlußfolgerung, die noch niemand auszusprechen wagte. Shannon, ohnehin fassungslos, schaute Mather verdutzt an, als der hochgewachsene Mann sich plötzlich einen Ruck gab und zur
Tür strebte.

»Kommodore, wo wollen Sie denn hin?«

Shannons Stimme klang gepreßt, und Mather drehte
sich um, sah zu ihr und den übrigen Anwesenden hinüber, während er vor dem Interkom dicht neben der Tür
stehenblieb und die Ruftaste drückte. Unverzüglich erhellte das hellgrüne Gruening-Logo den Bildschirm.

»KomNetz«, meldete sich eine freundliche Stimme.

»KomNetz, hier ist Kommodore Seton in der Medizi-
nischen Station. Bitte sofort eine Verbindung mit dem
Diensthabenden in meinem Frachtraum, Prioritätsstufe
Eins.«

»Bitte warten.«

Bestürzt musterte Shannon ihn, als er den Blick wieder auf sie heftete.

»Ich weiß, was Sie denken, denken müssen, Doktor«,
sagte Mather bedächtig, »und, um ehrlich zu sein, ich
kann's Ihnen nicht zum Vorwurf machen. Wir werden
bald wissen, ob Ihr Verdacht begründet ist.«

»Aber ist es nicht offenkundig, was geschehen ist?«

»Ich weiß, wonach es *aussieht*. KomNetz, gibt's Probleme mit der Verbindung?«

Noch während er sprach, drang aus dem Lautsprecher ein Läutton, und das Gruening-Logo wich der zer-
mürbten Miene eines Rangers mit Namen Webb.

»Hier Webb.«

Mather sah, während er tief Luft holte, Wallis und Shannon und den zwischen ihnen ausgestreckten Leichnam an, dann den Medtech, der mißbehaglich im Hintergrund wartete, und schließlich den Sicherheitsexperten, der den Eindruck erregte, als stünde er kurz davor, die Nadelpistole an seiner Hüfte zu ziehen.

»Webb, ist bei Ihnen im Frachtraum alles in Ordnung?«

»Tja, Sir, ich wollte Sie gerade anrufen.« Webbs Nölen klang nach Streß. »Zwei Männer vom Sicherheitsdienst des Raumschiffs sind hier und verlangen die Katzen zu sehen. Anscheinend bilden sie sich ein, die Viecher wären über Nacht ausgebrochen und hätten jemanden abgemurkst.«

»Wäre das möglich?« fragte Mather. »Und haben Sie sie zu den Katzen gelassen?«

»Nein auf beide Fragen, Sir. Ich wollte sie bewaffnet nicht einlassen, und sie lehnten's ab, vor dem Eintreten die Waffen abzulegen. Aber mit den Katzen ist alles bestens. Freilich veranstalten sie immer noch gehörigen Krach, aber ... Was ist denn los, Sir?«

»Das erkläre ich Ihnen, sobald ich bei Ihnen bin«, antwortete Mather, blickte erneut die anderen Anwesenden an. »Ich möchte, daß Sie und Wing oder jemand anderes sich sofort die Aufzeichnungen der Sicherheit ansehen, und zwar von jetzt rückwärts. Achten Sie auf alles Außergewöhnliche, wirklich *alles*. Haben Sie verstanden?«

»Ja, Sir, selbstverständlich, aber ... was ist mit den Sicherheitsleuten?«

»Sie müssen warten, bis ich dort bin. Ich bin schon unterwegs.«

Mather schaltete das Interkom ab und wandte sich zur Tür, doch Shannon eilte ihm nach, um ihn zurückzuhalten.

»Aber ... Einen Moment mal! Wollen Sie sagen, Ihre

Katzen seien *nicht* dafür verantwortlich? Das ist doch lächerlich. Jeder Idiot ...«

»Jeder Idiot kann voreilige Schlußfolgerungen ziehen, die auf Indizienbeweisen beruhen, Doktor«, sagte Mather und brachte sie mit einem Blick zum Stehen. »Warum fangen Sie nicht mit der Autopsie an, während ich erledige, was *ich* am besten kann? Wallis, du könntest ihr zur Hand gehen. Und *Sie* ...« Er drehte sich dem beunruhigten Sicherheitsexperten zu und zeigte mit dem Finger wie mit einer Pistole auf ihn. »Wenn Sie die Absicht haben, mich zu begleiten, dann lassen Sie's sich nicht einfallen, eine Waffe zu zücken oder zu versuchen, mich festzunehmen. Ich besitze die Autorität, das Raumschiff unter Kriegsrecht zu stellen, wenn's sein muß, und sollten Sie mir in der Quere sein, werde ich *Sie* in Arrest nehmen.«

»Im Zweifelsfall wird er's tun«, sagte Wallis zu dem Mann, der zögerte, statt Mather zu folgen, der bereits hinauseilte. »Aber gehen Sie mit«, fügte sie hinzu. »Er weiß, daß Sie Pflichten haben. Sie dürfen ihn bloß nicht dabei behindern, seine Pflicht zu tun.«

Shannon, die den Wortwechsel entgeistert mitangehört hatte, schickte mit einem Wink den Medtech fort und rang um Fassung.

»Was meint er mit *Indizienbeweisen*?« brauste sie auf, sobald sich die Tür hinter dem Medtech geschlossen hatte. »Und wer ist hier der Idiot?« Zornig wies sie auf den zerfleischten Leichnam. »Schauen Sie sich den Mann doch an, Dr. Hamilton!«

Wallis ließ ein gedämpftes Aufseufzen hören. »Ich weiß, ich hab's gesehen. Und ich muß zugeben, die Sache macht einen ziemlich unzweideutigen Eindruck. Aber Sie und ich sind Wissenschaftler. Wir wollen uns an die Fakten halten. Falls die Katzen wirklich dafür verantwortlich sind, will ich darüber genauso wie Sie Klarheit haben.«

»Die Tatsachen sprechen für sich, Doktor.«

»Ja, nur sind es nicht die einzigen Tatsachen«, wandte Wallis ein. »Hören Sie, tun Sie mir für ein paar Minuten 'n Gefallen? Wir wollen die Angelegenheit einmal durchdenken.«

Mit einer Miene von äußerstem Zynismus schaltete Shannon die medizinischen Sensoren auf Datenscanning, entnahm einem Regal einen Einmallaborkittel, warf Wallis ebenfalls einen zu, ehe sie ihn umband.

»Also gut. Ich höre zu.«

»Schön. Lassen Sie uns mal annehmen — einfach bloß annehmen —, wir wüßten überhaupt nichts von der Existenz der Lehr-Katzen.«

»Ich wünschte, *ich* hätte nie welche gesehen«, murmelte Shannon, während sie Chirurgenhandschuhe anzog.

»Kann ich mir denken. Aber wir nehmen's einfach mal an. Als wären wir Provinzärztinnen. Als ob wir unseren Planeten nie verlassen, nie was von Lehr-Katzen gehört, sie nie gesehen hätten ... Als wüßten wir gar nicht, daß es sie gibt.«

»Ach, es gibt sie aber«, sagte Shannon, rollte einen Wagen mit chirurgischen Instrumenten näher. »Fragen Sie Gustav Fabrial.«

Wallis überhörte die Bemerkung der jüngeren Ärztin, während sie gleichfalls Handschuhe überstreifte und ihre Aufmerksamkeit wieder der Leiche zu widmen begann.

»Dieser Mann, Gustav Fabrial, ist uns also als Toter gebracht worden«, setzte sie ihre hypothetischen Darlegungen fort, »und Sie als Oberärztin stehen nun vor der Aufgabe, die Autopsie durchzuführen und die Todesursache zu ermitteln. Denken Sie daran, Sie haben keinerlei Kenntnis von Lehr-Katzen. Fabrial kann das Opfer von jedem oder allem geworden sein.« Mit einer Sonde deutete sie auf Shannon. »So, wer hat Fabrial getötet?«

Shannon, die mit einer OP-Schere das Jackett des Toten aufschnitt, schüttelte den Kopf. »Das ist doch sinnlos.«

»Nein, lassen Sie mich nicht schon im Stich. Wer hat Fabrial getötet? Was war die physische Todesursache?«

Trotzig lächelte Shannon. »Na gut, auf den ersten Blick würde ich sagen, er ist an den Folgen einer traumatischen Einwirkung mit schwerem Blutverlust gestorben ...«

»Gut. Weiter.«

»Er hat multiple geschlitzte Fleischwunden auf der Brust und an den Unterarmen«, — Shannon blickte Wallis scharf an —, »vielleicht von Krallen ...«

»Das wissen wir noch nicht.«

»Nun gut, Doktor ... nicht *unbedingt* von Krallen. Sagen wir, es sind multiple parallele Fleischwunden in Gruppen von vier bis fünf Aufschlitzungen mit Zwischenabständen von ungefähr sechs bis zehn Zentimetern.« Shannon legte die Schere weg. »Ach, kommen Sie, Doktor! Von *Krallen!* Was sollte sonst solche Wunden verursachen?«

Wallis senkte den Kopf und kaute flüchtig mit den Zähnen auf der Unterlippe.

»Na ja, wenn Sie darauf bestehen, finde ich mich vorerst damit ab. Weiter.«

»Und multiple, überwiegend seitliche Fleischwunden am Hals«, konstatierte Shannon lustlos. »Von *Zähnen*, Dr. Hamilton! *Langen, spitzen* Zähnen ... *Reißzähnen*, wenn man so will!«

Wallis stützte beide Hände auf die Kante des OP-Tisches und nickte langsam. »Ich weiß. Und in der Faust des Toten lange blaue Haare, die vermutlich vom Täter stammen. Ergo hat etwas mit langen blauen Haaren, Krallen und Reißzähnen Fabrial getötet. Und es kann nur eine Lehr-Katze gewesen sein. Ich muß gestehen, es sieht schlecht aus.«

Shannon sackte das Kinn herab, und sie starrte ihre Kollegin mehrere Sekunden lang betroffen an. »Sie meinen«, brachte sie schließlich hervor, »Sie sind noch immer nicht davon überzeugt? Sie wollen weiterhin behaupten, Ihre Katzen hätten's nicht getan?«

»Und wollen Sie mir weismachen, die Katzen wären aus Plaststahl-Käfigen ausgebrochen, hätten die Kraftfelder der Sicherungsschleuse und die normale Tür des Laderaums durchdrungen, wären dann im Raumschiff umhergestrolcht, ohne dem Sicherheitsdienst dreier Decks aufzufallen, hätten Fabrial getötet und wären in ihre Käfige zurückgekehrt, ohne daß irgend jemand etwas merkte?« hielt Wallis ihr entgegen.

»Die *Schreier in der Nacht* können so etwas tun«, sagte eine bekannte Stimme.

Shannon und Wallis wandten sich um, sahen Muon und Bana am Eingang stehen, die trotz ihrer pelzbesetzten Oberbekleidung vor Kälte und Furcht schlotterten.

»Ich weiß, daß die Dämonen verantwortlich sind«, fügte Muon hinzu, kam ein Stück weit in den Raum und betrachtete mit ausdrucksloser Miene den blutigen Leichnam auf dem OP-Tisch. »Habe ich nicht vorausgesagt, daß die Dämonen uns alle verschlingen werden? Und nun haben sie damit begonnen.«

Die Katzen brüllten noch wüster als am Vorabend, als Mather Deck Sechs betrat und in die Richtung des Frachtraums strebte. Vier verwirrte Wachmänner des Sicherheitsdienstes schraken auf, sobald er ihre Nähe erreichte; zwei kannte Mather von gestern, die anderen beiden hatte er noch nie gesehen.

»Kommodore Seton, was *geht* hier eigentlich vor?« erkundigte sich einer der Mather schon bekannten Männer, als Mather sich zwischen ihnen hindurchschob und die Interkom-Taste des neben der Tür montierten Apparats drückte. »Burton und Lewis wollten die Katzen sehen, aber Ihre Ranger haben uns allen den Zutritt verweigert. Burton sagt, eine der Katzen hätte jemanden zerrissen.«

»Das steht noch nicht fest«, erwiderte Mather barsch, »und meine Leute befolgten nur Anweisungen.« Sein Blick fiel auf die Tür, als deren obere Hälfte durchsichtig wurde. Dahinter nahm Perelli Haltung an, sobald er Mather sah. Er hatte ein schweres Stunnergewehr entsichert um die Schulter geschlungen und trug auf dem Kopf eine seltsame, einem Kopfhörer vergleichbare Vorrichtung, die die Ohren völlig bedeckte.

»Ah, Kommodore Seton, gut, daß Sie da sind!«

Zwei andere Ranger, die ähnliche Gebilde auf den Köpfen sitzen hatten, kamen, um Perelli zu verstärken, während das Frachtraumtor weit genug aufglitt, um es Mather zu ermöglichen, in den Wirksamkeitsbereich der Sicherungsschleuse zu schlüpfen, und die Stunnergewehre die Wachmänner daran hinderten, ihm zu folgen. Im Gegensatz zu Nadelwaffen, die tödlich sein konnten, wenn jemanden zu viele Geschosse trafen, lähmten Stunner das lebende Ziel, zwar mit der Begleiterscheinung von fünf bis zehn Minuten fürchterlicher Schmerzen, jedoch keinen dauerhaften Nachwirkungen oder Schädigungen, sah man einmal von einigen Tagen Muskelkater ab; dadurch waren Stunner an Bord eines Raumschiffs die ideale Verteidigungswaffe, und sie nahmen den Wachmännern, die eine zivile Ausbildung genossen hatten, jede Neigung, sich auf eine Auseinandersetzung mit den Rangern einzulassen.

»Was ist vorgefallen, Perelli?« fragte Mather, während der Ranger von einem Wandhaken eine vierte der mit Kopfhörern zu vergleichenden Vorrichtungen nahm, sie ihm aushändigte, und die anderen zwei Ranger Posten am Türmonitor bezogen. »Hat der Sicherheitsdienst Ihnen Ärger gemacht? Und was ist das für 'n Gerät?«

»Es hilft das Gebrüll der Katzen dämpfen, Sir«, antwortete Perelli. »Wing hat gestern abend, nachdem Sie weg waren, so 'n Ding gebastelt, und die Technische Abteilung hat uns noch einige Exemplare hergestellt. Viel nützen sie nicht, aber sie sind besser als nichts.

Könnten Sie sich wirklich vorstellen, Sir, die Sicherheitsburschen hätten Lust, sich mit uns anzulegen?« Er grinste. »Offensichtlich wissen sie nicht, wovon sie reden, wenn sie meinen, die Katzen wären an *uns* vorbeigelangt.«

»Hoffentlich nicht«, sagte Mather halblaut, schaute an Perelli vorüber die Katzenkäfige und ihre lautstarken Insassen an. »Wo steckt *Wing?*«

»Er sichtet die Bänder, Sir, wie Sie's angeordnet haben. Und ich empfehle Ihnen wirklich, den Gehörschutz zu benutzen, Sir.«

Mit einem Nicken streifte Mather das Gebilde über die Ohren und schaltete es ein. Während er sich den Käfigen näherte, schlußfolgerte er, daß die Wirkung mindestens ebenso weitgehend psychologischer Natur war wie aller anderen Art. Er schob es sich wieder vom Kopf und ließ es locker um den Hals hängen, während er die Käfige umrundete, denn er wollte seine natürliche Wahrnehmung nicht einschränken.

Dem gesamten äußeren Anschein nach jedoch hatte sich seit dem gestrigen Abend nichts verändert. Die vier Käfige standen noch Seite an Seite, die vier Container ergaben gewissermaßen ein langes Maschendraht-Raubtierhaus, in dem die Tiere ruhelos hin- und herliefen. Als Mather um eine Ecke schritt, blieb das Weibchen stehen, dem sie den Namen Matilda gegeben hatten, blickte ihn an und hob eine samtweiche Vorderpfote, als hätte sie vor, durchs Gitter nach ihm zu schlagen, der Schwanz hieb kraftvoll gegen die Käfigwand. Doch Mather achtete nicht darauf.

Er suchte vornehmlich nach greifbaren Hinweisen: Blut, Stellen ausgerupften Fells, irgendwelchen Anzeichen eines Kampfs. Doch er entdeckte nichts Derartiges. Die visuelle Beobachtung der Katzen ergab an ihrem Äußeren keine Auffälligkeiten. Dagegen verwiesen oberflächliche Messungen mit einem Taschenscanner auf eine gewisse Schmerzempfindung. Mather aktivierte die großen Scanner auf den Käfigen und las auch deren Daten ab.

Es lag *tatsächlich* etwas Sonderbares vor. *Irgend etwas* stimmte nicht. Sicherlich wußte niemand viel über Lehr-Katzen, und Mather besaß keine medizinische Qualifikation, aber ihm war völlig klar, daß kein anscheinend gesundes Lebewesen solchen Schmerz verspüren dürfte, ohne an Verletzung oder Erkrankung zu leiden.

Aber es war darüber hinaus etwas nicht in Ordnung. Es hatte nichts damit zu schaffen, was er gegenwärtig sehen konnte, doch Mather wurde sich zunehmend dessen bewußt, daß das Umfeld der Tiere irgendeine Unregelmäßigkeit aufwies, vielleicht an den Käfigen oder dem Laderaum selbst.

Verwundert versuchte er, seine Sinneswahrnehmung ein wenig zu erweitern, um zu prüfen, ob sich etwaige psychische Abweichungen spüren ließen. In der Tat war irgend etwas vorhanden, das er als feststellbar bewertete, doch er hatte das Gefühl, sich darauf nicht einpendeln zu können. Schon die bloße Dezibelstärke der Geräuschkulisse im Frachtraum erschwerte jede Konzentration. Mather setzte sich nochmals den Ohrschutz auf, aber hatte den Eindruck, daß sich die Umstände verschlechterten, als ob sich dadurch die Brauchbarkeit seiner ohnehin wenig verläßlichen Psi-Begabung noch mehr beeinträchtigte.

Nun gut. Er kapselte sich bewußtseinsmäßig ab und seufzte. Also mußte er es schlicht und einfach auf die harte Tour versuchen.

Über die Schulter blickte er sich heimlich nach den Rangern um. Perelli beschäftigte sich mit Eintragungen ins Merkbuch seiner Schicht, seine zwei ebenfalls diensttuenden Kameraden beobachteten die noch draußen im Korridor befindlichen Wachmänner, und der Rest, darunter mit Wing und Webb, mußte sich im Aufsichtsraum aufhalten. Er konnte die unförmigen Umrisse einer dunkelgrünen Gestalt in einer der Hängematten liegen sehen, die die Ranger am hinteren Ende des Aufsichtsraums gespannt hatten, um in der dienstfreien Zeit schlafen zu können und doch in der Nähe der Fracht zu bleiben. Wenn Mather vorsichtig vorging, gelang es ihm vielleicht, seine Absicht durchzuführen, ohne jemandes Beachtung zu wecken.

Langsam umrundete er die Käfige noch einmal, richtete die Aufmerksamkeit diesmal jedoch statt auf die Katzen auf den Laderaum, bis er eine Stelle fand, die ihm zusagte, wo er hinter einer Strebe stehen konnte, ohne daß ihn jemand — weder vom Eingang her, noch aus dem Büro — genau zu beobachten vermochte. Er legte sich den Gehörschutz erneut um den Hals — mit der Ablenkung durch den Lärm mußte er eben fertigwerden, bis er es schaffte, sie zu verdrängen —, lehnte Schultern und Rücken an ein Schott und ließ den Hinterkopf dagegen sinken, drückte die Knie durch, um die Beine fest auf den Boden zu stemmen und sich auf diese Weise abzustützen. Die Hände ließ er locker an den Seiten baumeln, während er seinen Geist von allem Störenden freimachte und die drei tiefen Atemzüge tat, von denen er hoffte, daß sie seine tiefsitzende Psi-Sensitivität anregten. Mit einem geeigneten Medikament, das die kurze Übergangsphase erleichterte, wäre es einfacher gewesen, doch es war ihm bereits oft genug ohne Medikation gelungen. (Unter entsprechend günstigen Umständen war er sogar schon ohne bewußte, willentliche Anstrengung in einen psionisch empfänglichen Zustand geraten.) Er wußte vorher nie mit Sicherheit, ob es gutging, aber dieses Mal klappte es ganz reibungslos.

Allmählich wichen alle Wahrnehmungen, das Geschrei der Katzen, die leisen Vibrationen des Raumschiffs sowie Härte und Kälte des Schotts in seinem Rücken, aus seinem Bewußtsein. Die Lider sanken herab, während er die volle Aufmerksamkeit in sein Inneres richtete.

Nach einer Weile des mentalen Ruhigwerdens konnte er nach und nach durch sein geistiges Auge sehen.

Was er sah, mißfiel ihm. Er nahm auf mentaler Ebene die Katzen wahr, die in ihren Käfigen hin- und hertappten, dabei Furcht und Pein ausstrahlten, wie es die Scanner bereits angezeigt hatten. Er war die Katzen sogar in einer bisher unmöglichen Weise — zumal er noch nie versucht hatte, einem Tier in den Geist zu schauen — zu unterscheiden imstande. Die Schmerzintensität variierte von Katze zu Katze, wobei das größere der beiden Weibchen die stärksten Beschwerden hatte.

Doch die Unannehmlichkeiten der Katzen ergab nicht die Gesamtsumme der ringsum vorhandenen Schmerzen. Als Mather seine Wahrnehmung auf die übrigen Lebensformen im Frachtraum ausdehnte, erkannte er überrascht, daß zu den Quellen der Schmerzausstrahlung auch er selbst und die Ranger zählten, obwohl die Intensität viel geringer war als bei den Katzen und sich subjektiv lediglich als schwacher Kopfschmerz bemerkbar machte.

Dadurch um so neugieriger geworden und dazu befähigt, den eigenen Schmerz, nachdem er ihn nun parapsychisch erfaßt hatte, zu unterdrücken, dehnte Mather seine psionische Wahrnehmung auf die leblose Materie des Laderaums aus, erforschte damit die Käfige, die Ausrüstung, sogar die Schotten, suchte nach irgend etwas Ungewöhnlichem, das das Unwohlsein erklären mochte, das er sowohl bei den Katzen wie auch den Menschen bemerkte.

Beim erstenmal übersah er es; und fast unterlief ihm beim zweitenmal das gleiche. Doch unmittelbar bevor er den Laderaum mit seinen psionischen Sinnen ein drittes Mal durchtasten wollte, entdeckte er rechts seines Standorts eine mental wirksame Verzerrung, die gegen seine Nerven schrammte wie ein Fingernagel über Stein.

Langsam öffnete er die Augen zu Schlitzen, betrachtete das verdächtige Schott und ergänzte seine parapsychische Wahrnehmung durch visuelle Beobachtung. Direkt gegenüber ragte eine andere Strebe empor, die genau wie die Strebe aussah, deren Schatten ihn verbarg. Die psychische Statik, die er lokalisiert hatte, ging anscheinend von dort aus.

Psionisch noch immer auf Empfang, richtete Mather sich auf und bewegte sich vorsichtig auf die Stelle zu, stützte sich dabei mit einer Hand an die rechts von ihm aufgereihten Schotten, schirmte sich mental gegen das Geschrei der links befindlichen Katzen ab, vollzog unterwegs jeden achtsamen Schritt als durch und durch bewußte Handlung. Er beugte sich vor, um hinter die Strebe zu lugen, zögerte nur flüchtig, ehe er die Hand behutsam nach einem flachen grauen Kästchen mit glatten Seiten ausstreckte, das ungefähr die Größe seiner Handfläche hatte; es hing an der Rückseite der metallenen Strebe. Obwohl er es nicht berührte, begriff er augenblicklich, daß dies Kästchen irgendwie der Ursprung der Schmerzen war, die er festgestellt hatte.

Er blinzelte und kehrte sofort auf die normale Bewußtseinsebene zurück. Hinter seinem Rücken gellte das Geheul der Katzen. Er nahm einen tiefen Atemzug, straffte sich, schaute hinüber zum Eingang und zum Aufsichtsraum. Die Mehrzahl der Ranger befaßte sich noch mit ihren Aufgaben und hatten wahrscheinlich von seinem Schweigen und seiner Verstohlenheit nichts gemerkt; nur Perelli sah ihm neugierig zu.

»Perelli, kommen Sie bitte mal her, ja?«

Perelli sagte etwas zu den zwei Rangern an der Tür, dann eilte er im Laufschritt herüber. Mather holte seinen Taschen-Medscanner heraus, während Perelli zu ihm kam, und nahm daran eine Adjustierung vor; anschließend kauerte er sich auf die Fersen und deutete mit neutraler Miene hinter die Strebe.

»Haben Sie diesen Gegenstand schon einmal gesehen?«

Perelli sah sich die Box an, schüttelte den Kopf und winkte einen der anderen Ranger von der Tür herüber; auch sein Kamerad verneinte.

»Und Sie sind sicher, daß niemand sich zu den Katzen hereingeschlichen hat?« fragte Mather hartnäckig, führte den Scanner dicht über die Eisblumenlackierung des Kastens hinweg und beobachtete die Anzeigen.

»Es sind ausschließlich befugte Personen hier drin gewesen, Sir«, lautete Perellis Antwort. »Webb und Wing sind noch beim Sichten der Aufzeichnungen, aber ... Sie glauben doch nicht, es ist 'ne Bombe, Sir?«

»Nein, und anscheinend ist es auch nicht dagegen gesichert, was ich jetzt zu tun beabsichtige.«

Mather reichte den Scanner Perelli, tippte dann sachte mit der Fingerspitze gegen den Kasten, bevor er ihn mit beiden Händen packte und seitwärts verschob, auf diese Weise die Magnetklammer löste, die das Behältnis an der Strebe festhielt. Abgesehen von zwei etwas vertieft eingelassenen Schraubköpfen an der Unterseite, die beide in schwachem Rot leuchteten, fehlte der Box jede besondere äußere Eigenschaft.

»Sieh mal einer an!« murmelte Mather, langte in eine Innentasche seiner Jacke und holte ein schmales flaches Etui hervor, das die beiden Ranger mit Interesse beäugten.

Er legte sich das Etui auf ein Knie und klaubte einen dünnen Plastikspatel heraus, dessen schmale Spitze er mit äußerster Umsichtigkeit in die Kerbe der rechten Schraube steckte, um sie ganz geringfügig nach links zu drehen.

Das Ergebnis war weit dramatischer, als er erwartet hatte. Als er die Schraube gedreht hatte, hörten die Katzen unverzüglich zu brüllen auf; die Ranger dagegen keuchten und griffen sich in so heftigem Schmerz an die Köpfe, daß sie nicht einmal schreien konnten. Perellis Kamerad Casey sackte sogar auf die Knie.

Rasch drehte Mather die Schraube in Gegenrichtung,

befreite dadurch, obwohl er die Katzen zeitweilig wieder malträtierte, die beiden Ranger vom Schmerz — und dann war plötzlich alles vorbei. Die Schraube glomm nicht mehr, das Gebrüll der Katzen verstummte, die Ranger brachten endlich benommen einige Worte hervor und wollten wissen, was sich ereignet hatte.

Mather mißachtete ihre Fragen einen Moment lang und verstellte auch die andere Schraube, bis ihr Leuchten erlosch; zum Glück hatte sein Vorgehen diesmal für die Anwesenden keine nachteiligen Folgen. Er nahm sich nicht die Zeit, Spekulation darüber anzustellen, wieso er keine Wirkung verspürt hatte, doch war es wohl ihre Rettung gewesen, denn nach der Reaktion der Ranger geurteilt, bezweifelte er sehr, daß sie, hätte er die Wirkung auch gespürt, noch dazu in der Lage gewesen wären, den Apparat außer Funktion zu setzen.

Aus dem benachbarten Aufsichtsraum kamen Wing und der ziemlich angegriffen aussehende Webb gelaufen. Ihnen folgten die Ranger, die geschlafen hatten, und Perellis anderer Kamerad vom Eingang. Schließlich drang Caseys Stimme durch Mathers hochgradige Konzentriertheit auf ihn ein.

»Kommodore! Kommodore Seton! Was haben Sie getan?«

»Was ist los, Kommodore?« rief Wing. »Wir prüften gerade die letzten Bänder, da dachte ich, es sprengt mir die Schädeldecke weg.«

»Mir ging's genauso«, sagte Casey. »So ein Gefühl hatte ich im ganzen Leben noch nicht. Was war das, Sir?«

Mather legte das Instrument ins Etui zurück und stand schwerfällig auf, kämpfte gegen die Tendenz seiner Knie an, nachträglich wackelig zu werden. »Anscheinend hat jemand uns ein nicht allzu freundschaftliches Geschenk hinterlassen«, antwortete er, wog die Box in der Hand, während er das Instrumentenetui wieder in die Innentasche steckte. »Soweit ich's ohne eingehendere Analyse sagen kann, handelt es sich wohl um so etwas wie einen psychischen Reizsender, der den Zweck hat, wahllos psychotrone Energie zu ballen und dann auf bestimmten Frequenzen abzustrahlen. In diesem Fall war er so eingestellt, daß er die Katzen in Rage brachte und uns Menschen in geringerem Maß an die Nerven ging — das wäre eine Erklärung für das Verhalten der Katzen sowie für die Kopfschmerzen und allgemeine Gereiztheit, die fast jeder, der für einige Zeit in der Nähe der Katzen tätig war, bei sich bemerkt hat, seit wir an Bord sind. Nennen Sie's ein psychisches Jucken, wenn das für Sie ein nachvollziehbares Bild ergibt.«

»Aber woher stammt das Ding, Sir?« fragte Peterson, Perellis anderer Kamerad. »Seit wir die Katzen an Bord geschafft haben, ist außer uns und Mitgliedern des Sicherheitsdienstes niemand in diesem Frachtraum gewesen.«

»Wird das durch die Aufzeichnungen bestätigt, Wing?«

»Jawohl, Sir. Es hat absolut keinen unbefugten Zutritt gegeben.«

»Aha.« Einen Moment lang überlegte Mather. »Webb«, fragte er dann, »wie deutlich ist dieser Bereich visuell erfaßt worden?«

Webb zwinkerte und schaute Wing an, danach die übrigen Ranger, zuletzt wieder Mather. »Läuft Ihre Frage darauf hinaus, ob einer von uns den Apparat versteckt haben könnte, Sir?«

»Ich bitte Sie, diese Möglichkeit für mich vollständig auszuschließen«, entgegnete Mather. »Können Sie sich die Aufzeichnungen noch einmal ansehen und prüfen, ob irgend jemand eine Gelegenheit gehabt hat, den Kasten an dieser Stelle zu verstecken? Ich werde Kapitän Lutobo wohl oder übel Bericht erstatten müssen, auch wenn er negativ ausfällt.«

»Wir werden uns darum kümmern, Sir«, sagte Webb. »Haben Sie sonstige Anweisungen?«

Nachdenklich spitzte Mather die Lippen, blickte zu den Katzen hinüber, die jetzt friedlich in ihren Käfigen saßen oder lagen. Das eine Männchen putzte sich mit katzenhaft gezierter Lässigkeit eine riesige blaue Pfote. Das andere Männchen und sein Weibchen beobachteten das Treiben der Menschen mit gelangweilter Gleichgültigkeit. Die vierte Katze hatte sich für ein Nickerchen entschieden, und aus ihrem Ende des Käfigs ertönte gelegentliches zufriedenes Schnarchen.

Alle Augen schauten in die Richtung, in die Mathers Blick schweifte, dann sahen die Ranger in stummer Fragestellung wieder ihn an. Mather preßte den Mund zusammen, die Lippen schmal, zu einem Ausdruck des Grimms, während er den Apparat nochmals in seiner Hand wog. »Sie können tatsächlich noch etwas anderes tun. Wing, entsinnen Sie sich an die Energo-Netze, die wir auf Il Nuadi nicht gebraucht haben? Ich glaube, es ist an der Zeit, sie auszupacken und unsere Sicherheitszone auszubauen.«

»Klar, Sir, das kann ich machen«, beteuerte Wing, während er nickte. Er schaute ein wenig ratlos drein. »Aber ... stimmt es denn, was die Wachmänner behaupten ...? Daß jemand umgebracht worden ist und daß die Hinweise auf unsere Katzen deuten?«

Mather seufzte, sah versonnen erneut die Katzen an. »So legt der Sicherheitsdienst jedenfalls die vorliegenden Hinweise aus«, räumte er ein, »aber es *muß* eine andere Erklärung geben. Dr. Hamilton nimmt gegenwärtig gemeinsam mit der Bordärztin die Autopsie vor. Da ich Kapitän Lutobo viel früher werde Rede und Antwort stehen müssen, als mir recht ist, zum letztenmal: Will jemand seine Aussage in bezug auf eventuelle ungewöhnliche Vorkommnisse im Laderaum seit gestern abend noch ändern?«

Das war nicht der Fall. Mather bemerkte nervöses Füßescharen, ein- oder zweimal wurde gehüstelt, doch jeder der Männer blieb imstande, ihm offen in die Augen

101

zu blicken. Grimmig lächelte Mather, nickte ihnen zum Zeichen seines fortwährenden Vertrauens in ihre Zuverlässigkeit und Tüchtigkeit zu.

»Vielen Dank. Das ist die klare Antwort, die ich erwartet habe, aber sicher verstehen Sie, weshalb ich fragen mußte. Fredericks, Sie und Neville sind ausgeruht, Sie werden Wing beim Einrichten der neuen Sicherheitsanlage helfen. Peterson, Sie überprüfen mit Webb nochmals die Bänder. Casey wird die Tür bis auf weiteres allein bewachen.«

»Zu Befehl, Sir.«

»Und Sie, Perelli«, fügte Mather seinen Anordnungen hinzu, »könnten mir bei etwas anderem behilflich sein. Ich möchte mit unserem Fund in die Technische Abteilung und ihn checken lassen, bevor ich mit dem Kapitän spreche. Wer ist dort der beste Elektronikspezialist? Wer hat beim Basteln dieser Ohrenschützer geholfen?«

Während er sich den Gehörschutz vom Hals nahm und Perelli übergab, schüttelte der Ranger den Kopf.

»Wir haben mit einem gewissen Wes Brinson zusammengearbeitet, Sir. Aber ich kann nicht garantieren, daß er so was schon mal gesehen hat.«

»Würde mich wundern, wenn's so wäre.« Mather lächelte. »Ich bin, offen gestanden, schon mit etwas Entgegenkommen und einiger Kooperationsbereitschaft zufrieden.«

Er pfiff leise eine kurze schmissige Melodie vor sich hin, während er den Frachtraum verließ und sich auf den Weg zum Personallift machte, die Fragen der Sicherheitsdienstler, die im Korridor auf ihn gewartet hatten, mit einem höflichen, aber entschiedenen »Kein Kommentar!« abfertigte; seine beiden vorherigen Begleiter schlossen sich ihm wieder an. Die restlichen Sicherheitsmitarbeiter blieben zurück, um den Laderaum mit den Katzen zu bewachen.

Unterdessen hatte sich in Shivaun Shannons OP die Situation ganz beträchtlich zugespitzt. Ihre und Wallis' Konfrontation mit den Aludranern steigerte sich bald zu einem Punkt, an dem Shannon alle Bereitschaft hatte, den Sicherheitsdienst zu verständigen und die Aliens hinausbringen zu lassen, doch ehe sie diese Maßnahme ergreifen konnte, kam Kapitän Lutobo — und *er* rief die Wachleute.

Innerhalb von drei Minuten waren die Aliens fort und hatte Lutobo die Leiche des Opfers in Augenschein genommen, und der niedergeschmetterte Chef des Sicherheitsdienstes versuchte vergeblich zu erläutern, was seine Männer taten, weil der Kapitän bezweifelte, daß sie sich alle Mühe gaben, um die Passagiere zu schützen. Lutobo befand sich heute morgen in äußerst unnachsichtiger Stimmung.

»Ich halte es für wahrhaft unverständlich, daß mein gesamtes Personal derartig unfähig sein soll, Mr. Courtenay«, wetterte Lutobo, und Shannon wünschte sich, in den Boden zu versinken. »Eine Lehr-Katze ist doch kein kleines Schoßtierchen. Ich will wissen, wie ein so großes Vieh vom Frachtdeck nach Deck Drei und zurück gelangen konnte, ohne daß jemand es gesehen hat.«

»Wir suchen nach weiteren Zeugen, Kapitän«, sagte Courtenay, »aber ich habe ja nur soundsoviel Männer.«

»Nach der Anzahl der Zeugen zu urteilen, die Sie gefunden haben, ist es wohl völlig belanglos, *wie* viele Mitarbeiter Ihnen unterstehen«, erwiderte Lutobo heftig. »Und Ihren Angaben zufolge, Dr. Shannon, lebte das Opfer noch, als Lord Elderton es entdeckte. Wie lange kann Fabrial unter Berücksichtigung der ihm zugefügten Verletzungen zwischen dem Angriff und seinem Tod noch gelebt haben? Nicht einmal von einer Lehr-Katze kann ich mir vorstellen, daß sie in einer solchen Situation *so* schnell ist, *niemand* sie sieht. Kann mir denn *kein* Mensch irgendeine Antwort geben?«

Shannon spielte mit einer elektronischen Sonde, die

neben dem inzwischen wieder zugedeckten Leichnam Fabrials gelegen hatte, und Courtenay wechselte aus Verlegenheit unablässig das Standbein und wagte es nicht, eine lockerere Haltung einzunehmen. Wallis hatte versucht, hinterm OP-Tisch mit der verhüllten Leiche so unauffällig wie möglich im Hintergrund zu bleiben, denn sie wußte so wenig wie Shannon und Courtenay irgendwelche Erklärungen anzubieten; doch sie blieb nur für kurze Zeit verschont.

»Na, und Sie, Dr. Hamilton? Von *Ihnen* habe ich noch gar keine hochintelligenten Kommentare gehört. Und wo ist Kommodore Seton?«

»Ich glaube, er ist zur Überprüfung der Lage bei den Katzen, Kapitän. Wir sind uns darüber im klaren, welchen Eindruck das alles erwecken muß. Ich erwarte jeden Moment von ihm Nachricht.«

»Sie sagen das, als bestünde noch irgendein Zweifel daran, wer schuld ist«, entgegnete Lutobo, trat ans Interkom und drückte die Ruftaste. »KomNetz?«

»KomNetz.«

»Hier spricht der Kapitän. Machen Sie Kommodore Seton ausfindig. Er soll in dem Frachtraum sein, wo seine verdammten Katzen untergebracht sind.«

»Bitte warten Sie, Kapitän.«

Als das Kontrollicht neben dem Gruening-Logo rot statt bernsteingelb wurde, schaute der Kapitän nochmals Wallis an.

»Na, Doktor, kommen Sie, hat's Ihnen etwa die Sprache verschlagen? Ich glaube, ich kann mich daran erinnern, daß Ihre Leute mir mehrmals versichert haben, daß überhaupt nichts schiefgehen könnte. Aber ich denke mir, es ist ein Unterschied, wenn man auf einmal den zerfleischten Leichnam eines Opfers zu sehen kriegt. Da werden auch die abgebrühtesten ...«

Indem ein Läuten ertönte, verfärbte das Kontrollicht sich wieder rot, und auf der Mattscheibe erschien das Bild eines uniformierten Besatzungsmitglieds. Der

Mann war von der Kamera halb abgewandt, doch der Info-Schriftzug verwies darauf, daß er sich in der Technischen Abteilung befand. Das Besatzungsmitglied trat beiseite, und Mather Seton kam in den Aufnahmebereich.

»Ich dachte, Sie wären bei Ihren Lehr-Katzen, Kommodore«, sagte Lutobo in eisigem Tonfall, ohne Mather die Möglichkeit zu lassen, sich zuerst zu äußern. »Weshalb sind Sie in der Techni ... Was zum Satan ist das?«

Mather hatte mit einer Miene ergebener Geduld einen grauen metallischen Kasten hochgehoben, an dem mehrere Drähte baumelten.

»Ich habe ihn im Laderaum der Katzen gefunden, Kapitän. Von *uns* stammt er nicht. Und was die Katzen betrifft, habe ich keinerlei Blutspuren, keine Anzeichen eines Kampfs oder irgendwelcher Unregelmäßigkeiten an den Käfigen festgestellt. Außerdem ist nach den Aussagen Ihrer und meiner Männer sowie den Aufzeichnungen Ihrer eigenen Sicherheitsscanner im Laufe der vergangenen zwölf Stunden im Frachtraum nichts geschehen, das sich in irgendeiner Hinsicht als außergewöhnlich bewerten ließe — und das Ausreißen einer der Katzen wäre auf jeden Fall eine Auffälligkeit gewesen. Ferner beteuern *Ihre* Mitarbeiter, daß sie so ein Ding oder irgendeinen ähnlichen Gegenstand noch nie gesehen haben. Meine Ranger sichten gegenwärtig die Aufzeichnungen noch einmal, nur um zu prüfen, ob irgendwer eine Gelegenheit hatte, es im Laderaum zu verstecken.«

Der Kapitän blickte Wallis und Shannon an, die nun an seinen beiden Seiten standen, dann betrachtete er argwöhnisch das Objekt in Mathers Hand.

»Sie haben meine Frage noch nicht beantwortet, Seton. Was ist das?«

»Anscheinend ein psychischer Reizsender«, antwortete Mather. »In Anbetracht dessen, daß es nur den Zweck hatte, ein paar Lehr-Katzen rasend zu machen, ist es ein reichlich kompliziertes Gerät. Es strahlt psychotrone Energie auf recht schmaler Frequenz ab. In diesem Fall war es auf eine Frequenz justiert, die die Katzen irritierte — und in gewissem Umfang, mit unterschiedlicher Wirksamkeit, auch Menschen —, aber ohne genau zu wissen, was man sucht, hätte es allein dadurch nicht gefunden werden können. Nebenbei erwähnt, Wallis, dieser Fund deutet immerhin darauf hin, daß die Katzen *tatsächlich* auch auf telepathischer Ebene Schreie ausstoßen, obwohl ich diesen Aspekt gern noch gründlicher untersuchen würde, sobald wir dafür Zeit haben. Aber auch wenn die telepathischen Schreie der Katzen eine Wirkung auf bestimmte Personen innerhalb ihrer Reichweite gehabt haben mögen — die wahrscheinlich höchstens einige hundert Meter beträgt —, vermute ich, daß die Irritation, sowohl für die Katzen, für unsere Männer, als auch wahrscheinlich für die Aludraner, im wesentlichen auf diesen Sender zurückzuführen gewesen ist.«

»Die Aludraner?« wiederholte Lutobo. »Ich habe sie vorhin ... Wollen Sie behaupten, sie seien ebenfalls von diesem Gerät in Mitleidenschaft gezogen worden?«

Gedankenschwer neigte Mather den Kopf zur Seite. »Die Möglichkeit besteht. Gerade ist mir eingefallen, daß ihre Kabinen auf Deck Fünf liegen, direkt überm Frachtdeck, vielleicht sogar in senkrechter Linie über unserem Laderaum. Das gäbe ebenfalls eine Erklärung für den Vorfall gestern abend ab. Ich hatte gleich das Empfinden, daß Muons Reaktion etwas zu stark ausfällt, um ausschließlich innere Ursachen zu haben. Wallis, hört sich das sinnvoll an?«

»Tja, da sie sowieso leicht telepathisch *sind,* kommt's mir einleuchtend vor, daß sie auf einen derartigen Reizsender empfindlich reagieren müssen«, sagte Wallis. »Und da Muon ein Seher ist ...«

Lutobo rieb sich mit der Hand am Kinn und runzelte die Stirn. »Also, könnten die Aludraner ... Verdammt, Sie beide lenken mich bloß vom Entscheidenden ab!

Nicht die Aludraner haben Fabrial umgebracht. Ich begreife ebensowenig, wie die Katzen es getan haben sollten, aber das ist der einzige Verdacht, den wir bisher haben.«

»Und wer hat den Apparat im Laderaum versteckt, Kapitän?« fragte Mather. »Und weshalb?«

»Na, jedenfalls *nicht* die Aludraner«, lautete Lutobos Entgegnung. »Wir alle wissen, daß sie sich vor den Katzen fürchten. Sie täten nichts, um sie auch noch aufzustacheln.«

Shannon verschränkte versonnen die Arme auf der Brust. »Aber denken Sie daran, was Dr. Torrell gestern beim Abendessen über Katzenfabeln erzählt hat, Kapitän. Wir wissen, daß die Aludraner aufgrund ihrer mythischen Überlieferungen die Katzen als Dämonen betrachten. Vielleicht hat ihr Grausen vor ihnen sie nicht davon abgehalten, ihnen Unannehmlichkeiten zu bereiten.«

»Doktor, Sie fangen ja schon wie diese zwei zu schwafeln an!« schnauzte Lutobo, deutete auf Wallis und Mathers elektronisches Abbild auf dem Monitor. »Als nächstes werden Sie mir wohl einreden wollen, die Katzen hätten überhaupt nichts mit der ganzen Sache zu schaffen.«

»Ihre eigenen technischen Vorrichtungen verweisen auf ihre Schuldlosigkeit, Kapitän«, sagte Mather.

Lutobo biß die Zähne zusammen und äußerte mehrere Sekunden lang kein Wort. Dann faltete er bedächtig auf dem Rücken die Hände und blickte Mathers Abbild direkt an.

»Dafür weiß ich zur Zeit keine Erklärung, Kommodore. Ich weiß jedoch eines: Ich will die Bewachung der Katzen doppelt haben.«

»Ich habe die Sicherheitsstufe bereits erhöht, Kapitän. Bis wir Tersel erreichen, beabsichtige ich außer den Rangern, Wallis und mir selbst niemandem Zutritt in den Laderaum der Katzen zu gestatten. Außerdem lasse ich rings um die Käfige zusätzliche Sperren montieren. Sie dürfen sicher sein, daß die Katzen mit dem, was passiert ist, nichts zu tun haben.«

»Na schön«, antwortete der Kapitän lahm. »Ich ... äh ... habe vor, die Aludraner bis Tersel zum Verbleib in ihren Kabinen zu veranlassen. Und wäre es mir möglich, gewisse andere Leute auch unter Arrest zu stellen«, — betont sah er Wallis an, richtete danach den Blick zurück auf den Bildschirm —, »ich täte es bestimmt. Wie die Dinge stehen, kann ich nur aufrichtig hoffen, daß Sie sich aus meinen und den Angelegenheiten des Schiffs heraushalten. Ist das deutlich genug, Kommodore? Auch für Sie, Doktor?«

Mathers ausdruckslose Miene verriet nichts von dem Ärger, den er ohne jeden Zweifel empfand.

»Ich habe Sie völlig verstanden, Kapitän. Wenn Sie keine Einwände haben, möchte ich hier in der Technischen Abteilung an diesem Apparat noch einige Tests vornehmen lassen. Danach werde ich mich, wenn Sie es wünschen, so weit wie möglich von allem fernhalten.«

»Sorgen Sie vor allem dafür, daß nichts passieren kann, Kommodore«, sagte Lutobo, ehe er die Taste drückte und die Verbindung trennte.

Als der Bildschirm sich verdunkelte, warf der Kapitän den beiden Ärztinnen einen letzten Blick der Mißbilligung zu, dann machte er auf dem Absatz kehrt und stapfte aus dem OP. Shannon hob die Schultern, wie um sich für ihn zu entschuldigen, nahm ein Skalpell zur Hand und zog von Fabrials Leiche wieder das Laken zurück.

»Dr. Hamilton, wenn Sie für den Rest der Autopsie bleiben möchten, habe ich nichts dagegen«, sagte sie gelassen, ohne aufzublicken. »Dies ist meine Station, und ich bestimme, wer an Bord dieses Schiffs Medizin praktiziert.«

»Ich brächte Sie ungern in Schwierigkeiten bei Ihrem Kapitän«, sagte Wallis rücksichtsvoll.

Shannon widmete ihr einen humorigen Seitenblick und ein andeutungsweises Lächeln. »Er hat nicht angeordnet, daß Sie gehen sollen, sondern nur der Hoffnung Ausdruck verliehen, daß Sie sich nicht in seinen Kram mischen. Ich wüßte nicht, wie Sie ihm hier in die Quere geraten sollten, oder?«

Dem konnte Wallis kaum widersprechen. Mit leichtem Schmunzeln trat sie an die andere Seite des OP-Tisches, zog sich eine Deckenleuchte heran und ging für die nächste Zeit ganz im *Summ-summ-summ* elektronischer Sonden, dem Schlürfgeräusch von Saugschläuchen sowie der stets faszinierenden Erkundung des Wunders auf, das der menschliche Leib verkörperte.

KAPITEL 6

E ine Stunde später beendeten Shannon und Wallis die *Post-mortem*-Untersuchung. Ihre Resultate bestätigten Shannons anfängliche Meinung hinsichtlich der Todesursache, doch konnten sie sich nach wie vor nicht über den Ursprung einigen. Widerwillig gestand Shannon, trotz der physischen Beweise, die sie an dem Toten ermittelt hatten, nicht vollauf von der Schuld der Katzen überzeugt zu sein; doch bei der Entwicklung einer Gegentheorie kamen sie und Wallis genausowenig voran.

»Tja, auf alle Fälle *waren* es Haare aus dem Fell von Lehr-Katzen, die wir in seiner Hand gefunden haben«, konstatierte Shannon, schnitt über dem ausgedruckten Autopsiebericht eine düstere Miene.

»Ja, aber sind sie von einer *unserer* Katzen?« wandte Wallis ein. »Ich weiß, Sie können diese Frage nicht beantworten, bevor sie Proben aus dem Fell unsrer Tiere mit dem vorhandenen Haar verglichen haben, und ich werde Ihnen umgehend welche besorgen. Aber es *muß* ganz einfach eine andere Erklärung geben. Hatte Fabrial Feinde? Kennen wir jemanden, der ihm den Tod wünschte?«

»Keine Ahnung«, sagte Shannon. »Die gleiche Frage könnte man bezüglich der Katzen stellen. Wir wissen, daß die Aludraner sie verabscheuen. Könnten sie auch einen Grund gehabt haben, um Fabrial zu hassen? Ist es *denkbar*, daß einer von ihnen Fabrial irgendwo ermordet und vorsätzlich versucht hat, den Verdacht auf die Katzen zu lenken?«

»Ein Aludraner?« meinte Wallis. »Nahezu mit Gewißheit nicht. Gewalt verträgt sich nicht mit ihrer Philosophie. Das heißt jedoch nicht, daß nicht irgend jemand anderes versucht haben könnte, die Schuld den Katzen zuzuschieben.«

»Aber *wer?*« Shannon seufzte. »Verdammt noch mal, Wallis, vielleicht ist es den Katzen gelungen, irgendwie zu entwischen und auf Jagd zu schleichen! Torrell sagte, daß so gut wie jede Kultur Mythen um übernatürlich begabte Katzen kennt. Vielleicht können sie durch Wände gehen.«

Die beiden zermarterten sich das Gehirn. Nachdem Sanitäter gekommen waren und Fabrials Leichnam abgeholt hatten, um ihn tiefgekühlt zu lagern, saßen die zwei Ärztinnen noch eine Stunde lang in Shannons Büro beisammen und bemühten sich, auf ein mögliches Motiv für seine Ermordung zu stoßen, obwohl sie den Motiven gar keine möglichen Täter zuordnen konnten. In ihrer Verzweiflung nahmen sie Gustav Fabrials Akte und ließen den Computer seine Daten mit den Daten sämtlicher Personen an Bord vergleichen, die ihn gekannt oder mit ihm Umgang gehabt hatten, um etwaige Wechselbeziehungen aufzudecken. Wiederholt besprachen sie den medizinischen Befund.

»Probieren wir's mal so«, sagte Shannon, während sie — noch immer in ihrem Büro — frisch aufgebrühten Tee tranken. »Sie sind ziemlich sicher, daß die Katzen telepathisch senden. Kann es sein, daß Telepathie nicht ihr einziges psychisches Talent ist?«

»Woran denken Sie?«

»Ich weiß nicht ... Womöglich irgendeine Fähigkeit zum Löschen von Erinnerungen. Wir können das in bestimmtem Umfang mit Apparaturen durchführen. Vielleicht sind die Katzen von Natur aus dazu begabt.«

»Oder ...« Nachdenklich hob Wallis die Brauen. »Oder einige Leute haben für diesen Zweck Apparate verwendet, um ihre Spuren zu verwischen. Wer hat außer Ihnen zu Ihrem Gerät Zugang?«

»Nur Deller. Wir haben zwei Geräte, aber außer uns beiden darf niemand sie benutzen. Und ihre Inbetriebnahme ist nur bei korrekter Identifizierung des Daumenabdrucks möglich. Darüber hinaus wird bei jeder Anwendung jedes der Apparate eine automatische Aufzeichnung vorgenommen. Eine unbefugte Benutzung dürfte sehr schwierig sein, wenn nicht völlig auszuschließen.«

»Glauben Sie mir, ausgeschlossen ist so etwas nicht«, widersprach Wallis ruhig. »Dagegen *halte* ich es für undenkbar, daß jemand unsere sieben Ranger und Ihre Wachmänner hier einer derartigen Maßnahme unterzogen haben könnte, ohne daß so eine Massenbehandlung jemandem aufgefallen ist und wenigstens einer der Betroffen sich an etwas Ungewöhnliches erinnert. Sind die Apparate tragbar?«

Shannon schüttelte den Kopf. »Eigentlich nicht. Was man über den Behandlungstischen sieht, ist nur ein Teil der Geräte. Der Rest ist in die Wände integriert.«

Versonnen nickte Wallis. »Das entspricht der Norm. Befassen wir uns also noch einmal mit den Katzen. Falls sie nicht erheblich intelligenter sind, als wir bis jetzt anzunehmen Anlaß haben, weiß ich nicht, wie es ihnen möglich gewesen sein sollte, die Sinneswahrnehmungen geübter Beobachter zu beeinflussen oder nachträglich zu verändern, ohne daß es bemerkt wird. Die Kontinuitätslücken wären so augenfällig wie Supernovae.«

»Wie wär's denn mit Massenhalluzinationen?« meinte Shannon. »Wenn nun jeweils nur eine Katze ausgerissen ist — fragen Sie mich nicht, wie —, während die anderen irgendwie vortäuschten, sie sei noch da. Dann gäbe es Erinnerungslücken.«

»Gewiß«, gab Wallis zu. »Ein Raubtier, das seiner Beute suggerieren kann, es sei irgendwo, wo's nicht ist ... Das wäre etwas.« Sie schüttelte den Kopf und stieß ein Seufzen aus. »Imperiumsranger und ausgebildete Sicherheitsexperten sind aber nicht das gleiche wie Beuteltiere, Shivaun. Ich glaube, unsere Männer würden so was merken, auch wenn für Ihre Leute viel-

leicht das Gegenteil gilt. Außerdem ist auf B-Gem nichts dergleichen beobachtet worden.«

Diesen Einwänden mußte Shannon sich beugen. Für ein Weilchen schwiegen beide Frauen, jede verfolgte ihre eigenen Gedankengänge, bis endlich Wallis aufblickte und den Kopf seitwärts neigte. »Wissen Sie was? Ich habe gerade eine andere Idee. Sie ist rein spekulativ und könnte den Eindruck erwecken, als hielte ich die Katzen möglicherweise doch für Fabrials Tod verantwortlich, aber ich denke mir, es gibt an Bord zwei Leute, mit denen wir möglicherweise einmal sprechen sollten, weil sie über Lehr-Katzen mehr als Mather und ich wissen. Einer davon ist Vander Torrell. Sie haben ja mitgekriegt, wie er sich gestern abend beim Essen über die ausgestorbene Alienrasse Il Nuadis ausgelassen hat.«

»Einer der flegelhaftesten Männer, die kennenzulernen ich das Pech hatte«, erklärte Shannon und schnitt eine Grimasse. »Ich glaube, ich sollte so etwas nicht über einen Fluggast sagen, aber in meinem Vertrag steht nirgends, daß Passagiere mir sympathisch sein müssen. Da Sie ihn jetzt erwähnen, fällt mir ein, daß er offenbar seinerseits keine gute Meinung von Ihnen und Kommodore Seton hat.«

Wallis hob die Schultern. »Wahrscheinlich hat er dafür seine Gründe. Mather und ich haben bei unseren Bemühungen, ihn für die Teilnahme an unserer Expedition zu gewinnen, recht starken Druck auf ihn ausgeübt. Er möchte uns spüren lassen, daß wir uns vergeblich bemüht haben. Ich habe gehofft, Sie würden mit ihm reden.«

»Ich?« Shannon verdrehte die Augen. »Genau die Sachen, die zu meinen Aufgaben gehören ...! Wer ist Ihr anderer Bekannter?«

Unbeeindruckt lächelte Wallis ihr zu. »Sie haben das bessere Los gezogen, das können Sie mir glauben. Ich dachte, ich statte einem gewissen Lorcas Reynal einen Besuch ab. Er ist auch von B-Gem an Bord gegangen, aber ich glaube, Sie sind ihm bisher nicht begegnet. Er bleibt sehr für sich. Er ist auf Il Nuadi, wie er den Planeten nennt, geboren worden, und er war Mitglied unserer Expedition, wenngleich ohne jede Begeisterung. Er war dagegen, daß wir die Katzen fangen, und erst recht paßte es ihm nicht, daß wir sie von B-Gem fortschaffen.«

»Weshalb hat er dann beim Einfangen geholfen?«

Wallis grinste. »Aus Habgier. Unser Honorar abzulehnen verlangte höchste Überwindung, und er hat sie nicht aufgebracht. Er ist so etwas wie ein Kulturanthropologe, hauptsächlich Autodidakt, aber auf seiner Heimatwelt genießt er beachtliches Ansehen. Ich glaube, er verwendet seine schmutzigen Einnahmen zur Finanzierung eines Bildungsurlaubs auf Wezen, wo unser Freund Torrell tätig gewesen ist, darum ist er an Bord. Nachdem die Katzen gefangen waren und er sein Geld erhalten hatte, ließ er keinen Zweifel daran, daß er mit uns nichts mehr zu tun haben wollte. Es könnte trotzdem sein, daß er uns dies oder jenes mitteilen kann.«

»Sind Können und Wollen in so einem Fall nicht vielleicht zweierlei?« gab Shannon zu bedenken.

»Wahrscheinlich. Aber ich sollte es wohl doch versuchen, und ich habe allemal eine bessere Chance als Mather, etwas von ihm zu erfahren. Die beiden hatten fast vom ersten Tag unserer Ankunft auf B-Gem an ständig Auseindandersetzungen, zum Glück nur verbaler Art. Ein paar unserer jüngeren Ranger kamen mit ihm ganz gut aus, aber selbst das war manchmal ein nur gespanntes Verhältnis.«

»Wieso haben Sie ihn dann mitgenommen?«

»Er wußte, wie man Lehr-Katzen aufspürt. Solche Männer sind sehr selten.«

Shannon dachte für einen Moment darüber nach, drehte dann ihren Sessel der Computerkonsole zu und lud eine medizinische Passagierdatei. Der Name, der in der ersten Zeile stand, lautete Lorcas Reynal. »Wo man

Torrell um diese Tageszeit findet, weiß ich, glaube ich«, sagte Shannon, ließ die Darstellung abwärtslaufen. »Reynal treffen Sie wahrscheinlich in seiner Kabine an — Nummer neununddreißig, Deck Drei. Wie ich sehe, ist er kein gesunder Mann, aber ich nehme an, das ist Ihnen bekannt. Er hat um eine sterile Atmosphäre in seiner Kabine gebeten und sie erhalten. Zudem trägt er meistens ein Antikontagions-Schutzfeld. In der Akte steht, daß er außerhalb seines Heimatplaneten extrem anfällig für Infektionen ist.«

»Ich glaube, er ist im großen und ganzen ein Hypochonder«, sagte Wallis, indem sie aufstand, »abgesehen davon, daß er in mehreren verschiedenen Sprachen Beleidigungen ausstoßen kann.«

»Ach, wenn Sie mit Problemen rechnen, kann ich Ihnen jemanden von der Sicherheit mitschicken, auch wenn die Leute im Moment stark belastet sind«, sagte Shannon.

Wallis schüttelte den Kopf. »Nicht nötig. Ich schnappe mir unterwegs einen Ranger, und wir treffen uns hier wieder, wenn wir fertig sind.«

Vor Reynals Kabine mußte Wallis mehrmals die Ruftaste drücken, ehe eine Reaktion erfolgte. Sie dachte schon, Reynal sei doch nicht da, als sich plötzlich sein bekanntes unfreundliches Gesicht hinter der Sichtfläche der Tür zeigte. Er wirkte alles andere als erfreut, und Wallis war auf einmal sehr froh, nicht allein zu sein.

»Guten Morgen, Mr. Reynal, oder vielmehr guten Tag, der Mittag ist ja vorbei. Dürfen wir für ein Augenblickchen eintreten?«

Mißtrauisch glotzte Reynal sie und ihren Begleiter an, dann betätigte er den Türöffner und gab den Weg frei, während die Tür zur Seite glitt. Unwillig winkte er Wallis und Wing in die Kabine. Drinnen war es kalt, die Lampen glommen nur ganz gedämpft. Als Wing die Beleuchtung heller drehte, wurde Wallis wieder bewußt, wie abstoßend Reynal aussah. Er war groß und hatte lange Gliedmaßen, zeichnete sich durch häßliche Dürrheit aus, die Augen seines teigigen, haarlosen Gesichts hatten eine stumpfe Schmutzfarbe; obwohl er auf menschliche Abstammung zurückblicken konnte, wirkte er beinahe wie die Karikatur eines Menschen.

»Sagen Sie, was Sie zu sagen haben, Doktor, und dann gehen Sie bitte«, nuschelte Reynal. »Ich habe vor unserer Abreise von Il Nuadi deutlich genug klargestellt, daß ich mit Ihnen nichts mehr zu schaffen haben möchte.«

»Genau das ist auch mein Standpunkt, glauben Sie mir«, antwortete Wallis, »aber leider brauche ich in paar zusätzliche Informationen über die Lehr-Katzen. Wie Sie vielleicht gehört haben, ist heute morgen einiger Ärger entstanden. Es haben sich gewisse Fragen ergeben.«

Reynal richtete den kalten Blick seiner Augen von Wallis auf Wing, dann zurück auf Wallis. »Habe ich Sie nicht gewarnt, Doktor, daß diese Tiere unberechenbar sind und nicht von Il Nuadi fortgebracht werden sollten? Ich übernehme für ihr Verhalten keine Verantwortung.«

»Niemand hat behauptet, daß sie Ihrer Verantwortlichkeit unterlägen, Mr. Reynal«, entgegnete Wallis. »Allerdings haben wir heute früh zu unserer enormen Überraschung erkannt, daß die Tiere nicht nur aus vollem Halse, sondern auch auf telepathischer Ebene zu schreien imstande sind. Wir fragen uns, ob sie womöglich noch über weitere besondere psychische Befähigungen verfügen, die Sie uns verschwiegen haben ... Beispielsweise die Fähigkeit, aus ihren Käfigen zu teleportieren ... oder so etwas. Vielleicht könnten Sie ...«

»Ich *könnte* eine ganze Menge, wenn ich wollte, Doktor«, sagte Reynal in abweisendem, hartem Ton. »Ich will's aber nicht. Meine Verantwortung für diese Wesen und Ihnen gegenüber war beendet, sobald ich die Bedingungen meines Vertrags erfüllt hatte. Man kann nicht von mir verlangen, dauernd daran erinnert zu werden, daß ich meine Integrität für Geld verkauft habe.«

»Sie sind großzügig bezahlt worden, Reynal«, sagte Wing.

»Bezahlt in Imperiumskredits, ja«, maulte Reynal. »Letzten Endes bin aber ich es, der mit der Münze seiner Seele für den Verrat an den Leuchtenden bezahlen muß. Ich habe nicht vor, sie ein zweites Mal zu verraten.«

»Reynal, es sind Tiere«, sagte Wallis. »Schlaue Tiere, das mag sein — vielleicht klüger, als wir's bis jetzt ahnen —, aber es sind keine Götter. Und möglicherweise hat eines von ihnen auf diesem Schiff jemanden getötet.«

Reynal wandte sich halb ab. »Das geht mich nichts an.«

»Also Reynal«, begann Wing, »nun sehen Sie doch mal ein, daß ...«

»Ich hab's nicht *nötig*, überhaupt irgend etwas einzusehen, Leutnant«, unterbrach Reynal ihn kaltschnäuzig. »Sie sind hier die Eindringlinge, nicht ich. Und wenn Sie mich nun, da ich gerade gehen wollte, entschuldigen würden ...? Es sei denn, Sie hätten vor, mich widerrechtlich meiner Freiheit zu berauben.«

Mit einem überraschten Aufstöhnen entfernte sich Wallis zur Tür, tätschelte unterwegs Wings Ellbogen. »Schon gut, Wing. Mr. Reynal ist nicht mehr dazu verpflichtet, uns zu helfen, wenn er's nicht länger möchte. Wie er mit aller Deutlichkeit festgestellt hat, ist sein Vertrag bereits erfüllt worden. Verzeihen Sie die Störung, Mr. Reynal.«

Auch Shannon hatte kein Glück. Sie traf Vander Torrell im Bordkasino beim Vierer-Deltikan an, und der Historiker war verständlicherweise von einem Abbruch des

Spiels nicht begeistert. Erst nachdem er im Laufe einiger Runden zu verlieren anfing, stieg Torrell mißvergnügt aus und gesellte sich zu Shannon an den Tisch, an dem sie auf ihn gewartet und zugeschaut hatte. Er leerte ein Glas tejatischen Brandys und bestellt einen zweiten, ehe er sie überhaupt eines Blicks würdigte.

»Was kann ich für Sie tun, Doktor, da Sie mir nun meine Gewinnsträhne verdorben haben? Ich bin es durchaus nicht gewöhnt, daß man mich beim Spielen stört.«

»Es ist mir unangenehm, sollte ich Ihnen Verdruß bereitet haben, Dr. Torrell. Aber mich hat etwas fasziniert, was Sie beim gestrigen Abendessen erwähnten.«

Torrell sah sie an, als erblicke er in ihrer kastanienbraunen Uniform zum erstenmal einen Menschen. »Ach, und was war das, Doktor?«

»Etwas über die Lehr-Katzen und ihre Beziehung zur ausgestorbenen Alienrasse Il Nuadis. Ich habe mich gefragt, ob nicht ...«

»Oho, warten Sie mal, Doktor!« unterbrach Torrell sie in öligem Tonfall. »Sagen Sie nichts, lassen Sie mich raten. Dieser verbohrte Kommodore Seton schickt Sie vor, um mich nach Informationen auszuhorchen, stimmt's?«

»Kommodore Seton weiß gar nichts von unserem Gespräch, Dr. Torrell«, erwiderte Shannon. Damit hielt sie sich jedenfalls an die Wahrheit. »Die Lehr-Katzen sind momentan für mich von erhöhtem Interesse. Ich hatte gehofft, Sie könnten mir behilflich sein.«

»Ach ja, mir ist zu Ohren gekommen, daß es heute morgen mit den Katzen ein kleines Problem gegeben hat. *Natürlich*, jemand wie Sie interessiert sich unter medizinischen Gesichtspunkten dafür, nicht wahr? O je, welch unseliger Vorfall!«

»Unselig genug für Ihr Empfinden«, fragte Shannon, »daß Sie mir etwas über Lehr-Katzen zu erzählen bereit sind?«

Torrell lächelte und legte auf der Tischplatte eine

Hand auf Shannons Finger und beugte sich vertraulich vor, als sie die Hand nicht zurückzog.

»Na ja, vielleicht können wir bei ein paar Drinks darüber diskutieren. Was möchten Sie denn wissen, meine Liebe?«

Sobald er in der Technischen Abteilung fertig war, verfolgte Mather am Tatort eigene Nachforschungen. Für ihn war es stets ein Vergnügen, tüchtigen Fachleuten bei der qualifizierten Bewältigung ihrer Tätigkeit zuzuschauen, und der Kriminalexperte des Sicherheitsteams, ein älterer Mann namens Jones, war eindeutig ein fähiger Spezialist. Mather plauderte fast eine halbe Stunde lang mit ihm, während Jones die Spurensicherung erledigte und die Aussagen der Wachmänner aufnahm, die den Tatort als erste erreicht hatten. Als Jones fort war, besichtigte Mather selbst den Tatort noch genauer. Ein Entsorgungsmitarbeiter scheuerte gerade an der Stelle, wo der Leichnam gelegen hatte, auf einem besonders hartnäckigen Fleck herum. Bedächtig ging Mather neben dem Mann in die Hocke.

»Sieht wie schwere Arbeit aus«, bemerkte Mather.

Der Mann blickte ihn umgänglich an und wischte ununterbrochen den Teppichboden. »Bloß der Fleck hier, Sir. Ich glaube, Jones hat bei der Spurensicherung ein Fixierungsmittel drübergegossen. Der Großteil des Bluts ließ sich leicht rauswaschen, es war ja, bedenkt man, was passiert ist, nicht soviel. Ich nehme an, der arme Kerl ist an inneren Blutungen gestorben.«

»Ach?« Mather versuchte, seine Neugier aus seiner Stimme fernzuhalten. »Ich hatte den Eindruck, es wäre 'ne ganz schön blutige Sache gewesen.«

Der Mann hob die Schultern. »Ich habe schon Schlimmeres gesehen. Zwei Flüge vorher sind im Großsalon zwei Betrunkene mit Energo-Dolchen aufeinander losgegangen, die Sauerei hätten Sie mal sehen sollen! Als die Sicherheit die Burschen trennte, sah's dort schon wie im Schlachthaus aus, aber sie haben's beide überlebt und anschließend auch noch damit geprahlt.«

»Und in diesem Fall?« hakte Mather nach.

»Ach, das war nicht so. Er war ganz klar tot. Aber viel Blut war hier nicht. Der Teppichboden ließ sich leicht reinigen.«

Mather betrachtete den Teppichboden, der zu trocknen anfing, richtete den Blick zurück auf den Mann. »Was meinen Sie, wieviel Blut hat er verloren?«

»Wieviel?« Der Mann hörte mit dem Reiben auf, schaute zur Seite. »Ach, 'n halber Liter oder so, würde ich sagen, wenn überhaupt«, antwortete er. »Wenn's sich so ausbreitet, sieht's nach viel mehr aus, aber... Vielleicht 'n halber Liter. Bestimmt nicht mehr.«

»So ist das.« Mather schob dem Mann eine scharf gefaltete Banknote in die Hand. »Sie haben mir sehr geholfen.«

Nach wenigen Minuten gelangte er zur Medizinischen Station. Im Vorzimmer befand sich niemand, doch er hörte hinter einer Tür, die einen Spaltbreit offen stand, Wallis und Shannon lachen. Rasch klopfte er an, öffnete die Tür weit genug, um eintreten zu können, ließ sie hinter sich zufallen. Wallis hatte die Füße auf Shannons Schreibtisch gelegt, und Shannon wusch sich gerade an einem Waschbecken in der Ecke des Büros die Hände. Beide grinsten, als Mather seiner Frau gegenüber in einem Sessel Platz nahm.

»Shivaun hat mir eben geschildert, wie sie von dem berüchtigten Van-der Tor-rell fast entführt worden wäre«, sagte Wallis und sprach den Namen mit bombastischem Klang aus. »Ich hatte sie angestiftet, einmal zu versuchen, einige neue Informationen über Lehr-Katzen aus ihm herauszuholen, und er kam zu der Schlußfolgerung, sie hätte in Wirklichkeit vor, ihn näher kennenzulernen.«

»Puh, was für 'n schleimiger Typ«, sagte Shannon, trocknete sich die Hände ab und warf das Papierhandtuch in den Müllschacht. »Aber ich habe tatsächlich einige interessante Dinge erfahren. Und Sie? Hat das Labor schon was über Ihren grauen Kasten herausgefunden?«

Mather schüttelte den Kopf. »Wenig. Auf der Eisblumenlackierung sind Fingerabdrücke kaum zu erkennen. Es sind nur ein paar stark verwischte Abdrücke meiner Finger festgestellt worden. Ich bezweifle, daß man mit den Innenflächen mehr Glück haben wird. Sämtliche Bestandteile sind entweder von Hand angefertigt worden, oder man hat die Waren- und Firmenzeichen der Produzenten entfernt. Kann sein, daß sich einige Kennzeichnungen restaurieren lassen, aber ich glaube, das dürfte uns auch keinen sonderlichen Aufschluß geben. Gegenwärtig werden Funktionsanalysen der Schaltkreise durchgeführt.«

»Hm, du erwartest wirklich nicht, daß die Untersuchung des Kastens uns irgendwie weiterhilft, wie?« fragte Wallis.

»Stimmt. Und ihr beide? Steht die Todesursache endgültig fest?«

Shannon setzte sich an ihren Schreibtisch und nahm einen Stift in die Hand.

»Kreislaufversagen infolge starken Blutverlusts. Aber das hätten wir Ihnen bereits auf den ersten Blick sagen können.«

»Und die Verletzungen?«

»Mit Ausnahme der Halsverletzung sind sie eigentlich eher oberflächlich. Größtenteils sehen sie schlimmer aus, als sie's wirklich sind. Kein lebenswichtiges Organ ist ernsthaft beeinträchtigt worden, schon gar nicht letal ... Abgesehen vom Körperteil Kehle, versteht sich. Er ist einfach verblutet.«

»So-so. Und wieviel Blut muß er verloren haben, um daran gestorben zu sein?«

»Tja, berücksichtigt man die übrigen Verletzungen und die in der Leiche verbliebene Menge Blut, zwei oder drei Liter. Vielleicht mehr, er war 'n ziemlich großer Mann. Warum fragen Sie?«

»Das ist ja bemerkenswert«, sagte Mather, als wäre das eine Antwort. »Sagen Sie, Doktor, den Tatort haben Sie nicht besichtigt, oder? Haben Sie Fotos gesehen?«

»Noch nicht. Warum?«

»Weil ich vorhin mit jemandem der Entsorgungsmannschaft gesprochen habe, und er hat den Tatort von nur ungefähr einem halben Liter Blut gesäubert. Was mag nach Ihrer Meinung aus den restlichen zwei Litern geworden sein?«

Shannon stellte das Spielen mit dem Stift ein und warf Mather einen Blick der Bestürzung zu. »Was wollen Sie damit andeuten? Das ist doch undenkbar.«

»Wenn die Resultate Ihrer Autopsie nicht sträflich falsch sind, und ich gehe von ihrer Richtigkeit aus, keineswegs. Wallis, weißt du, worauf das hindeutet ... was ich erfahren habe?«

»Das fehlende Blut?« Betroffen musterte Wallis ihn, neigte den rotbraunen Schopf seitwärts, bei dem Verdacht, auf den Mather offenbar hinzulenken gedachte, gruselte es ihr sichtlich. »Das ist doch nicht dein Ernst, oder? Willst du tatsächlich, daß ich's ausspreche?«

»Es ist mir damit todernst.«

»Ach du meine Güte! Nun ja, wenn das fehlende Blut weder am Tatort noch in der Leiche des Opfers festgestellt worden ist, hat es den Anschein, als hätte irgendwer oder irgend etwas es sich entweder einverleibt oder hätte des restliche Blut weggeschafft. Falls es die Katzen waren, was unwahrscheinlich ist, müßte ersteres zutreffen. Falls ein Mensch, wahrscheinlich letzteres.« Einen Moment lang schwieg Wallis.

»Mather Seton, du willst doch nicht *wahrhaftig*, daß ich Shivaun ins Gesicht sage, an Bord des Raumschiffs sei ein Vampir, oder?«

KAPITEL 7

E in Vampir?«
Ungläubig blickte Shannon zwischen den beiden
hin und her, erwartete ein Zeichen der Scherzhaftigkeit
— erhoffte es schließlich nur noch —, das jedoch ausblieb.

»Das ... das ist nicht spaßig«, sagte sie leise, unterdrückte ein nervöses Lachen, während sie die Hände
vor dem Paar mit einer sehr genauen Bewegung auf die
Tischplatte senkte. »Es gibt keine Vampire. Nur in Mythen. In der Wirklichkeit existieren sie nicht.«

Mather stützte die Ellbogen auf die Armlehne des
Sessels und faltete die Hände, legte die Zeigefinger
nach oben gestreckt aneinander. »Vielleicht nicht im
herkömmlichen Sinn«, stimmte er zu. »Es muß aber zu
denken gaben, daß man bei praktisch jeder Rasse, die
wir kennen, ob Menschen oder Aliens, Vampirsagen
nachweisen kann. Die alten Legenden der Erde enthal-
ten in ansonsten stark unterschiedlichen Kulturen reichlich Geschichten über Vampire und ähnliche Wesen.
Und was Aliens betrifft, haben ja die Aludraner ihre eigene Version, und ebenso die Ainish und die Kriegerka-
ste auf Procyon II. Ich könnte die Aufzählung endlos
fortsetzen.«

»Alles abergläubischer Unfug«, äußerte Shannon unverblümt.

»Hmm, vielleicht«, mischte Wallis sich ein. »Ich glaube, man kann die meisten Sagen als Aberglauben oder
reine Erfindung abtun. Das Problem ist nur, daß Legenden, wenn man sie genauer untersucht, zumeist auf irgendwelchen Tatsachen beruhen. Und selbst wenn man
übersinnliche Erklärungsversuche ablehnt, stößt man
auf physiologische und psychologische Grundlagen für

gewisse Verhaltensmuster, die zumindest teilweise Aktivitäten simulieren, die man im Zusammenhang mit Vampirismus beobachtet. Bestimmte chemische Defizite und Unausgeglichenheiten im Körper können, wie Sie sicher wissen, zu absonderlichem Betragen führen. Und es ist bekannt, daß psychotische Individuen von sich so gut wie alles glauben — und sich dementsprechend benehmen. Weshalb sollte sich nicht jemand für einen Vampir halten?«

Shannon verschränkte die Arme auf dem Brustkorb, als wäre ihr plötzlich kalt, und sank in ihrem Sessel ein wenig zusammen. »Das ist ja lachhaft. Sie reden so, daß man Ihnen fast glauben könnte. Es muß eine glaubwürdigere Erklärung geben.«

Mather zuckte die Achseln. »Selbstverständlich wäre mir eine recht. Aber wenn wir uns mit einer derartig verrückten Situation befassen müssen und logischere Erklärungen weniger wahrscheinlich wirken, kommen wir kaum daran vorbei, uns auch mit verrückten Erklärungen auseinanderzusetzen. Entweder sind die Katzen verantwortlich, wie alle greifbaren Hinweise es nahelegen — nur können wir nicht ermitteln, wie sie's gemacht haben —, oder jemand versucht der Sache den *Anschein* zu verleihen, als hätten's die Katzen getan, indem er das Blut beseitigt hat, damit es so aussieht, als hätten die Katzen es getrunken, was für Fleischfresser wie die Lehr-Katzen kein abwegiges Verhalten wäre. Oder er hat es selber getrunken und versucht vorzutäuschen, es seien die Katzen gewesen.«

»Oder der Mörder hat das Blut mitgenommen und *dann* getrunken«, meinte Wallis.

»Oder er hat's die Toilette hinuntergespült!« fuhr Shannon auf.

»Auch das wäre möglich«, sagte Mather ernsthaft. »Ein richtiger Psychopath wäre zu so etwas fähig, ohne überhaupt daran zu denken, den Verdacht auf die Katzen abzuwälzen. Es könnte alles Zufall sein. Aber das

Blut muß irgendwo geblieben sein.« Er legte den Kopf auf die Schulter und sah Shannon nachdenklich an. »Ich glaube, Sie müssen zugeben, daß die Vampirtheorie in diesem Fall grundsätzlich etwas für sich hat, Doktor — dabei fasse ich natürlich den Begriff ›Vampir‹ so weit auf, wie wir ihn eben umschrieben haben. Wenigstens können wir uns jetzt über einen völlig neuen Gesichtspunkt Gedanken machen.«

Erneut musterte Shannon das Paar nervös, die Stirn in tiefer Konzentration gefurcht, dann blickte sie einfach weg.

»Hören Sie, ich habe den Eindruck, ich durchschaue, was Sie vorhaben. Sie wollen Ihre Katzen reinwaschen, und ich kann's Ihnen, um ehrlich zu sein, nicht mal verübeln. Aber diese ... Theorie, die Sie mir hier auftischen ... Tut mir leid, ich halte sie für absurd.«

»Nun ja, sie ist so nützlich wie alle Theorien, die wir in Betracht gezogen haben, und sie weisen ausnahmslos Mängel auf«, sagte Wallis. »Am besten schlafen wir erst einmal darüber was? Und steht nicht in Kürze die nächste Hypersprungphase bevor?«

Müde warf Shannon einen Blick aufs Chronometer ihrer Computerkonsole und stieß ein Stöhnen aus. »Doch, ja. Mir war gar nicht bewußt, daß es schon so spät ist. Es bleiben noch rund zwanzig Minuten. Kommodore, falls Sie noch daran interessiert sind, das neue Suspensorsystem auszuprobieren, sprechen Sie mit Technikerin Gallinos, zwei Türen weiter. Sie kann's für Sie vorbereiten.«

»Danke schön«, sagte Mather halblaut, als Shannon, die das Beisammensein damit offenbar als beendet betrachtete, an der Konsole Tasten tippte, eine Darstellung auf den Bildschirm holte. Er machte Anstalten, noch etwas hinzuzufügen, aber ein Kopfschütteln Wallis' erregte seine Aufmerksamkeit, und er verzichtete. Mit einem Ächzen erhob er sich und verließ, gefolgt von Wallis, das Zimmer. Nachdem beide draußen waren, drehte

Shannon den Kopf und starrte für ein ganzes Weilchen, merklich voller Unbehagen, die Tür an, bis sich kurz die Beleuchtung trübte und im Rahmen des Phasencountdowns das fünf Minuten vor Beginn des Hypersprungs obligatorische Warnsignal ertönte.

Daraufhin setzte sie sich so lange aufrecht an ihren Platz, wie sie brauchte, um aus einem Spender in ihrer Tischschublade eine winzige rosafarbene Tablette zu schütteln. Danach lehnte sie den Hinterkopf an die Kopfstütze des Sessels und schob die Tablette unter die Zunge. Sie spürte, wie die Wirkung eintrat, als die letztminütige Warnung durchs Raumschiff hallte; sie entspannte sich und ließ das Medikament wirken, fragte sich beiläufig, wie es wohl war, Hypersprünge ohne Medikation zu erleben, und wie Wallis Hamilton es durchstand, ohne irgendwelche nachteiligen Folgen zu erleiden. Ihre Gedanken beschäftigten sie so sehr, daß der Hypersprung vorüberging, fast ohne daß sie es merkte.

Anschließend döste sie ein bißchen vor sich hin — später konnte sie sich nicht erinnern, ob sie geträumt hatte oder nicht —, und als sie zu sich kam, war sie wegen der Äußerungen, die Seton und Wallis über Vampire gemacht hatten, voller Unruhe, die auch nicht nachließ, während sie die für heute fälligen Eintragungen ins ärztliche Tagebuch vornahm. Ein Sanitäter brachte ihr ein Tablett mit einem Imbiß, und sie stocherte eine Zeitlang im Essen herum, doch trotz der Anstrengungen des langen Tages, auf den sie zurückblickte, hatte sie keinen Hunger. Major Barding kam hereingeschwebt, um sich sein Schmerzmittel verabreichen zu lassen, und sobald das Medikament wirkte, war er wieder in Hochstimmung; aber Shannon verabschiedete ihn barscher, als sie eigentlich die Absicht hatte. Zweimal begann sie Informationen von den Bibliotheksdatenbanken anzufordern; zweimal stornierte sie die Anfrage. Und zum Schluß, als sich Deller einfand, um sie abzulösen, schaltete sie den Computer ganz ab und zog sich in ihre Kabine zurück, wo sie versuchen wollte zu schlafen.

Aber trotz aller Bemühungen, sich dem Schlaf zu überlassen, stellte er sich nicht ein. Zuletzt stieg sie, obwohl sie sich über sich selbst ärgerte und sich idiotisch vorkam, wieder aus dem Bett, tappte zum Bibliotheksterminal auf ihrem Tisch. Die einzige Beleuchtung bestand aus dem kleinen Kontrollämpchen des Interkoms neben dem Terminal. Einige Augenblicke lang betrachtete sie es, bevor sie schließlich die Ein-Taste drückte.

Auf dem Bildschirm erschien in sanftem Grün das Display und erhellte die Tastatur, warf ihr eine gespenstische Blässe auf Gesicht und Hände. Langsam und mit einem noch stärkeren Gefühl, sich blödsinnig zu verhalten, tippte sie ihre Anfrage.

Stichwort: Vampire. Allgemeine Informationen. Bitte Auskunft.

Nach einer Zeitspanne, die Minuten zu dauern schien — das war bei einem hochmodernen Gerät wie dem Bibliothekscomputer jedoch unvorstellbar —, wanderte die Auskunft über die Mattscheibe.

Vampir, abgeleitet vom irdisch-slawischen Wort vampyr. Mythisches Wesen, dem nachgesagt wird, daß es nachts von den Toten aufsteht und das Blut seiner Opfer trinkt. Das Phänomen Vampirismus ist in vielen, sowohl menschlichen wie auch Alien-Kulturen bekannt. (Mythologien spezifischer Kulturen s. d. u. Nichtirdische Überlieferungen.)

Der geläufigste Vampir der irdischen Mythen war Graf Dracula, eine fiktive Gestalt Bram Stokers, eines Autors des 19. Jahrhunderts (vgl. Stoker, Bram: Dracula. Reihe Literarisches Reprint d. Gesellschaft zum Erhalt des Klassikertums, Menkar, A. I. 63). Allerdings liegen Beweise vor, nach denen Bram Stoker den Vampirtypus seines Buchs auf in dem Transsilvanien genannten Landstrichs Osteuropas schon lange vorher verbreiteten völkischen Aberglauben sowie gewisse historische Fakten stützte. Stokers Schöpfung war eine seltsame Mischung aus ...

Weil die Aufzählung historischer Daten sie langweilte, brach Shannon die Auskunftserteilung ab und fing von vorn an. Sie stellte die Frage diesmal präziser.

Stichwort: Vampire. Informationen über Charakteristika des Aussehens und Verhaltens. Bitte Auskunft.

Wieder verstrich eine scheinbar endlose Frist, bis Shannon die erwünschten Angaben erhielt.

Übereinstimmende Eigenschaft aller Vampire war das Vorhandensein verlängerter, manchmal einziehbarer oberer Beißzähne. Die Vampire bohrten diese Zähne in die Halsschlagader ihres Opfers. Er saugte dem Opfer das Blut aus, jedoch ist nicht immer klar, ob er es einfach trank oder es durch Hohlgänge in den Zähnen aufsaugte. Das Aussaugen konnte eine einmalige Handlung sein, die den nahezu unverzüglichen Tod des Opfers zur Folge hatte, oder in einer Reihe von Angriffen geschehen, die innerhalb eines Zeitraums von Tagen oder sogar Wochen stattfanden, bis das Opfer ihnen am Ende erlag, wobei man im allgemeinen die Todesursache in einer der in der Ära rückständiger medizinischer Kenntnisse noch weithin verbreiteten tödlichen Krankheiten sah. Es wurde geglaubt, daß ein von einem Vampir Getöteter selbst ein Vampir werde, sich ebenfalls nachts aus dem Grab erhebe, um Blut zu trinken und den Willen des obersten Vampirs, des ›Meisters‹, auszuführen. Alle Vampire mußten sich vor Sonnenaufgang in einen mit ihrer Heimaterde gefüllten Sarg flüchten, weil Sonnenlicht auf ihresgleichen eine mörderische Wirkung ausübte.

Wider Willen von diesen Darlegungen in den Bann gezogen, las Shannon weiter; die Bandbreite der überlieferten Vampirvorstellungen faszinierte sie, während sie sie mit den Angaben verglich, die Mather und Wallis geäußert hatten.

Legendäre Quellen wollen wissen, daß Vampire die Fähigkeit besaßen, ihre Opfer mit hypnotischem Blick zu lähmen, der häufig das Opfer in eine Form obsessiver Abhängigkeit brachte, die es dazu bewog, dem Vampir dabei zu helfen, Zugang zu ihm oder einer dritten Person zu erlangen. Gleichfalls gibt es Hinweise, denen zufolge Opfer möglicherweise der Verbindung zu Vampiren sinnliches Vergnügen abgewannen, obwohl die Literatur der Autoren repressiver Zeitalter solche Sachverhulte selten offen aussprachen. Allerdings fällt auf, daß Vampire im allgemeinen (obwohl nicht immer) Opfer des anderen Geschlechts suchen, besonders wenn sich das Aussaugen über eine längere Frist ausdehnte (vgl. Calder, Gunther von: Sexualität in den Legenden der Alten Erde. Zeitschrift des Instituts für psychiatrische Forschung, Terse, A. I. 82).

Vampiren wurde ewiges Leben nachgesagt, so lange sie sich ausreichend von frischem Blut ernähren konnten, und ihre Unsterblichkeit sollte sich auf ihre zu Vampiren gewordenen Opfer übertragen. Sie konnten die Gestalt von Fledermäusen oder bisweilen anderern Tieren annehmen. Zudem hatten Vampire die Fähigkeit, sich in Dunst zu verwandeln und in dieser Form ungesehen durch Türen und Wände zu gehen. Weil man unterstellt, sie hätten keine Seele, wurde geglaubt, man sähe von ihnen in Spiegeln keine Spiegelbilder. Sie hatten eine ausgeprägte Abneigung gegen Knoblauch und Knoblauchblüten, die man als Abwehrmittel verwendete, und die Berührung eines silbernen Kreuzes konnten sie nicht aushalten. Außerdem waren sie dazu außerstande, fließendes Wasser zu überqueren oder ein Haus zu betreten, ohne hineingebeten worden zu sein ...

»Das ist ja vollkommen lächerlich«, murmelte Shannon, brach auch diesen Vorgang vorzeitig ab.

Einen Moment lang saß sie still da und betrachtete das schwache Glimmen des Bildschirms. Dann versuchte sie es mit einer letzten Anfrage.

Stichwort: Vampire. Informationen über Methoden zu ihrer Vernichtung. Bitte Auskunft.

Die Auskunft kam ohne Verzögerung.

Vampire konnten vernichtet werden durch: Strahlung direkten Sonnenlichts; Berühren mit einem Kreuz, insbesondere silbernem K.; Besprengen mit Weihwasser; Einschlagen eines Holzpfahls, vorzugsweise aus Esche, ins Herz. Darüber hin-

aus verweisen manche Quellen darauf, daß silberne Kugeln ...

Der Sache endgültig überdrüssig, beendete Shannon die Auskunftsausgabe zum letzten Mal und schüttelte den Kopf; ihr Verstand lehnte alles, was sie gelesen hatte, vollständig ab. Es handelte sich um nichts als blanken Aberglauben. Anders konnte es gar nicht sein. Und doch kehrten ihre Gedanken immer wieder zu einem Satz zurück, den Wallis Hamilton gesagt hatte: daß fast alle Legenden auf gewissen Fakten fußten.

Mehrere Minuten lang saß Shannon in der Dunkelheit am Tisch, starrte ins nichtssagende Flimmern des Bildschirms, als könne es ihr womöglich irgendwelche neuen Aufschlüsse vermitteln, die zu glauben ihr leichter fielen. Statt dessen schmückte ihre Phantasie das Gelesene aus, so daß es ihr wiederholt eiskalt über den Rücken lief. Sie schaltete das Terminal vollends ab und schlich sich, fest dazu entschlossen, alles zu vergessen und zu schlafen, zurück ins Bett.

Diesmal schlief sie ein, und sie träumte, und mehr als einmal erwachte sie verdrossen mit verschwommenen Traumerinnerungen an Silberkreuze, Knoblauchblüten — was immer das sein mochte! — und hölzerne Pfähle, gebohrt durch Herzen, die nicht mehr schlugen.

Auch Mather und Wallis fanden endlich Schlaf, jedoch erst nachdem sie noch ein letztes Mal bei den Katzen nach dem rechten gesehen hatten. Wallis begab sich direkt in den Laderaum, um sich der Tiere, falls bei ihnen im Anschluß an die Hypersprungphase irgendwelche Nachwirkungen auftraten, gleich annehmen zu können, während Mather bei diesem Hypersprung, wie von Shannon empfohlen, einen der neuartigen Suspensoren erprobte.

»Meine üblichen Wehwehchen beim Hypersprung sind ausgeblieben«, erzählte er Wallis, sobald er anschließend im Frachtraum zu ihr stieß. »Allerdings war ich für ein paar Sekunden ohne Bewußtsein. Ohne das wär's mir angenehmer gewesen.«

»Aber du hast nicht unter Übelkeit oder Schwindel gelitten?« fragte Wallis. »Liebling, das ist ja wundervoll! Mir stellt sich die Frage, ob das nicht auch unseren pelzigen Freunden Abhilfe böte. Diese Phase hat ihnen stärker als der vorherige Sprung zugesetzt.«

Sie zeigte hinüber zu den Katzen, die alle matt auf den Käfigböden lagen, kaum noch zum Heben der Köpfe fähig, schon gar nicht zum Brüllen.

»Na ja, aber als erstes müßtest du sie in den Gurten festschnallen«, scherzte Mather. »Leider ist diese Einrichtung, um im Ernst zu reden, noch weitgehend im experimentellen Stadium. Immerhin war es für *mich* jedoch ein Hypersprung weniger, bei dem ich leiden mußten. Und wenn Lutobo morgen noch mit mir spricht, habe ich vor, die Navigationskoordinaten durchzurechnen, um zu prüfen, ob wir die Flugdaten nicht optimieren und vielleicht einen Sprung streichen können. Und möglicherweise läßt sich dabei auch verlorene Zeit aufholen.«

»Kann sein, daß sich dadurch seine Laune bessert, ja«, meinte Wallis. »Bist du der Ansicht, diese Suspensoren lohnen eine weitere Erprobung?«

Mather grinste. »Bei einem gestrichenen Hypersprung natürlich nicht. Und ich weiß nicht recht, ob sie sich je für den militärischen Gebrauch eignen werden. Wenn einem Zivilisten für einige Minuten die Sinne schwinden und ihm deshalb die übliche Benommenheit erspart bleibt, wie sie nach Einnahme des Medikaments auftritt, mag das schön und gut sein, aber unter Gefechtsbedingungen wäre so etwas ein Nachteil.«

»Na, du brauchst dir doch nicht mehr den Kopf über Gefechtsbedingungen zu zerbrechen, Liebling«, sagte Wallis leise, tatschte ihm voller Zuneigung den Arm. »Wenn du dich noch einmal in den Suspensor legen möchtest, tu's ruhig.«

»Wenn du mich in dieser Angelegenheit weiter dermaßen herablassend behandelst, Frau, ziehe ich einen Schlußstrich unter unsere Bekanntschaft«, brummte Mather, grinste dabei jedoch. »Es ist nicht *meine* Schuld, daß du Gene hast, die dich gegen das Hypersprungsyndrom immunisieren, und ich nicht.«

Wallis schmunzelte. »Armer Junge! Bist du mit den Sicherheitsvorkehrungen zufrieden, so daß wir uns jetzt den verdienten Schlaf gönnen dürfen?«

»Ich wüßte nicht, was wir noch tun könnten«, antwortete Mather. »Neville, übernehmen Sie die Schicht.«

»Jawohl, Sir. Ich habe noch ein paar zusätzliche Installationen vor, damit es keinerlei Unklarheiten mehr geben kann.«

»Ausgezeichnet. Wir sehen uns am Morgen.«

Wenngleich keine Alpträume ihren Schlaf störten, anders als bei Shannon, durften sie nicht so lange schlafen, wie sie es gerne getan hätten. Schon sehr früh schreckte das harsche Summen des Tür-Interkoms sie aus dem Schlummer. Mather, den jahrelange Erfahrung darauf geeicht hatten, jederzeit mit Schwierigkeiten zu rechnen, war augenblicklich hellwach. Er sah, wie Wallis sich herumwälzte und ihn schläfrig anlinste, während er sich aus dem Bett schwang und leise zum Interkom eilte. Er widmete dem Chronometer neben dem Apparat einen Blick und gähnte, bevor er die Taste betätigte. »Seton.«

»Kommodore, hier ist Sicherheitschef Courtenay. Ich bedaure sehr, Sie so früh stören zu müssen, aber der Kapitän wünscht Sie und Dr. Hamilton unverzüglich in seinem Büro zu sprechen.«

Mather spürte, wie sich jeder Muskel seines Körpers verkrampfte, und es kostete ihn eine bewußte Willensanstrengung, sich zu entspannen. Er legte einen Arm um Wallis' Schulter, als sie wortlos zu ihm trat.

»Ich gehe davon aus, daß der Wunsch des Kapitäns, was sie anbelangt, die Gültigkeit eines Befehls hat, Mr.

Courtenay«, sagte Mather vorsichtig. »Muß ich annehmen, daß der Kapitän uns als festgenommen betrachtet?«

Ein Moment peinlichen Schweigens folgte. »Sir, ich kann Ihnen nicht sagen, welche Betrachtungen der Kapitän in dieser Hinsicht angestellt hat«, lautete schließlich die Antwort. »Leider müssen Sie sich darüber mit ihm selbst verständigen.«

»Ach so.« Mather sah Wallis an und gab ihr mit einer Geste zu verstehen, schon einmal mit dem Anziehen anzufangen, dann wandte er sich wieder dem Interkom zu. »Können Sie mir den genauen Grund mitteilen, weshalb der Kapitän uns sprechen möchte, Mr. Courtenay?«

»Ich würde ... äh ... die Sache lieber nicht im Korridor diskutieren, Sir. Und obwohl es nicht meine Absicht ist, Sie zu drängen, muß ich doch darauf aufmerksam machen, daß ich eindeutige Befehle erhalten habe.«

»Schon gut, wir sind gleich soweit.«

Mather unterbrach die Verbindung mit Courtenay, durchquerte die Kabine und betätigte die Taste des regulären Interkoms.

»KomNetz, hier spricht Seton. Bitte den Diensthabenden in meinem Laderaum.«

»Bitte warten.«

Während er auf das Zustandekommen der Verbindung wartete, stieg Mather in eine Hose. Wallis warf ihr Nachthemd über eine Stuhllehne und kleidete sich zügig an.

»Hier Wing.«

Mather schloß den Gürtel der Hose und drückte die Bildtaste.

»Erstatten Sie Meldung, Wing. Ist bei Ihnen alles in Ordnung?«

Als Wings Gesicht auf dem kleinen Bildschirm erschien, war seine Miene von nichtssagender Ausdruckslosigkeit gewesen. Jetzt wölbte der junge Mann die dunklen Brauen, sein Verhalten spiegelte erhöhte Aufmerksamkeit wider. »Besteht irgendein Anlaß zu der Annahme, das sei irgendwie nicht der Fall, Sir?«

»Sie haben also keine Scherereien gehabt?« erkundigte Mather sich unbeirrt. »Niemand hat einen Alarm ausgelöst, es ist Ihres Wissens auch nichts vorgefallen?«

»Andernfalls hätte ich Sie doch angerufen, Sir.«

Mather nickte und streifte, noch darüber im unklaren, was er von dieser Mitteilung halten sollte, ein Hemd über, zerrte sich Stiefel an die Füße.

»Also gut, Wing, halten Sie Bereitschaft bei, bis ich dort bin, und lassen Sie niemanden in die Nähe der Katzen! Ich möchte, daß Sie nicht einmal die Energo-Netze inaktivieren und nachschauen, ob in den Käfigen alles normal ist. Warten Sie, bis ich bei Ihnen bin. Dann steht es völlig außer Frage, daß man niemandem von Ihnen irgendeine Schuld zumißt.«

»Jawohl, Sir. Da wir gerade davon sprechen, Sir, alle von uns außer Perelli hatten eine Gelegenheit zum Verstecken des Geräts, das Sie gestern entdeckt haben. Die Aufzeichnungen zeigen die Stelle allerdings aus einem ungünstigen Winkel. Es ist unmöglich zu sagen, ob sich tatsächlich jemand, seit wir an Bord sind, dort zu schaffen gemacht hat.«

Mather nickte. »Danke, Wing. Vielleicht wird das seinen Teil tun, um den Kapitän zu beschwichtigen. Eine Eskorte bringt uns gleich in sein Büro. Wir kommen, sobald wir's einrichten können.«

Mit einem Schnaufen beendete er das Gespräch und schnallte sich das Schulterhafter seiner Nadelpistole um, checkte die Waffe, ehe er sie ins Halfter steckte. Inzwischen hatte Wallis sich angekleidet und sah den Inhalt ihrer Arzttasche durch. Sorgenvoll beobachtete Mather sie, suchte eine graue Drillich-Uniformjacke heraus und zog sie an, während er zurück zur Tür ging, um den Öffner zu betätigen.

Im Korridor warteten hinter Courtenay vier seiner Sicherheitsmitarbeiter in wachsamer Haltung, die Waffen griffbereit an den Hüften. Mather machte keinen Versuch, die eigene Waffe zu verbergen, während er seine Kragenaufschläge zurechtrückte.

»So, Mr. Courtenay.«

»Kommodore Seton.« Mit leicht mißbehaglichem Grinsen nickte Courtenay ihm zu. »Ich hoffe, wir werden's nicht ausschießen müssen.«

»Meinetwegen nicht. Wollen Sie nicht für einen Moment eintreten, Mr. Courtenay? Meine Herren, wir sind gleich fertig.«

Er hatte Courtenay schon in die Kabine gezogen, bevor die anderen Männer richtig begriffen, was geschah, und als sich die Tür schloß, schluckte der Sicherheitschef, schaute beklommen in der Räumlichkeit umher. Wallis schob gerade eine Nadelpistole in ihre Arzttasche.

»Ich bedaure diese Umstände wirklich außerordentlich, Kommodore. Ich ... äh ... Vielleicht sollte ich Ihnen doch sagen, worum es geht, ehe Sie mit dem Kapitän reden. Es hat noch zwei Opfer gegeben.«

»Zwei?!« entfuhr es Wallis.

»Können Sie uns Einzelheiten erzählen?« fragte Mather.

Kummervoll nickte Courtenay. »Wahrscheinlich sollte ich keine Angaben machen, Kommodore, aber man wird auch meine Männer zur Verantwortung ziehen, weil einige von ihnen vor dem Frachtraum Dienst taten, in dem Ihre Katzen untergebracht sind. Das eine Opfer ist ein Besatzungsmitglied, ein Maschinenmaat namens Phillips, er ist auf Deck Zwei aufgefunden worden. Da war er schon mehrere Stunden tot, seine Kehle ist zerfetzt, Brust und Arme sind übel zerfleischt, ähnlich wie beim ersten Opfer. Und außerdem ... sind rund um die Leiche blutige Abdrücke von Katzenpfoten zu sehen. Und ... in einer Hand hielt er ein Büschel blauer Haare, wie Lehr-Katzen sie haben, in der anderen Hand ein blutverklebtes Energo-Messer.«

»Mit Katzen- oder Menschenblut?« erkundigte sich Mather.

»Das ist mir unbekannt, Sir.«

»Aha«, machte Mather gelassen. »Und das andere Opfer?«

»Eine ... Aludranerin«, antwortete Courtenay halblaut. »Die Frau namens Ta'ai, Muons Gattin. *Sie* ist anscheinend unmittelbar nach dem Überfall gefunden worden. Sie ... hatte gerade zu atmen aufgehört, aber ein Steward und einer meiner Mitarbeiter haben sie beatmet, bis ein Medoteam eintraf und das weitere übernahm. Seit fast einer Stunde ist sie jetzt im OP, ihr Zustand ist wirklich kritisch. Man hat von den anderen Aludranern schon mehrmals Blut spenden lassen, um sie am Leben zu erhalten.«

Wallis schüttelte den Kopf und stöhnte laut auf, klappte ihre Arzttasche zu und schlang sie sich mit entschlossener Miene über die Schulter.

»Mr. Courtenay, ich hoffe, Sie werden nicht versuchen, mich daran zu hindern, wenn ich nun, wie's meine Absicht ist, in die Medizinische Station gehe, um zu sehen, ob ich behilflich sein kann. Mather ist allein dazu in der Lage, dem Kapitän sämtliche Fragen zu beantworten.«

»Dieser Meinung bin ich auch«, stimmte Mather zu, stemmte leicht aggressiv beide Hände in die Hüften. »Sie haben nicht vor, sie zurückzuhalten, oder, Courtenay?«

Courtenay schüttelte den Kopf. »Ich nicht, Sir. Und ich lege auch keinen Wert darauf, Sie zu entwaffnen. Erklären *Sie* das alles dem Kapitän.«

»Das werde ich tun«, antwortete Mather, während sie zur Tür strebten. »Übrigens habe ich bereits meine Männer im Laderaum angerufen, und Leutnant Wing hat keine ungewöhnlichen Vorkommnisse gemeldet. Ich habe angeordnet, nichts zu unternehmen und niemanden in den Frachtraum zu lassen, bis ich dort bin, also würde ich an Ihrer Stelle, sollte der Kapitän auf so eine Idee kommen, ehe er im Vollbesitz aller Fakten ist, auf den Versuch verzichten, mir gewaltsam Zutritt zu verschaffen. Verstehen Sie, was ich sagen will?«

»Sicherlich, Sir.« Courtenay öffnete die Tür. »Keine Probleme«, beruhigte er seine Untergebenen, die ihm achtsam entgegenblickten. »Kommodore Seton begleitet uns zum Kapitän. Dr. Hamilton wird in der Medizinischen Station gebraucht.«

Fünf Minuten später standen sie, ausgenommen Wallis, in der Kommandoetage des Raumschiffs vor einer anderen Tür, und Courtenay drückte erst eine, um ihre Ankunft anzukündigen, dann mit dem Daumen eine andere Taste, die den Öffnungsmechanismus aktivierte. Lutobo saß, sichtlich hochgradig angespannt, hinter einem großen Plaststahl- und Lederinschreibtisch, dessen dunkle polierte Oberfläche seine offenbar noch düsterere Stimmung widerzuspiegeln schien. Er sagte nichts, als Mather den Raum betrat, wies lediglich mit einem abgehackten Wink Courtenay an, sie alleinzulassen. Auf Mathers Seite des Schreibtischs standen keine Sitzgelegenheiten, also näherte er sich dem Tisch auf Armlänge und blieb stehen.

»Wo ist Ihre Frau, Kommodore?« fragte der Kapitän beherrscht.

Freundlich lächelte Mather, ließ sich seiner Miene nicht anmerken, daß er bereits Bescheid wußte.

»Wo eine Ärztin sein *soll*, Kapitän. Sie hilft Ihrem medizinischen Personal. Wir haben erfahren, daß ein ernster medizinischer Notfall vorliegt.«

»Dann wissen Sie ohne Zweifel schon, was geschehen ist, und haben sich eine passende raffinierte Ausrede zurechtgelegt«, sagte Lutobo. »Na los, Kommodore! Es interessiert mich sehr zu hören, wie Sie sich diesmal herauswinden.«

»Leider kann ich Ihnen so nicht folgen, Kapitän«, entgegnete Mather ruhig. »Mr. Courtenay hat sich mit Einzelheiten sehr zurückgehalten. Wenn Sie mir nichts Konkreteres mitteilen, werde ich wohl wenig tun können, um Sie zu unterstützen. Aber wir ziehen ja letztendlich an einem Strang.«

»Tatsächlich?« Lutobo kniff die Augen zusammen, als überlege er, ob Mather mit ihm ein Spielchen triebe, dann lehnte er sich in seinen Sessel. »Nun gut, Kommodore. Dann hören Sie sich die konkreten Fakten an. An Bord meines Raumschiffs sind zwei weitere Personen überfallen und eine davon ist getötet worden. Der Tote war ein Techniker meiner Besatzung. Er hatte ein blutiges Energo-Messer in einer, Haare blauen Fells in der anderen Hand, und rings um die Leiche gab's blutige Pfotenabdrücke zu sehen. Das andere Opfer lebt noch, aber nur dank des geistesgegenwärtigen Eingreifens zweier Besatzungsmitglieder. Es ist in ungefähr dem gleichen Zustand, wie die zwei übrigen Opfer gefunden wurden, aber noch nicht vollständig tot. Es besteht eine geringfügige Aussicht, daß die Aludranerin noch einmal lange genug das Bewußtsein wiedererlangt, um den Angreifer zu beschreiben. Ich frage mich, wie ihre Aussage wohl lauten wird.«

»Ich mich auch, Kapitän, denn ich habe mir bereits von den Diensttuenden in meinem Laderaum Meldung erstatten lassen, und ...«

»Es ist mir *egal*, von wem Sie sich Meldungen erstatten lassen, verflucht noch mal, Seton!« schnauzte Lutobo plötzlich, beugte sich an seinem Platz vor und schlug mit der Faust auf den Tisch. »Momentan ist es mir sogar egal, ob Ihre Katzen daran schuld sind oder nicht. Ich kann auf gar keinen Fall derartige Vorgänge dulden. Ich habe bereits einen Passagier und ein Mannschaftsmitglied verloren, und wahrscheinlich müssen wir auch den zweiten Passagier abschreiben. Das sind drei Leben, Seton! Was soll ich meiner Firmenleitung sagen?«

»Ist das alles, was Ihnen einfällt?« fuhr Mather ihn an. »Ihre Firma? Wir haben's hier mit etwas zu tun, das außerhalb sowohl Ihres wie auch unseres Erfahrungsbereichs liegt. *Ich* versteh's nicht, *Sie* verstehen's nicht, und auch sonst versteht's *niemand* — vielleicht mit Ausnahme desjenigen, der diese Verbrechen verübt —, und wir *werden* es auch nie verstehen, wenn Sie andauernd voreilige Schlußfolgerungen ziehen und wilde Anschuldigungen äußern. Eben habe ich Ihnen zu erklären versucht, daß ich schon mit dem Laderaum Rücksprache gehalten habe, bevor ich auf den Weg zu Ihnen ging, und mir ist versichert worden, daß alles in Ordnung ist. Auch Ihre eigenen Sicherheitsleute bestätigen, daß nichts und niemand das Tor des Frachtraums passiert hat.«

»Das ist unmöglich!« widersprach Lutobo vehement. »Diesmal sind *Pfotenabdrücke* gefunden worden, verdammt noch mal! Vielleicht teleportieren sie ... *Ich* weiß es nicht. Aber ich werde das nicht hinnehmen. Ich will, daß Sie die Katzen beseitigen.«

»Was wollen Sie?«

»Sie haben's doch gehört. Ich wünsche, daß Sie die Katzen töten. Sie können sie von Dr. Hamilton einschläfern, oder ich kann sie von meinen Sicherheitsleuten erschießen lassen, oder wir schießen sie einfach in den Weltraum — es ist mir gleichgültig, wie es gemacht wird, wenn es nur schleunigst geschieht. Ich will sie unbedingt loswerden. Ich wünsche, daß sie von meinem Schiff verschwinden!«

»Lutobo, Sie haben kein Wort davon kapiert, was ich Ihnen über die Wichtigkeit dieser Katzen anvertraut habe, wie?« meinte Mather. »Wenn sie nicht heil auf Tersel eintreffen, werden sich daraus Konsequenzen ergeben, die ich lieber nicht miterleben möchte.«

»Das können Sie gern haben!«

»So, *kann* ich das?« fragte Mather, stützte beide Hände auf die Tischkante und musterte Lutobo. Die Bewe-

140

gung öffnete seine Jacke, so daß sie einen Teil des Griffs seiner Nadelpistole entblößte.

»Wie können Sie es wagen, mein Büro mit einer Waffe zu betreten?« hielt Lutobo ihm leise entgegen, plötzlich von Furcht gepackt. »Courtenay?!«

Doch ehe es ihm gelang, den Alarmknopf zu drücken, beugte sich Mather weiter vor, verhinderte es, indem seine große Faust Lutobos kleinere dunklere Hand umklammerte.

»Mr. Courtenay ist zu klug, um einen Imperiumsagenten entwaffnen zu wollen, Kapitän. Ich hätte gedacht, das gilt auch für Sie.« Mather gab Lutobos Hand frei und straffte sich bedrohlich. »Eigentlich war ich der Meinung, es sei überflüssig, aber vielleicht muß ich Sie doch *noch einmal* daran erinnern, mit wem Sie es zu tun haben. Wallis und ich haben unsere Befehle direkt vom Oberkommando des Imperiums erhalten. Wir sind Prinz Cedric persönlich verantwortlich. Es wird ungefähr zwei Stunden dauern, das nachzuprüfen und zu Ihrer eigenen Aufklärung festzustellen, wie beschränkt die Grenzen Ihrer Autorität sind. Während Sie diese Nachprüfung abwickeln — und ich bezweifle nicht, daß Sie's tun werden —, gedenke ich den Frachtraum mit den Lehr-Katzen aufzusuchen und ihn nochmals zu inspizieren, und ich habe vor, dort zu bleiben, wenn nötig, bis wir Tersel erreichen, um zu garantieren, daß sie keinen Schaden erleiden. Sollte ich herausfinden, daß die Katzen die Überfälle in diesem Raumschiff wahrhaftig begangen haben, werde ich persönlich, ungeachtet des Werts der Tiere, angebrachte Maßnahmen ergreifen. Bis dahin jedoch dulde ich keine Beeinträchtigungen der Erfüllung meiner Pflicht, weder von Ihrer Seite noch seitens Ihres Personals. Habe ich mich vollständig klar ausgedrückt?«

Lutobo, der steif und aufrecht in seinem Sessel saß, war aus unterdrückter Wut beinahe kalkweiß geworden, als Mather verstummte, doch seine Selbstbeherrschung genügte, um zu erkennen, daß ein Imperiumsagent unter solchen Umständen wahrscheinlich keinen Bluff gewagt hätte. Mit eisiger Ruhe erhob er sich und beugte sich vor, beide Hände auf der Tischplatte, so daß sich zwischen ihm und Mather schließlich nur noch rund ein Meter glänzenden Lederins befand. Die dunklen Augen seines gefaßten Gesichts schimmerten wie polierter Stein.

»Ich habe Sie vollkommen verstanden, Kommodore.« Seine Worte fielen deutlich und in barschem Ton, in kaltem Zorn. »Und jetzt möchte ich, daß *Ihnen* etwas klar ist. Ich habe in der Tat die Absicht, so wie Sie es vorschlugen, erneut mit Ihren Vorgesetzten in Kontakt zu treten, und ich habe vor, mir alle Vollmachten geben zu lassen, deren es bedarf, um die Lehr-Katzen zu töten, und ich werde alles in Bewegung setzen, um dafür zu sorgen, daß Sie Ihres Ranges enthoben und bestraft werden. Ihre zwei Stunden bleiben Ihnen, Kommodore. Danach werden wir wissen, ob das imperiale Oberkommando es Ihnen erlaubt, Ihre Autorität zu mißbrauchen, um Privatbürger zu gefährden. Die Gruening-Linie läßt nicht mit sich spaßen, Seton. Ist *das* auch klar?«

»Vollkommen«, antwortete Mather. »Und nun, Kapitän, wenn Sie gestatten ...« Er vollführte eine schneidige, förmliche Verbeugung und knallte die Hacken zusammen. »Ich werde mich meinen Aufgaben widmen. Sie wissen, wo ich zu finden bin.«

Auf dem Weg hinab zum Frachtdeck besichtigte er einen der neuen Tatorte, bekam dort jedoch nur wenig zu sehen, was ihm weiteren Aufschluß verliehen hätte. Der mit Blut beschmutzte Teppichboden war mittlerweile überwiegend gereinigt worden, und Wartungspersonal ersetzte gerade einen Ausschnitt, von dem die anwesenden Wachmänner sagten, darauf seien die Pfotenabdrücke gewesen. Das herausgelöste Stück war inzwischen zur näheren Untersuchung und Präparation ins

Laboratorium geschafft worden, bis Kriminalchemiker auf Tersel gründlichere Tests durchführen konnten.

»Stammte das Blut vom Opfer?« fragte Mather einen Techniker.

Der Mann zuckte die Achseln. »Tja, daß es Katzenblut war, glaube ich nicht, falls Sie danach fragen, Kommodore. Ob es nun Blut des *Opfers* war, kann ich nicht sagen, bevor die Laborergebnisse vorliegen.«

»Und was ist mit dem Energo-Messer?«

»Das ist auch ins Labor gebracht worden.« Der Mann legte den Kopf zur Seite. »Seien Sie ehrlich, Kommodore. Sind Sie der Auffassung, dahinter stecken nicht Ihre Katzen, sondern an Bord geht irgendein Wahnsinniger um?«

Mather hob lediglich die Schultern. »Darauf kann ich erst antworten, wenn ich mir eine Meinung gebildet habe.«

Vor dem Tor des Laderaums standen unverändert Sicherheitsmitarbeiter, als Mather anlangte, und die Ranger hatten im Laufe der Nacht noch strengere Schutzvorkehrungen getroffen. Nachdem Mather seine Hand in den Identitätsscanner gelegt hatte, mit dem man den Zugang ausgestattet hatte, betrat er die Sicherungsschleuse, fühlte das Jucken, wie man es spürt, wenn Sensoren jemanden nach Waffen abtasteten, und bemerkte, daß sie seine Nadelpistole erfaßten. Gleich darauf, kurz bevor die Innentür der Kammer aufglitt, geriet er für einen Moment in ein Fangfeld, das in seinem Körper jedes Nervenende ins Kribbeln versetzte. Er schloß die Augen, verhielt völlig reglos, zwang sich zum Lokkerbleiben, atmete nicht einmal, während energetische Schlieren ihn umwallten; er wartete, bis der Ranger auf der anderen Seite der Tür ihn gemustert hatte und das Feld desaktivierte. Es war Webb.

»Entschuldigen Sie die Unannehmlichkeit, Kommodore«, sagte Webb, schob seine Waffe ins Halfter, ehe er seinem Vorgesetzten gegenübertrat. »Sie sind die erste

Person, die unsere neuen Abschirmungsmaßnahmen am eigenen Leib kennenlernt. Es hat doch nicht weh getan, oder?«

Während er versuchsweise die Muskeln dehnte, schüttelte Mather den Kopf. »Nein, Sie machen durchaus alles richtig. Aber das nächste Mal warnen Sie mich, bevor ich ein Fangfeld betrete.«

»Verzeihung, Sir.«

Mather blickte in die Richtung der inzwischen mit den Energo-Netzen überspannten Käfige, während aus dem Aufsichtsraum Wing und drei andere Ranger zu ihm kamen. Peterson und Casey, die in dem kleinen Büro blieben, wandten sich ihm zu; allerdings behielt Peterson die auf den Korridor justierten Scanner im Auge.

In der Mitte des Laderaums, wo die Käfige standen, wirkte alles noch genau so, wie Mather es am Vorabend zum letztenmal gesehen hatte. Elektronische Schallwände absorbierten die Geräusche aus dem Innern der Käfige, und die Energo-Netze, die sie verhüllten, trübten das Licht in solchem Maße, daß man es nur als verwaschenes, nicht ganz schwarzes Flimmern wahrnahm, in das direkt zu blicken die Augen fast schmerzte. Alles schien in Ordnung zu sein — doch plötzlich hatte Mather eine böse Vorahnung, aufgrund der es ihm regelrecht widerstrebte, hinter die Barriere zu schauen.

»Sir, können Sie uns sagen, was geschehen ist?« fragte Neville, während er und die restlichen im Frachtraum befindlichen Ranger sich um Mather scharten.

Widerwillig schenkte Mather — außerstande, die Regungen übler Ahnung zu verdrängen, die sich fortgesetzt in ihm rührten — seine Beachtung wieder den Männern.

»In der Nacht sind noch zwei Überfälle verübt worden ... Einer davon mit Todesfolge.«

»Na, auf keinen Fall können's die Katzen gewesen sein«, meinte Perelli halblaut.

»Nein, wir haben jeden Scanner und jede Alarmanla-

144

ge ununterbrochen beobachtet«, äußerte Fredericks. »Es hat sich nichts Auffälliges ereignet.«

Wing trat von einem auf den anderen Fuß. »Sie sagten, bei zwei Überfällen habe es nur einen Toten gegeben, Sir. Was ist mit dem anderen Opfer?«

»Es lebt noch ... Wenigstens war das der Fall, als ich zuletzt davon gehört habe. Es ist eine Aludranerin, eine Frau namens Ta'ai. Wallis ist zur Medizinischen Station gegangen, um sich nützlich zu machen.«

»Dann kann diese Ta'ai vielleicht aussagen, was oder wer sie angegriffen hat«, sagte Perelli. »Daß es die Katzen waren, ist ganz einfach nicht möglich, Sir. Es ist undenkbar, daß sie hinausgelangt sein könnten und wir es nicht merkten.«

»Ich weiß.« Mather seufzte, klopfte dem Mann wohlwollend auf die Schulter, ehe er der äußeren Barriere ein paar Schritte nähertrat.

»Na gut, Peterson, dann wollen wir mal einen Blick hineinwerfen, was?«

Peterson fuhr sich mit der Zunge über trockene Lippen und drehte sich seiner Kontrollkonsole zu, aktivierte Recorder und Reserveschaltungen, checkte ein letztes Mal die gesamten Anlagen.

»Wir sind soweit, Sir.«

»Dann weg mit den Energo-Netzen.«

Ein leises *Surr-summ-surr* ertönte, während die zusätzlichen Recorder und Sensoren einschwenkten, das *Klick* des Sicherungshebels einer Nadelpistole, den einer der Ranger mit dem Daumen umlegte, das durch die aufgebauten Kraftfelder verstärkte *Knack* der betätigten Energieschalter. Als die Energo-Netze verflackerten, hallte unheimlich das klägliche Jaulen dreier Lehr-Katzen durch den Frachtraum. Die vierte Katze, der Grund ihres Gejammers, würde nie wieder einen Ton von sich geben. Das Ende des Käfigs, in dem sie lag, schwamm praktisch in Blut.

»Was zum ...«

145

Viel schneller, als jemand es von einem Mann seines Alters erwartet hätte, stand Mather vor dem Käfig, betrachtete die getötete Lehr-Katze, aktivierte gleichzeitig die großen Scanner auf den Käfigen. Die Gefährtin der toten Katze, das kleinere der beiden Weibchen, blieb nahebei, ihr Geheul verwandelte sich in trotziges Fauchen, als Mather versuchte, das tote Tier aus der Nähe zu besehen. Die Ranger taten gar nichts, sie waren zu erschrocken und zu fassungslos, um nur ein Wort hervorzubringen, sich gegenseitig zu fragen, wie so etwas hatte geschehen können.

KAPITEL 8

Tut mir leid, Doktor, aber beide Ärzte werden voraussichtlich mindestens noch eine Stunde lang beschäftigt sein«, erklärte eine Arzthelferin, nachdem Wallis das Vorzimmer der Medizinischen Station betreten und nach Shannon gefragt hatte. »Bitte entschuldigen Sie mich, ich muß wieder hinein.«

Die Arzthelferin war nur im Vorzimmer gewesen, um einem halbwüchsigen Jungen eine Kopfschmerztablette zu geben, der sich nun, als die Frau in die Innenbereiche der Medizinischen Station zurückkehrte, ängstlich an Wallis wandte.

»Sie hat *Doktor* zu Ihnen gesagt«, meinte der Junge nahezu vorwurfsvoll. »Sind Sie Ärztin?«

Wallis lächelte dem Jungen freundlich zu. »Ja, aber ich gehöre nicht zur Besatzung, ich bin Passagier, genau wie du.«

»Ah, wissen *Sie* denn, was los ist?« fragte der Junge. »Die Leute haben ganz schön Schiß gekriegt. Irgendwer hat erzählt, unten im Frachtdeck wären große blaue Katzen, und eine wäre in der Nacht ausgebrochen und hätte jemanden gekillt.«

»So, wer hat das behauptet?« fragte Wallis. »Es kann niemand mit großem Verantwortungsbewußtsein gewesen sein, wenn er solche Gerüchte verbreitete.«

»Dann stimmt's also nicht?« rief der Junge. »Na, da bin ich ja froh! Aber sie *haben* hier drin mit 'm ärztlichen Notfall zu tun. Ich glaube, mit einem der Aliens.«

»Wirklich?«

»Hmmm.« Der Junge nickte, während er mit Wasser hinabspülte, was ihm die Arzthelferin gegen seine Beschwerden gereicht hatte. »Gleich nachdem ich hier war, ist von einem der Wachmänner einer dieser Aliens

147

gebracht worden, die sich immer so dick anziehen ...
die mit Federn auf dem Kopf.«

»Ein Aludraner«, sagte Wallis.

»Ja, wahrscheinlich. Er sah fies zugerichtet aus. Er ist
reingebracht worden, und ich mußte glatt zehn Minuten
warten, bis jemand kam und nach mir guckte.« Der Junge schnitt eine Fratze und rieb sich die Schläfen. »Ich
glaube, ich werd 'n bißchen schlafen, das ist gut gegen
Kopfweh. Vielleicht ist's bis zum Mittagessen weg.«

»Bestimmt«, antwortete Wallis höflich.

Doch als der Junge fort war und Wallis durch einen
kurzen Blick in den Korridor festgestellt hatte, daß gegenwärtig niemand kam, ging sie leise zur Tür von
Shannons Büro und berührte die Kontaktfläche des Öffnungsmechanismus. Zu ihrer Überraschung glitt die
Tür unverzüglich beiseite. Beherzt trat Wallis ein und
schloß sie hinter sich, eilte sofort zu der Computerkonsole auf Shannons Schreibtisch.

Die Tastatur hatte eine unmißverständliche Funk-
tionskennzeichnung. Wallis bewegte die Finger über die
Tasten des Monitors, versuchte es als erstes mit dem
OP, doch dort hielt sich außer einem Sanitäter, der ihn
säuberte, niemand auf; den zweiten Blick per Monitor
warf sie in einen Behandlungsraum, wo Shannon und
eine zweite Kraft momentan eine Autopsie durchführten, vermutlich bei dem getöteten Maschinisten; als
drittes tippte Wallis die Taste für die OP-Nachbehand-
lung. Dort versperrte Dellers Rücken den größten Teil
der Sicht auf den mit Verbandszeug umwickelten Patienten, um den er sich gerade kümmerte, aber die erra-
tischen Anzeigen von Lebenszeichen, die Wallis auf einem Monitor der anderen Räumlichkeit erkennen konnte, machten klar, daß es sich bei dem Patienten um einen Aludraner handelte — einen Aludraner, der in Lebensgefahr schwebte. Der in Karminrot gekleidete
Muon saß dabei, den gefiederten Kopf über eine ver-
bundene Hand gebeugt, an der Schläuche und Drähte

hingen, also konnte der Patient nur die unglückselige Ta'ai sein.

Ratlos aufseufzend schüttelte Wallis den Kopf und sah sich in rascher Reihenfolge am Monitor das halbe Dutzend Krankenzimmer an, beachtete die Patienten, die darin — einige betreut von Pflegern und Pflegerinnen, die etwas gestreßt wirkten — schliefen oder sich erholten, stoppte erst, als der Federkamm eines anderen Alien ihre Aufmerksamkeit erregte. Es war Ta'ais intelligenter, sprachgewandter Bruder Bana, der niedergeschlagen auf der Kante des Betts hockte, zu dem er von Technikern geführt worden war, nachdem er für Ta'ai Blut gespendet hatte. Er zitterte trotz der Thermodecke, die er um sich geschlungen hatte, um sich gegen die Kälte des normalen Schiffsmilieus zu schützen, doch er erweckte den Eindruck, als ob die eigenen Schwierigkeiten ihn am wenigsten störten. Sein Blick war fest auf einen wenige Meter entfernten Monitor gerichtet, dessen Bildschirm den Nachbehandlungsraum zeigte, in dem Ta'ai lag; gelegentlich wankte er und schauderte zusammen. Einmal hob er die schlanke Hand, als wolle er in das Monitorbild greifen, doch der Gebärde selbst war anzusehen, daß er um ihre Unsinnigkeit wußte. Nur ein Wunder vermochte Ta'ai jetzt noch zu retten, und Wunder geschahen im allgemeinen selten.

Einige Sekunden lang beobachtete Wallis ihn, ahnte die Verzweiflung, die der kleine Alien empfinden mußte, merkte sich die Lage des Raums, in den sie Einblick hatte, und schaltete die Konsole ab. Keine Minute später gelangte sie in das Zimmer. Bana drehte sich um, als sie eintrat, in seinen gequälten gelben Augen spiegelte sich Erkennen wider.

»Warum kommen Sie? Haben Sie nicht genug verbrochen?«

»Es tut mir leid, daß Ta'ai das zugestoßen ist«, sagte Wallis halblaut, umrundete das Bett und setzte sich in Banas Nähe ans Fußende. »Ich weiß, Sie halten uns für verantwortlich, weil wir die Katzen an Bord der *Walküre* gebracht haben, aber ... Bana, ich weiß nicht, wie ich mich ausdrücken soll, ohne daß es klingt, als wolle ich die Katzen nur in Schutz nehmen, aber Mather — Kommodore Seton — und ich sind der Überzeugung, daß die Katzen keine Schuld trifft ...«

»Keine Schuld?« unterbrach Bana sie hitzig. »Sie haben die Leiche des ersten toten Passagiers gesehen, Doktor. Da auf dem Bildschirm sehen Sie Ta'ai, die im Sterben liegt. Wie können Sie sagen, die Katzen hätten keine Schuld?«

Hörbar schwer atmete Wallis aus. »Ich kann's vorerst nicht beweisen, Bana. Ich *kann* Ihnen jedoch sagen, daß Kommodore Seton nach dem ersten Todesfall in der Umgebung der Katzen ein elektronisches Gerät entdeckt hat. Es strahlte einen psychotronischen ... einen mentalen ›Ton‹ aus, der die Katzen ängstigte und wild machte, und auch auf die Menschen, die sie bewachten, die Ranger und Besatzungsmitglieder, hatte er eine ähnliche Wirkung. Und möglicherweise ist dadurch gestern auch Muon so verstört worden.«

»Elektronisches Gerät?« wiederholte Bana ausdruckslos. »Eine Maschine?«

»Richtig, eine Maschine«, bestätigte Wallis, bemühte sich um die Verwendung eines Vokabulars, das Bana verstand. »Vielleicht waren es gar nicht die Katzen, die Muon solches Entsetzen einflößten, sondern er dachte nur, es seien die Katzen. Vielleicht hat irgendwer die Maschine dort versteckt, um die Katzen scheu und wütend zu machen, und dann die Überfälle begangen, so daß es aussah, als seien es die Katzen gewesen.«

»Warum sollte jemand so etwas tun?« fragte Bana. »Wir wissen, daß es die Katzen waren, die in diesem Raumschiff töteten. Männer der Besatzung haben Fell und Katzenspuren gefunden. Muon hat in Bet-Trance Tod gesehen. Wollen Sie trotzdem sagen, es waren nicht die Katzen?«

Wallis schüttelte den Kopf. »Was Muon ›gesehen‹ hat, kann ich nicht erklären, Bana. Ich weiß auch nicht genau, was alles an Spuren gefunden worden ist. Aber jedenfalls können die Katzen *unmöglich* den Frachtraum verlassen haben. Wir haben drunten sehr viel komplizierte Ausrüstung aufgebaut, und daher wüßten wir's, wäre so etwas geschehen. Diese Maschinen lügen nicht. Außerdem sind unsere Katzen von völlig anderer Art als die Wesen, die Sie kennen und fürchten. Blaue verhalten sich womöglich anders als grüne Katzen.«

Für einen Moment senkte Bana den Kopf, dann blickte er auf und betrachtete matt wieder den Monitor. »Es kann auch sein, daß die Farbe der Katzen unwichtig ist, Doktor. Ta'ai, meine *Czina* — meine Schwester —, liegt im Sterben, und sie dort ... sie lassen mich nicht zu ihr ...«

Damit versagte ihm die Stimme, er wandte das Gesicht ab und mochte Wallis nicht mehr ansehen. Tief in Gedanken beobachtete Wallis die Vorgänge auf dem Bildschirm, die ans Lebenserhaltungssystem angeschlossene Ta'ai, die ernste Miene Dellers, der die Funktionen der Apparaturen überwachte, und Muon, der zusammengesunken neben Ta'ai kauerte und ihre Hand hielt.

»Weshalb kommen Sie nicht mit mir, Bana?« fragte Wallis, erhob sich und legte sachte eine Hand auf Banas von der Thermodecke umhüllte Schulter. »Wie gern ich auch ungeschehen machen würde, was passiert ist, ich kann's nicht ... Aber ich glaube, ich kann Sie zu Ihrer *Czina* bringen.«

Einige Minuten später stand Wallis wieder in Shannons Büro und beobachtete am Monitor erneut den OP-Nachbehandlungsraum. Deller war gegangen, doch nun saß an Ta'ais anderer Seite Bana, dessen bloße Anwesenheit anscheinend zumindest für Muon eine gewisse Stütze bedeutete — doch mit jeder Minute, die verstrich, wurden Ta'ais Lebenszeichen schwächer.

Vorerst zufrieden, da sie momentan für Bana oder Ta'ai nicht mehr tun konnte, schaltete Wallis mehrmals um, bis sie auf der Mattscheibe wieder Shannon sah. Die junge Ärztin streifte nach beendeter Autopsie gerade besudelte OP-Handschuhe und den ebenfalls verschmutzten Kittel ab, während sie Ausführungen Dellers zuhörte, der eine ernste Miene aufgesetzt hatte. Er sprach zu leise, als daß das Mikrofon erfaßt hätte, was er sagte, aber Shannon machte bei seinen Worten ein betroffenes Gesicht, und als er gegangen war, blieb sie mehrere Sekunden lang stumm und reglos stehen. Als nächstes griff sie in die Höhe und entnahm dem Kamerarecorder überm OP-Tisch eine Datenkassette, dann entfernte sie sich zur Tür. Wallis hörte, wie sich im Vorzimmer eine Tür öffnete und schloß, und schaltete, sobald sich Schritte näherten, rasch die Computerkonsole ab.

»Was tun Sie hier?« fragte Shannon lasch, als sie hereinkam und die Datenkassette auf die Konsole warf. Sie zog sich die blaue OP-Haube vom Schopf und schüttelte ihr kurzes lockiges Haar, ließ sich Wallis gegenüber in den Sessel fallen, die Lider sinken und lehnte den Nakken an die Kopflehne.

»Ich dachte, ich könnte Ihnen irgendwie helfen«, sagte Wallis und beobachtete die Jüngere aufmerksam. »Ich vermute, es war ziemlich schlimm, was? Und ich wette, Sie haben auch für solche Anforderungen zuwenig Schlaf gehabt. Wir hätten Ihnen gestern abend keine Vampirgeschichten auftischen sollen. Wie lange haben Sie denn geschlafen?«

Shannon zuckte mit den Schultern, ohne die Augen zu öffnen. »Wer weiß? Zwei Stunden? Drei? Deller hat mich kurz vor sechs Uhr in den OP gerufen. Jetzt es ist kurz vor zehn, und außer dem, was gestern vorgegangen ist, liegen schon eine umfangreiche Operation und eine Autopsie hinter mir. Und meine Arbeit ist noch nicht halb vorbei. Im Laufe des Tages wird noch eine

Autopsie erforderlich sein. Ta'ai wird nicht durchkommen.«

»Ich weiß. Ich habe mir die Freiheit genommen, den Monitor zu benutzen, während ich auf Sie wartete. Wahrscheinlich hat Deller Ihnen gesagt, daß ich ihn überredet habe, Bana hineinzulassen. Ich hoffe, Sie haben keine Einwände.«

Shannon schlug die Augen auf und sah Wallis an, dann schüttelte sie den Kopf, blieb jedoch in ihrer bequemen Haltung im Sessel liegen. »Natürlich nicht. Er hätte längst zu ihr können. Offenbar hat in dem Wirrwarr jemand vergessen, es ihm zu sagen. Wir haben ihm, als er kam, ziemlich viel Blut abgezapft, weil wir hofften, sie werde dank einiger Infusionen länger durchhalten, aber natürlich konnte der arme Kerl nur eine begrenzte Menge spenden. Sie hat's fast so schnell wieder verloren, wie's ihr zugeführt worden ist.«

»Tja, sie wird's wohl nicht mehr lange machen.« Wallis seufzte und beugte sich über den Schreibtisch, um die Anzeigen von Ta'ais Lebenserhaltungssystem projizieren zu lassen. »Verflixt, sehen Sie nur: Die Kurven werden schon flach.«

Shannon verzog das Gesicht und setzte sich weit genug nach vorn, um die Datenkassette einlegen und einen Korrelationsdurchlauf zwischen ihr und den Daten des gestrigen Tagesberichts zu veranlassen. Als sie sich zurücklehnte, um auf die Ausgabe zu warten, schaute sie Wallis erneut an.

»Ich glaube, ich eigne mich nicht zum Firmenarzt, Wallis«, sagte sie, strich sich mit der Hand über die Augen. »Wissen Sie, auf was der Kapitän mich hinzuweisen die Stirn hatte, als wir Ta'ai in den Operationssaal schafften? Daß die Ermordung eines Passagiers an Bord eines Raumschiffs der Gruening-Linie den Ruf des Unternehmens stark schädigen kann. Kein Wort über Ta'ai. Statt dessen machte er sich Sorgen um das Image der Firma.«

»Na ja, so was gehört wohl irgendwie zu seinen Aufgaben«, meinte Wallis. »Ich habe nicht das Gefühl, daß er ein hartherziger Mann ist. Vielleicht etwas starr, aber ...«

Shannon stöhnte laut auf und beugte sich vor, las die Ausgabe, die über den Bildschirm zu wandern anfing.

»Ach, ich denke mir, eigentlich sollte ich mich nicht über ihn aufregen«, sagte sie. »Behalten Sie's für sich, aber er versucht bloß noch, alles einigermaßen durchzustehen, bis er einen Posten auf einem Planeten antreten kann. Er hat sich ein Herzleiden zugezogen, das ...«

Sie unterbrach sich und seufzte, während sie fortgesetzt die Daten las, schüttelte schließlich, während sie mit einem Fingernagel auf den Bildschirm tippte, den Kopf. »Schauen Sie sich das mal an, Wallis. Sie müssen sich einfach mit den Tatsachen abfinden. Zerfetzte Kehle, Brust und Unterarme zerfleischt, fast völliger Blutverlust ... Und jedes Opfer, auch Ta'ai, hatte ein Büschel blaues Katzenhaar in den Fingern. Es wirkt fast, als hätten die Biester ihre Visitenkarte hinterlassen.«

Wallis stand auf, um den Bildschirm besser sehen zu können. »Ja, beinahe ein bißchen zu offensichtlich, meinen Sie nicht auch?«

Matt seufzte Shannon, schüttelte erneut den Kopf. »Kommen Sie, Doktor. Ich weiß, Sie wollen einfach nicht glauben, daß es die Katzen gewesen sind, aber wir haben's doch schon alles gründlich diskutiert. Die blauen Haare stammen eindeutig aus dem Fell von Lehr-Katzen. Und wer sonst könnte die Opfer so zurichten? Phillips ist glatt das Genick gebrochen worden.«

»Mir ist klar, wie's *aussieht*«, antwortete Wallis, betrachtete die Ausgabe. »Trotzdem möchte ich die bei den Opfern gefundenen Haare mit Proben aus dem Fell unserer Katzen verglichen haben.«

Ungläubig blickte Shannon sie an, dann lehnte sie sich zurück und atmete stoßartig aus, gab mit dem Zeigefinger einem Stift einen Schubs, so daß er über die Schreibtischplatte sauste.

»Sobald jemand den Laderaum betreten darf, um solche Proben zu *besorgen,* werde ich gern eine Vergleichsuntersuchung vornehmen, Doktor! Und wenn ich's getan habe, werden Sie mir dann entgegenhalten: Ja, die Opfer gehen aufs Konto einer Lehr-Katze, aber es war keins von unseren Tieren!? Ich frage mich, ob Sie schon mal darüber nachgedacht haben, wo sich in der *Walküre* eine fünfte Katze verstecken oder wie sie an Bord gelangt sein könnte.«

»Na gut, ich gebe Ihnen recht, es ist abwegig«, sagte Wallis. »Aber wenn keine logische Erklärung paßt, muß man es eben mit unlogischen versuchen.« Sie las die letzten Textzeilen, heftete anschließend wieder den Blick auf Shannon. »Soviel ich weiß, waren bei Phillips' Leiche auf dem Boden Katzenspuren zu sehen, und er hatte ein blutiges Energo-Messer in der Hand. Ist es Katzenblut?«

»Ich warte noch auf den entsprechenden Laborbericht«, entgegnete Shannon mürrisch. »Aber das ist, offen gestanden, im Moment meine geringste Sorge. Es sind fast elfhundert Passagiere an Bord dieses Schiffs, plus achthundert Besatzungsmitglieder, und jeder von ihnen wird allmählich nervös. Die Vorfälle haben sich herumgesprochen, viele Leute können nicht mehr schlafen — oder wollen's nicht mehr —, und es gab heute morgen außer den Personen, die die Opfer fanden, noch einige Augenzeugen, die die Opfer gesehen haben. Sie sind ruhiggestellt worden, und ich werde ihre Erinnerungen glätten müssen, bevor zu viele Stunden herum sind, aber ... Verdammt noch mal, Wallis, ich kann nicht die Erinnerungen sämtlicher Personen an Bord korrigieren!«

»Ich beneide Sie nicht um Ihren Job«, sagte Wallis lahm. »Gäb's mehr, das ich für Sie tun könnte, ich täte es, das wissen Sie.« Ratlos hob sie die Schultern. Shannon seufzte und zwang sich zu einem schwachen Lächeln.

»Hören Sie, ich mache Ihnen keine Vorwürfe. Ich glaube, eigentlich bin ich nicht einmal auf Ihre Katzen sauer, obwohl Sie zugeben müssen, daß alle Hinweise verdammt stark gegen sie sprechen. Gegenwärtig bin ich fast so müde und entmutigt, daß ich sogar Ihre Vampirhypothese ernstnehmen würde, könnten Sie mir einen möglichen Verdächtigen nennen.« Matt schmunzelte Shannon. »Sehen Sie, zu was ich nicht alles bereit bin, bloß um diese für mich belastende Situation zu beenden?«

»Sie sind erschöpft«, sagte Wallis und lächelte. »Sie wissen nicht, was Sie reden.«

Shannon lachte beinahe, während sie zustimmte. »Das kann man wohl sagen. Ich bin erschöpft. Meine Mitarbeiter sind auch erschöpft. Deller und mich nicht mitgerechnet, sind's nur zwanzig Leute, davon die Hälfte Sanitäter. Deller hatte Nachtdienst, er ist in noch mieserer Verfassung als ich, aber er wird wenigstens so lange weitermachen, wie Ta'ai durchhält. Leider ist es so, daß die Routineaufgaben einer Medizinischen Station nicht aussetzen, wenn eine Krise auftritt, das können Sie sich ja denken.«

»Das ist wahr. Und wenn Sie sich keine Ruhe genehmigen, so lange dazu eine Gelegenheit besteht, dann werden Sie bald *selbst* ärztliche Betreuung brauchen. Warum legen Sie sich nicht hin und schieben eine Schlafpause ein? Ich würde Sie inzwischen vertreten.«

»Danke, aber das kann ich Ihnen nicht zumuten«, sagte Shannon und gähnte; danach stand sie unsicher auf, lehnte sich gegen die Tischkante. »Ich trage die Verantwortung. Ich muß auf die Ergebnisse der Blutuntersuchung warten, und anschließend muß ...«

»Für ein paar Stündchen kann jemand *anderes* hier die Dinge regeln«, beharrte Wallis, zog die Jüngere hinter dem Schreibtisch hervor und in die Richtung der an der

Wand aufgestellten Couch. »Setzen Sie sich. Indirekt habe ich ja doch Schuld an Ihrer Lage. Also können Sie mich wenigstens helfen lassen.«

»Wallis, das geht nicht«, widersprach Shannon kraftlos. »Wirklich nicht.«

»O doch, es geht.«

Wallis bewegte eine Hand dicht vor Shannons Augen vorbei, zog damit ihre Aufmerksamkeit auf sich und schnippte mit den Fingern. »Entspannen Sie sich und lassen Sie los, Shivaun. Schauen Sie meine Hand an und denken Sie an gar nichts. Richten Sie den Blick auf das Ende meines Fingers. Indem er sich Ihrer Stirn nähert, werden Ihre Lider immer schwerer ... und wenn er Sie berührt, werden Sie *einschlafen*.«

Und als ihr Finger Shannon zwischen den Augen sacht anstieß, nahm Wallis die andere Hand von der Schulter der jungen Ärztin und legte sie auf eine Stelle genau zwischen den Schulterblättern, auf die sie Druck ausübte. Die Kombination aus Suggestion, Müdigkeit sowie Pressen eines Druckpunkts, dessen Vorhandensein Wallis vor Jahren von einem Mönch auf Tel Taurig erfahren hatte, war zuviel für Shannon, als daß sie zu widerstehen vermocht hätte. Als sie zusammensank und ihr Körper sich beim Einschlafen lockerte, bettete Wallis sie rücklings auf die Couch und breitete lose eine Thermodecke über sie.

Danach ging sie an die Computerkonsole und tippte, während sie den Zugriffscode benutzte, den Shannon verwendet hatte, eine Info-Anfrage ein. Nahezu unverzüglich wanderte die Auskunft über die Mattscheibe.

Analyseresultat der am Energo-Messer in der Hand des Opfers Phillips festgestellten Blutspuren: Homo sapiens Blutgruppe B positiv. Aufgrund der geringen Menge analysierbaren Bluts ist die Ermittlung weiterer Bestandteile noch nicht abgeschlossen.

Analyseresultat der dem Opfer Phillips entnommenen Blutprobe: Homo sapiens Blutgruppe 0 positiv. Gültig für al-

le bisher analysierten, von Pfotenabdrücken und sonstigen Blutspuren des Tatort stammenden Proben. Weitere Analyse und Vergleichsuntersuchungen sind noch nicht abgeschlossen.

»Keine Rede von Katzenblut«, murmelte Wallis zu sich selbst, richtete sich vor der Konsole auf und schaute flüchtig Shannon an, die fest schlief.

So. Allein diese Erkenntnis hatte schon hohen Wert, weil sie besagte, daß Phillips beinahe mit Gewißheit nicht von einer Katze angegriffen worden war — Blut der Gruppe B positiv am Energo-Messer schloß diese Möglichkeit fast völlig aus. Ebensowenig war es Phillips' Blut. Und *Homo-sapiens*-Blut, gleich welcher Gruppe, nahm auch die Aludraner — als Aliens — von jedem Verdacht aus; allerdings hatte Wallis ihnen ohnehin keine Anwendung derartiger physischer Gewalt zugetraut.

Die Schlußfolgerung lautete, daß Phillips' Mörder nahezu mit Sicherheit ein Mensch mit der Blutgruppe B positiv gewesen sein mußte, und weil von jeder beliebigen Anzahl Menschen nur rund zehn Prozent diese Blutgruppe hatten, beschränkte sich der Kreis eventueller Verdächtiger unter den fast zweitausend Passagieren und Mannschaftsmitgliedern der *Walküre* auf nur etwa zweihundert Personen. Falls der Computer die Ergebnisse nicht noch präzisierte — und das wirkte immer unwahrscheinlicher, je länger Ergänzungen ausblieben —, ergäbe sich noch, selbst wenn man Angehörige der Besatzung strich, eine beachtlich lange Liste von Verdächtigen.

Ungeduldig forderte Wallis eine Zustandsmeldung an, die ihr dann bestätigte, daß es dem Computer erhebliche Schwierigkeiten verursachte, von der Probe mit der Blutgruppe B positiv mehr als lediglich ein sehr allgemeines Profil zu gewinnen. Ein Teil des Problems bestand anscheinend in der geringen Menge der Probe, die von dem Energo-Messer stammte, doch zudem spielte noch ein Faktor eine Rolle: es hatte den Anschein, als ob irgendeine ungewöhnliche chemische Verbindung die sekundären Charakteristika des Bluts überdeckte.

Wallis beschloß, nicht länger in Shannons Büro abzuwarten. Nachdem sie dem Computer eingegeben hatte, zwei getrennte Listen der Passagiere und Besatzungsmitglieder anzufertigen, die wegen ihre Blugruppe als Verdächtige in Frage kamen — wie unzulänglich solche Aufstellungen auch sein mochten, berücksichtigte man die Unvollständigkeit des Profils, mit dem die medizinischen Daten verglichen werden mußten —, und sie sowohl in Shannons Büro wie auch im Aufsichtsraum des Frachtdecks auszudrucken, hinterließ Wallis für ihre Kollegin eine Notiz, die sie lesen konnte, sobald sie erwachte, und machte sich auf den Weg zum Laderaum. Sie fragte sich, wie ihre neuen Informationen sich mit Mathers Ermittlungen ergänzen würden.

Über die anfängliche Entdeckung der getöteten Lehr-Katze hinaus hatte Mather jedoch bisher äußerst wenig herausgefunden. Nachdem er die Ecke des Käfigs, in dem das tote Tier lag, vom Rest abgeteilt hatte — ein Vorgehen, das die übrigen Katzen verdroß, so daß sie erneut ein gemeinsames Geheul anstimmten —, ließ Mather die großen Scanner den Katzenkadaver auf die hervorstechendsten Körperschäden abtasten. Er vermutete aber, daß Wallis, wenn sie in allen Einzelheiten wissen wollten, was geschehen war, eine reguläre *Post-mortem*-Untersuchung würde vornehmen müssen.

Also konzentrierte er sich auf die Klärung, *wie* es dazu gekommen sein konnte; er befragte die Ranger und führte eine nochmalige Kontrolle aller Sicherheitsanlagen durch, während er auf Wallis wartete.

Doch er stieß auf keine Widersprüche. Die Bänder zeigten von dem Moment an, als am gestrigen Abend die Energo-Netze in Gebrauch genommen worden waren, bis zu dem Zeitpunkt, als Mather selbst die Desaktivierung befohlen hatte und er die tote Katze erblickt hatte, keine Funktionsunterbrechungen. Anscheinend arbeitete die gesamte Ausrüstung völlig fehlerlos, und es bot sich kein Grund zu der Annahme, daß es sich auch nur eine Sekunde lang anders verhalten hätte. Und gesonderte Befragungen sämtlicher Männer durch ihn und Perelli, den Vernehmungsspezialisten, enthüllten in den jeweiligen individuellen Schilderungen des Verlaufs der Nacht keine auffälligen Abweichungen. Dem ganzen äußeren Anschein zufolge hatte sich im Frachtraum *nichts* Besonderes ereignet.

Trotzdem lag die Lehr-Katze, der sie den Namen Rudolf gegeben hatten, im eigenen Blut tot im Winkel ihres Plaststahl-Käfigs, und ihre Artgenossen erhoben die Stimmen zu jämmerlichem Heulen, während die Menschen, die sie an Bord des Raumschiffs befördert hatten, Ursache und Umstände ihres Todes aufzuklären versuchten.

Wallis traf ihren Ehepartner an, wie er vor dem Käfig der toten Katze kauerte und mit einem aufs Knie gestützten tragbaren Scanner Messungen anstellte. Sie legte ihm beide Hände auf die Schultern, beugte sich über ihn und küßte ihn mitten auf den Kopf, betrachtete gleichzeitig die Anzeigen.

»Was wollen wir wetten, daß wenigstens einiges von dem Blut im Käfig humanoides Blut der Gruppe B positiv ist?«

»Mmmm?« Mather blinzelte und konnte sich nur unvollständig aus seinem perplexen Grübeln über die Scannerdaten lösen.

»Ja, stimmt ... Einiges ist aber A positiv. Das meiste ist allerdings Katzenblut.« Er blinzelte noch einmal, drehte sich dann weit genug um, daß er zu Wallis aufschauen konnte. »Du wirkst gar nicht überrascht. Und woher hast du gewußt, daß B positiv dabei ist?«

»An dem Energo-Messer des ermordeten Maschinisten klebt Blut der Gruppe B positiv. Dagegen fehlte je-

161

de Spur von Katzenblut. Aber mir wär's wirklich lieber, du hättest nicht auch Blut der Gruppe A positiv gefunden. Das heißt nämlich, wir haben es nicht mit nur einem Täter, sondern *zwei* Verdächtigen zu tun. Der Maschinist hatte Blutgruppe Null.«

»Wunderbar«, kommentierte Mather halblaut. »Jetzt paßt *nichts* mehr zusammen.«

»Doch, es wird schon passen, es *muß* passen«, erwiderte Wallis und kniete neben ihm nieder. »Wir haben bloß die Zusammenhänge noch nicht aufgedeckt. Soll ich hier für eine Weile übernehmen? Du siehst aus, als bräuchtest du ein paar Minuten Pause, um dich abzuregen. Danach bist du vielleicht imstande, neue Ansätze zu erkennen.«

Mit einem Brummen der Zustimmung reichte Mather den Scanner an Wallis, richtete sich steif auf und streckte die Glieder.

»Es ist einfach unbegreiflich«, sagte er. »Ich weiß, daß es *irgendeine* vernünftige Erklärung geben muß, aber ich steige verdammt noch mal nicht hinter diese Sache. Im Moment weiß ich nur eins ganz genau, nämlich daß der alte Rudolf nicht Selbstmord begangen hat. Ebensowenig hat sein Weibchen ihn zerrissen.«

Das fragliche Weibchen, die streitsüchtige Matilda, stieß ein besonders schrilles Kreischen aus, als wolle sie seine Feststellung unterstreichen.

Doch lediglich Auf- und Abzugehen, um die restlichen Katzen aus verschiedenen Blickwinkeln zu betrachten, verhalf Mather auch nicht zu der Inspiration, die er sich erhoffte. Nach kurzem stand er stumm wieder vorm Käfig des getöteten Rudolf. Wallis hatte die Seitenwand des Käfigs geöffnet, um den Kadaver genauer zu untersuchen und Proben der Blutspuren zu nehmen, und die übrigen Katzen hatten ihr Geheul — außer Matilda, die gelegentlich noch einen Klageruf von sich gab — schließlich beendet.

»Irgendwas Neues?« fragte Mather ruhig.

Zwischendurch: ▬▬▬▬▬▬▬▬▬▬▬▬▬▬▬
▬▬▬▬▬▬▬▬▬▬▬▬▬▬▬▬▬▬▬▬▬
▬▬▬▬▬▬▬▬▬▬▬▬▬▬▬▬▬▬▬▬▬
▬▬▬▬▬▬▬▬▬▬▬▬▬▬
▬▬▬▬▬▬▬▬▬▬▬▬▬▬▬▬▬▬▬▬
▬▬▬▬▬▬▬▬▬▬▬▬▬▬▬▬▬▬▬▬▬
▬▬▬▬▬▬▬▬▬ Wie kommt Mather zu der Inspiration,
die er sich erhofft? Das Auf- und Abgehen führt nicht zu dem
gewünschten Gedankenblitz ... ▬▬▬▬▬▬▬▬▬▬
▬▬▬▬▬▬▬▬▬▬▬▬▬▬▬▬▬▬▬▬▬
▬▬▬▬▬▬▬▬▬▬▬▬▬▬▬▬▬▬▬▬▬
▬▬▬▬▬▬▬▬▬▬▬▬▬▬▬▬▬
▬▬▬▬▬▬▬▬▬▬▬▬▬▬▬▬▬▬▬▬▬
▬▬▬▬▬▬▬▬▬▬▬▬▬▬▬▬▬▬▬▬▬
▬▬▬▬▬▬▬▬▬▬▬▬▬▬▬▬▬▬▬▬▬
▬▬▬▬▬▬▬▬▬▬▬▬▬▬▬▬▬▬▬▬▬
▬▬▬▬▬▬▬▬▬▬▬▬▬▬▬▬▬▬▬▬▬
▬▬▬▬▬▬▬▬▬▬▬▬▬▬
▬▬▬▬▬▬▬▬▬▬▬▬▬▬▬▬▬▬▬▬▬
▬▬▬▬▬▬▬▬▬▬▬▬▬▬▬▬▬▬▬▬▬
▬▬▬▬▬▬▬▬▬ Vielleicht sollte er einfach zwischendurch
einmal abschalten – wissen wir doch aus Erfahrung, daß man
gerade in einer kleinen Pause die besten Einfälle hat. Und was
ist entspannender als eine kleine heiße Mahlzeit? Wir empfeh-
len jetzt deshalb die ... ▬▬▬▬▬▬▬▬▬▬▬▬
▬▬▬▬▬▬▬▬▬▬▬▬▬▬▬▬▬▬▬▬▬
▬▬▬▬▬▬▬▬▬▬▬▬▬▬▬▬▬▬
▬▬▬▬▬▬▬▬▬▬▬▬▬▬▬▬▬▬▬▬▬
▬▬▬▬▬▬▬▬▬▬▬▬▬
▬▬▬▬▬▬▬▬▬▬▬▬▬▬▬▬▬▬▬▬▬
▬▬▬▬▬▬▬▬▬▬▬▬▬▬▬▬▬▬▬▬▬
▬▬▬▬▬▬▬▬▬▬▬▬▬▬▬▬▬▬▬▬▬

Zwischendurch:

Die kleine, warme Mahlzeit in der Eßterrine. Nur Deckel auf, Heißwasser drauf, umrühren, kurz ziehen lassen und genießen.

Die 5 Minuten Terrine gibt's in vielen leckeren Sorten – guten Appetit!

Wallis wandte sich ihm halb zu. »Ja, tatsächlich. Sag mal, hast du irgendwelche Unregelmäßigkeiten bei unseren Männern ermittelt?«

So bestürzt, daß ihm ein kaltes Schaudern über den Rücken jagte, kauerte sich Mather zu ihr.

»Nein. Warum? Glaubst du, es ist einer von unserer Truppe gewesen?«

»Ich hoff's nicht«, antwortete Wallis, »aber wenn unsere Sicherheitsvorkehrungen so gut sind, wie wir die ganze Zeit behaupten, müssen wir diese Möglichkeit ernsthaft in Betracht ziehen. Ich kann jedenfalls zweifelsfrei sagen, daß Rudolf nicht an den Verletzungen gestorben ist.« Sie hob ein winziges geflügeltes Nadelprojektil hoch, dessen transparentes Medikamentengefäß leer war. »Es ist das Fabrikat, das wir benutzen, Mather ... Das soll nicht heißen, niemand könnte es aus derselben Quelle wie wir beschafft haben. Dies ist das einzige Exemplar, das ich entdecken konnte, aber nach dem Quantum an Beruhigungsmittel im Blut schätze ich, Rudolf ist von fünf oder sechs Nadeln getroffen worden, bevor der Täter ihm die Wunden zugefügt hat. Er wollte kein Risiko eingehen. Rudolfs Atmung muß im Handumdrehen gelähmt worden sein, so daß er erstickt ist.«

»Also ist eine Nadelwaffe mit schwach geladenen Projektilen verwendet worden, hm? Aber bei 'nem halben Dutzend Schüsse hatte das arme Tier keine Chance.«

»Na ja, wenigstens hat er dem Täter — oder den Tätern — noch ein paar Kratzer verpaßt«, sagte Wallis. »Du hast recht, was das Blut betrifft. Im Käfig und an seinen Krallen befinden sich Spuren von Blut der Gruppen B positiv und A positiv — was die Schlußfolgerung zuläßt, daß unser Hauptverdächtiger wahrscheinlich dieselbe Person ist, die eine Verletzung durch Phillips' Messer erlitten hat. Wir müßten jeden Moment eine Liste der Personen mit Blutgruppe B positiv, die als

Verdächtige in Frage kommen, ausgedruckt erhalten.«

Mit einem Aufseufzen betrachtete Mather die drei übriggebliebenen Katzen, die zusammen auf der anderen Seite der zwischengeschobenen Abtrennung standen und ihn sehr aufmerksam beobachteten.

»Ich wünschte, ihr könntet sprechen, Freunde«, sagte Mather leise; es überraschte ihn ein wenig, sie auf einmal so still zu sehen. »Oder ... *könnt* ihr's vielleicht ... auf gewisse Weise?« fügte er einen Moment später hinzu. »Wallis, ich habe gerade eine Idee. Wäre es dir möglich, dafür zu sorgen, daß alle für ein paar Minuten den Laderaum verlassen? Und ich möchte die Energo-Netze wieder aktiviert haben. Und Perelli soll Dr. Shannon herbitten, nur für den Fall, daß mein Einfall uns mehr Ärger verursacht, als ich erwarte. Ich mache mir keine großen Hoffnungen, aber angesichts der Umstände ist's einen Versuch wert.«

Wallis' Zuversicht war noch geringer, jedoch verzichtete sie auf eine Diskussion. Nachdem sie Perelli mit dem Herbitten Shannons beauftragt hatte, ließ sie Webb die übrigen Ranger im Aufsichtsraum versammeln und die Energo-Netze einschalten. Das nicht ganz schwarze, schwärzliche Flimmern des Margall-Kraftfelds ließ alles außerhalb seiner Wirkungszone auf widerwärtige Weise verschwimmen, und Wallis zwinkerte einige Male, bis sich ihre Augen daran gewöhnt hatten, schüttelte den Kopf, als sie sich den Käfigen zuwandte. Mather hatte die seltsam ruhig gewordene Matilda bereits in das Käfigabteil neben dem toten Männchen gelockt und sie durch eine Trennwand von dem anderen Paar abgesondert, das sich anscheinend daran nicht störte. Wallis setzte über ihr den Scanner auf dem Käfigdach in Betrieb, suchte dann einen Injektor aus ihrer Arzttasche, während Mather bedächtig die Nadelpistole zog und einen Schuß auf Matilda abgab.

Als der Pfeil sie traf, fauchte und knurrte die Großkatze, leckte sich aufgeregt die getroffene Stelle; dann taumelte sie plötzlich, als wäre sie betrunken, gegen den Draht des Käfigs und starrte aus weiten Augen verdutzt heraus.

»Warte noch ein, zwei Minuten«, sagte Wallis zu Mather, las die Scanneranzeigen ab und reichte ihm den geladenen Injektor. »Sie dürfte die Injektion kaum spüren, aber es ist besser, in so einer Situation nichts zu überstürzen.«

Die Waffe wieder im Halfter, setzte Mather sich vor dem Käfig schwerfällig auf den Fußboden, beobachtete Matilda, bis sich ihre großen nachtsichtigen Pupillen zu ganz schmalen Schlitzen verengten, dem Tier die Beine einknickten und es mit schwerem Schnaufen zusammensank. Vorsichtig näherte Mather den Injektor der am nächsten befindlichen Vorderpfote der Katze, an der sie kürzeres, dünneres Fell hatte, und löste die Einsprühung aus. Matilda fauchte nochmals, doch ihr Kopf schwankte längst, und sie senkte ihn langsam auf die breiten haarigen Pfoten. Während Wallis ein neues Scanning der Katze vornahm, lud Mather den Injektor nach und knöpfte den linken Ärmel auf.

»Bist du sicher, daß du dir das zumuten willst?« fragte Wallis, richtete den Scanner auf ihn und griff nach dem Injektor, um ihn noch einmal zu checken, ehe Mather ihn sich ans Handgelenk halten konnte.

»Ich bin sicher, daß ich herausfinden will, was passiert ist«, entgegnete Mather mit einem schwachen, aber humorigen Lächeln. »Unser Pelztier hier hat ja alles mitangesehen.«

Er hob einen Arm, um kurz das blaue Fell zu streicheln, das durch die Maschen des Käfigdrahts quoll, kontrollierte dann ein letztes Mal die Dosisjustierung des Injektors, bevor er ihn an die Innenseite des Handgelenks preßte und abdrückte. Er schüttelte sich, als er die Kälte spürte, die unverzüglich von der Injektionsstelle den Arm hinaufzog, rang sich jedoch die Andeu-

167

tung eines Lächelns ab, als er den Injektor Wallis zurückgab.

»Mach dir keine Sorgen! Du weißt, daß das Medikament mir in so schwacher Dosierung nicht schaden kann. Und sollte ich andere Schwierigkeiten haben, breche ich den Versuch sofort ab, ich versprech's.«

»Sicher«, sagte Wallis gedämpft, legte für alle Fälle einen anderen Injektor bereit. »Wenn dir bloß klar ist, daß du dein Leben riskierst, um eine Katze zu schonen!«

Doch Mather achtete schon nicht mehr auf sie. Rücklings lehnte er sich so an den Käfig, daß seine Schultern mit dem Maschendraht und dem weichen blauen Fell Berührung hatten; danach streckt er einen Arm in die Richtung von Matildas Schädel, hakte zwei Finger in den Draht, damit er das Fell einer der großen Vorderpfoten fühlte. Seine Lider flatterten, sanken herab, und er stützte den Kopf ans Drahtgeflecht des Käfigs.

Nachdem Wallis bei ihm ein neues Scanning vorgenommen und sich mit an sein freies linkes Handgelenk gelegten Fingern von der Gleichmäßigkeit seines Pulsschlags überzeugt hatte, war Mather sich bereits nicht mehr seiner Umgebung bewußt. Er nahm nur das sonderbare Spiel von Licht und Schatten auf den geschlossenen Lidern wahr, das auf die Fluktuationen und das Schimmern des Margall-Kraftfelds zurückging, den keineswegs unangenehmen moschusähnlichen Katzengeruch in der Nase sowie die Weichheit des Fells unter den Fingern.

Und dann zudem die Eindrücke eines vollkommen fremdartigen Geistes.

KAPITEL 9

Dieser Kontakt unterschied sich von jedem, den Mather je zuvor versucht hatte. Lehr-Katzen waren, obwohl als Fleischfresser schlaue, listige Jäger, relativ unkomplizierte Geschöpfe. Trotz der Tatsache, daß ihre Gehirne blitzschnelle Reflexe steuern konnten, typische Raubtierinstinkte und unerhört scharfe Sinnesbeobachtungen zweckmäßig gekoppelt zu verarbeiten imstande waren, hatte man ihre geistigen Fähigkeiten immer als beschränkt eingestuft, und bei diesem Tier war außerdem das Hirn durch die Medikamente, deren Verabreichung Mather riskiert hatte, um die Katze in diesen lethargischen Zustand zu versetzen, umnebelt worden.

Zuerst lenkten diese Umstände Mather ab. Für einige Sekunden, die ihm ein Gefühl der Entmutigung bereiteten, befürchtete er, der Katzenverstand könne sich als zu fremd erweisen, seine Denkbahnen zu verwickelt sein, als daß es ihm als Menschen möglich wäre, sich in ihn einzufühlen und trotzdem die eigene Identität zu bewahren. Aber da war er plötzlich inmitten der mentalen Prozesse der großen Katze — als richtiges Denken konnte man es, zumal unter dem Einfluß der Medikamente, kaum bezeichnen —, die sich voller Furcht und Haß an das Menschenwesen erinnerte, das gekommen war und ihren Gefährten getötet hatte.

Es war eine kaltblütig begangene Tat gewesen. Mather wünschte, die Katze hätte eine besser entwickelte Fähigkeit, zwischen individuellen Menschen zu unterscheiden, denn was er erkannte, sah er nur durch ihre von Unverständnis beeinträchtigte Wahrnehmung: das Erlöschen des lästigen Flimmerns der Energo-Netze, zwei menschliche Gestalten — nicht nur eine Person —, die sich dem Käfig näherten. In der Erinnerung der Katze spürte Mather ihre Wachsamkeit, dann Überraschung und Furcht, als etwas wie eine Wolke aus der Pfote eines der Menschen zischte, während die andere Gestalt auf ihren Gefährten eines der Stechdinger verschoß, an die sie sich von ihrer Gefangennahme entsann.

Er hatte nach dem Pfeil gebissen, ihn aus seinem Fell zu zupfen versucht, aber das Medikament wirkte zu rasch — und irgend etwas hatte auch *ihr* die Kräfte geraubt. Sie hatte das Empfinden gehabt, als ob ihr die Beine nicht mehr gehorchten. Sie sah ihren Gefährten wanken, benommen hin- und hertaumeln, schließlich zusammensacken, als weitere Pfeile ihn trafen, und sie versuchte, ihn zu rufen. Er lag ausgestreckt auf der Flanke und japste, sein mit einer Quaste verzierter Schweif schlug immer schwächer umher, und hinter ihr waren auch die Jagdgenossen in völliger Hilflosigkeit niedergesunken.

Dann trat eine der menschlichen Gestalten aus der Wolke, umrundete den Käfig bis zu der Ecke, wo ihr Gefährte lag, öffnete den Maschendraht und hob etwas hoch, das im seltsamen Licht hell glänzte.

Sie versuchte, ihren scheinbar überschwer gewordenen Körper zum Gehorsam zu zwingen, sich hinzuschleppen und den abscheulichen Angreifer in Stücke zu reißen, doch sie war so schwach und zum Handeln unfähig wie ein Neugeborenes. Sie sah Metall funkeln, einen Blutstrahl aufspritzen, als das Menschenwesen ihren Gefährten, der sich tapfer wehrte, so lang er es noch konnte, unbarmherzig tötete.

Gleich darauf vermochte sie nicht einmal noch den Kopf hochzuhalten, sie spürte, wie ihr die Sinne schwanden, ihre Sicht wurde trüb, während sich die Wirkung des Medikaments vertiefte.

Als sie sich wieder rühren konnte, ruhte ihr Gefährte reglos in einer Lache eigenen geronnenen Bluts, atmete nicht einmal mehr, das weiche Fell hatte rote Streifen

und war klebrig verfilzt. Verzweifelt hatte sie ihn mit der Nase angestoßen, ihm mit der Zunge das Gesicht geleckt — aussichtlose Versuche, ihn zu wecken —, doch er blieb so still wie erlegte Beute jener Tiere, die sie gemeinsam gejagt hatten. Ihre Jagdgenossen hatten bald in ihr Jaulen des Kummers eingestimmt, und sie heulten ihre Trauer hinaus in ein taubes, gleichgültiges Universum.

Das Durchdringende dieses unverfälschten Gefühls verursachte Mather Beklemmung, aber er ertrug sie noch einige Sekunden länger, um sich alle Eindrücke deutlich einzuprägen, dann zog er sich zurück, öffnete langsam die Augen und betrachtete die Kreatur, mit der er nun Erinnerungen teilte. Die große Katze schlief, als hätte Erleichterung sie überkommen, als spendete es ihrem schlichten Gemüt ein gewisses Maß an Trost, an dem Schrecklichen nicht mehr allein zu tragen. Vielleicht hatte sie ihrerseits Mathers Empörung gespürt. Sachte strich Mather über die riesige Pfote, die unter seinen Fingern lag, drehte sich zuletzt um und sah Wallis an. Seine Frau saß geduldig da und wartete, auf ihren Lippen ein merkwürdig sprödes Lächeln.

»Du hast empathisch etwas mitgefühlt, nicht wahr?« fragte Mather leise, ließ den Kopf wieder gegen den Draht sinken. »Hast du es auch gesehen?«

»Das könnte ich nicht sagen«, antwortete Wallis gedämpft. »Aber ich habe ein wenig von dem Verlustgefühl mitempfunden. Sie paaren sich fürs Leben, oder?«

Mit einem schläfrigen Lächeln langte Mather nach Wallis' Arm und drückte ihre Handfläche an seine Lippen, hielt danach noch ihre Hand, als er sich erneut zurücklehnte.

»Leider bestätigen meine Einblicke ganz klar, daß unser verwegener Mörder nicht allein gehandelt hat«, sagte er; seine Augen starrten noch blicklos in die Weite, während er sich die von der Katze übernommenen Erinnerungen bewußter vergegenwärtigte. »Matilda hat *zwei* Personen gesehen, eine davon mit einem Messer. Wer sie auch waren, es lief so ab, daß eine die Katzen mit Gas betäubte, die andere Rudolf Nadeln in den Leib schoß und ihn dann, als er schon starb, mit dem Messer aufschlitzte. Jetzt ist es ziemlich offensichtlich, daß irgendwer keine Mühe scheut, um den Verdacht auf die Katzen abzuwälzen ... Warum, habe ich keine Ahnung.«

»Dadurch wissen wir aber noch nicht, *wie* es ihnen gelungen ist«, stellte Wallis fest. »Wenn die Katzen mit Gas betäubt worden sind, ist womöglich das gleiche mit den Rangern geschehen. He, mal langsam!« Sie kramte in ihrer Arzttasche nach einer Stimulatorkapsel, als Mather zittrig aufzustehen versuchte. »Hier, zerbrich sie unter deiner Nase und atme tief ein. Du hast das Beruhigungsmittel noch nicht ganz verwunden.«

»Ja, ist mir klar.«

Mather stützte sich am Käfig, zerdrückte die Plastikkapsel zwischen Daumen und Zeigefinger und breitete die Hand über die Nase. Das Dunstwölkchen, das er einatmete, roch enorm scharf, klärte ihm jedoch den Kopf. Er nickte Wallis zum Dank zu, als er sich vollends aufrichtete, gab ihr die leeren Reste der Kapsel. »Danke, mir ist schon wohler. Also, wo waren wir? Sie hätten vielleicht auch die Ranger mit Gas außer Gefecht gesetzt, hast du gemeint? Müßten sie sich an so was nicht entsinnen?«

Wallis schüttelte den Kopf. »Nicht unbedingt. Ich müßte einige Tests durchführen, um zu ermitteln, was gegebenenfalls verwendet wurde, aber es gibt da so einige Möglichkeiten. Bei richtigem Einsatz würden die Männer gar nicht merken, daß sie zeitweilig abgetreten waren.«

»Na, das ist ja prima«, äußerte Mather halblaut. »Wer könnte denn wissen, wie man so was macht? *Ich* weiß es nicht.«

»Nein, aber *ich*. Und leider ist es sehr wohl möglich,

daß auch einer unserer Ranger sich damit auskennt. Es ist nicht schwierig ... nur etwas sehr Spezielles.«

»Du willst sagen, es kann *wirklich* einer unserer Männer gewesen sein?«

»Man muß es befürchten. Zumindest kann der Komplize des Täters einer von ihnen gewesen sein. Es ist jedoch gleichermaßen denkbar, daß das Gas von außen in den Frachtraum geleitet worden ist. Ich würde mich jetzt nicht in Mißtrauen gegenüber unseren Leuten hineinsteigern, zumal über die Hälfte Blutgruppe A positiv hat, und wir haben sie auch.«

Mather schüttelte den Kopf und stöhnte auf, schaute ins glänzend-schwärzliche Geflimmer der Energo-Netze, das sie nach wie vor umgab. »Ließe sich nach so langer Zwischenzeit das Gas noch im Blut feststellen? Und wenn ja, wäre eine Blutuntersuchung das richtige Mittel, um sie von jedem Verdacht zu befreien, falls sie's alle im Blut hätten?«

Wallis verneinte mit einem Kopfschütteln. »Es noch festzustellen, wäre wahrscheinlich machbar, aber dummerweise dürfte der Schuldige wohl so klug gewesen sein, sich nach der Wiederinbetriebnahme der Sicherheitsanlagen selbst auch eine Dosis Gas zu verpassen. Du wirfst genau alle jene Fragen auf, mit denen ich mich auch schon befaßt habe, Mather.« Durch die Betätigung des Innenbereich-Schalters desaktivierte sie die Energo-Netze. »Ich gäbe dir gern ein paar Antworten.«

Nach dem Erlöschen des Kraftfelds sah man über der Sicherungsschleuse am Frachtraumtor das hartnäckige Blinken einer roten Lampe. Vier Ranger standen dort mit Stunnern und bewachten den Eingang.

»Nebenbei erwähnt«, sagte Wallis, »vorhin ist der Kapitän eingetroffen, und er ist wütender als ein sirianischer Sumpftobian. Willst du ihn hereinlassen?«

Mather schnob. »Besonders Lust habe ich dazu nicht, ich nehme jedoch an, mir bleibt nichts anderes übrig. Tu ich's nicht, wird er wahrscheinlich befehlen, die Tür zu

sprengen oder irgendeinen ähnlichen Blödsinn anzustellen. Gibt's sonst noch etwas, das ich wissen sollte?«

Wallis feixte. »Bestimmt mindestens ein Dutzend Sachen, aber bis jetzt weiß sie noch niemand, so daß sie
dir auch niemand sagen kann. Ich gehe ins Büro und sehe mir die Ausdrucke an, während du mit ihm sprichst.
Sollen die Energo-Netze reaktiviert werden, damit die
Katzen nichts abkriegen, falls er beim Hereinkommen
erst schießt, bevor er Fragen stellt?«

»Du machst mir *richtig* Mut«, murmelte Mather und
näherte sich der Sicherungsschleuse. Doch er gab Webb
ein Zeichen und ließ ihn das Kraftfeld tatsächlich wieder
aktivieren, ehe er Casey anwies, Lutobo Zutritt zu gestatten.

»So, nun hören Sie mal her, Seton ...!« Der Kapitän
kam als erster in den Laderaum, hatte eine Nadelpistole
umgeschnallt, die ihm auffällig an der rechten Hüfte
baumelte; sein dunkles Gesicht glich einer Maske des
Grolls und Widerwillens. Vier bewaffnete Wachmänner
folgten ihm, hielten allerdings vorsichtig die Hände von
den Waffen fern, nachdem sie die Stunner der Ranger
bemerkt hatten. Als letzte traten Perelli und Shannon
ein; die junge Ärztin wirkte, als hätte die böse Laune
des Kapitäns sie mehr als nur ein wenig eingeschüchtert. Unverzüglich entschied Mather, daß in diesem Fall
die beste Verteidigung aus einem kühnen Vorstoß bestand.

»Seton, ich verlange einige klare Auskünfte, und
zwar *sofort* ...!« begann Lutobo.

»Ja, Kapitän, das kann ich gut verstehen«, unterbrach
Mather ihn gewandt. »Aber ehe ich Ihnen welche ertei-
le, möchte ich erfahren, was Ihre Rücksprache mit den
Imperiumsbehörden ergeben hat. Darf ich davon ausgehen, daß unsere jeweiligen Positionen und Zuständig-
keiten zu Ihrer Zufriedenheit geklärt worden sind?«

Lutobos Miene erhärtete sich bei Mathers Worten
noch mehr, doch er verkniff sich die Entgegnung, die

ihm auf der Zunge lag, rang sichtlich um Beherrschung, um seine Erbitterung zu mäßigen.

»Kommodore Seton, selbst wenn Sie ein Verwandter des Imperators wären, änderte das nichts an meiner Verantwortung für den Schutz des Lebens der Passagiere und der Besatzung, die man mir anvertraut hat. Wenn Sie zu den präventiven Maßnahmen, die ich als erforderlich erachte, um ihre Sicherheit zu gewährleisten, Ihre Einwilligung verweigern und keine gangbaren Alternativen vorschlagen, nötigen Sie mich fast dazu, den direkten Weisungen Ihrer Vorgesetzten zuwiderzuhandeln.«

»Solange uns erlaubt ist, unsere Untersuchungen fortzusetzen, und die Katzen keinen Schaden erleiden, habe ich nichts gegen irgendwelche sinnvollen Maßnahmen, die Sie veranlassen möchten, Kapitän«, sagte Mather in aller Ruhe.

»Untersuchung?« schnauzte Lutobo. »Sie meinen, es wäre noch eine Frage, was hier vorgefallen ist?«

»Und was *ist* hier vorgefallen, Kapitän?« hakte Mather ein. »Denn falls *Sie* es wissen, würde ich's gern von Ihnen hören?«

»Na, das ... Um Himmels willen, Seton, drei Personen sind umgekommen!«

»Drei?« wiederholte Wallis, die das Aufsichtsbüro verlassen hatte und herüberkam. »Also ist Ta'ai ...?«

»Sie ist vor einer halben Stunde gestorben«, antwortete Shannon, ergriff zum erstenmal das Wort. »Wir konnten nichts mehr für sie tun.«

»Sehen Sie?« rief Lutobo vorwurfsvoll. »Drei Tote, Seton. Wo soll das noch enden?«

»Es wird überhaupt nicht enden, bevor wir damit aufhören, die Schuld den Katzen zuzumessen, und über andere Möglichkeiten nachdenken, Kapitän«, sagte Mather. »Inzwischen hat es den Anschein — darauf haben wir deutliche Hinweise —, daß sich unter unseren Augen ein schwerwiegendes Komplott abspielt. Werfen Sie

176

doch einmal einen Blick auf den Kadaver der getöteten Katze!«

Er winkte Webb, und der Ranger desaktivierte die Energo-Netze, doch Lutobo würdigte die Käfige, die sichtbar wurden, nur geringer Beachtung.

»Wenigstens hat der arme Phillips der Bestie noch ein paar tüchtige Stiche verpaßt, ehe sie ihn zerrissen hat«, brummte der Kapitän. »Sein Energo-Messer soll voller Blut gewesen sein.«

Mather schüttelte den Kopf. »Es kann sein, daß Phillips seinem Angreifer Stichwunden beigebracht hat, Kapitän, aber bei diesem Angreifer hat es sich nicht um eine Lehr-Katze gehandelt. Das Blut war von humanoidem Typ, Blutgruppe B positiv.«

»Was?«

»Am Tatort ließ sich keinerlei Katzenblut entdecken«, erklärte Mather weiter. »Das Haarbüschel in seiner anderen Hand ist das *einzige* Verdachtsmoment, das auf unsere Katzen verweist — und jeder kann es dort hingetan haben.«

»Und was ist mit den Pfotenabdrücken?«

»Dafür weiß ich noch keine Erklärung, aber das Blut, in dem sie hinterlassen worden sind, stammte hauptsächlich von dem Maschinisten, nur ein paar Tropfen hatten dieselbe Blutgruppe wie das Blut am Messer, nämlich B positiv.«

»Aber ... wenn jemand anderes als eine Lehr-Katze Phillips umgebracht hat, wie erklären Sie dann die getötete Katze?« fragte Lutobo erstaunt.

»Wären Sie so nett, mich meine Ausführungen beenden zu lassen, Kapitän? Ich habe gesagt, am Tatort, wo Phillips ermordet wurde, fand sich kein Katzenblut. Außerdem ist das Blut, das wir hier bei der toten Katze und an ihr gefunden haben, soweit es nicht ihres ist, humanoiden Typs. Größtenteils hat es dieselbe Blutgruppe wie das Blut an dem Energo-Messer.«

Lutobos Kinn sackte ein Stück weit herunter, jedoch

gelang es ihm seine Entgeisterung weitgehend zu verheimlichen. »Sie wollen sagen, jemand habe Phillips so ermordet, daß es nach dem Überfall einer Lehr-Katze aussieht, und anschließend auch die Katze getötet?«

»Allmählich macht es genau diesen Eindruck«, bestätigte Mather. »Jemand mit Blutgruppe B positiv, die relativ selten ist.«

»Na, und wissen Sie, wer es gewesen ist?«

Erneut reagierte Mather mit einem Kopfschütteln. »Noch nicht, Kapitän, aber wir können Ihnen schon mehrere Leute nennen, deren Blut es *nicht* ist. Es ist nicht Phillips' Blut, nicht Ta'ais oder eines anderen Alien.«

»Wessen dann? Und wie ist es gemacht worden? Und *warum?*«

Nochmals schüttelte Mather den Kopf. »›Wie‹, darüber wissen wir bis jetzt erst wenig. Soweit wir uns die Sache zusammenreimen können, hat derjenige, von dem Phillips ermordet worden ist, aufgrund der dabei selbst erlittenen Verletzungen die Notwendigkeit erkannt, noch deutlicher vorzutäuschen, die Katzen seien für die Todesfälle verantwortlich, um von sich abzulenken. Bisher wage ich nicht einmal darüber zu spekulieren, welche Motive er hat, und noch weniger über die Frage, weshalb er gerade auf eine solche Weise vorgeht ... Aber damit sind wir schon bei tiefergehenden Aspekten der Angelegenheit. Auf jeden Fall lief es so ab, daß er an den Rangern vorbei in den Frachtraum gelangte — wir glauben, er hat sie mit Gas ausgeschaltet, obwohl auch noch unklar ist, wie er *das* geschafft haben könnte, aber wir versuchen's aufzuklären —, die Observationsgeräte frisierte, dann die Katzen mit Gas betäubte und einer von ihnen mit einer Nadelwaffe tödliche Treffer beibrachte.«

Lutobo blickte an Mather vorbei den blutigen Kadaver an und runzelte die Stirn. »Ich dachte, die Katze sei erstochen worden.«

»Schon, allerdings erst, als sie von zu vielen Nadeln bereits so gut wie tot war. Unser furchtloser Mörder stieg zu der halbtoten Lehr-Katze in den Käfig und stach sie ab, um dem ganzen Vorkommnis den Anschein zu verleihen, es habe sich so ereignet, wie Sie es ja auch angenommen haben. Nur handelte er zu voreilig, weil die Katze noch nicht so wehrlos war, wie er glaubte. Folglich läßt sich nun im Käfig und an den Krallen der Katze humanoides Blut finden. Tatsächlich konnten wir sogar Blut mit zwei verschiedenen Blutgruppen feststellen, dessen Herkunft wir nicht kennen, also muß der Täter einen Komplizen gehabt haben.«

»*Zwei* Beteiligte«, sagte Lutobo halblaut. »Das ist ja unglaublich. Aber *wer?*«

»Das zu ermitteln, dürfte gar nicht so schwierig sein«, sagte Wallis. »Der Mörder und sein Komplize, wer sie auch sind, müssen von ihrer Aktion ein paar Krallenwunden zurückbehalten haben. Der Mann mit der Blutgruppe B positiv wird ferner eine oder mehrere Verletzungen durch das Energo-Messer aufweisen, die schwer zu verstecken sind. Dr. Shannon, es hat heute nicht zufällig jemand die Medizinische Station aufgesucht, um Kratzwunden, Stiche oder Schnitte behandeln zu lassen, oder?«

»Nicht daß ich wüßte«, antwortete Shannon. »In Anbetracht dessen, was passiert ist, hätten meine Mitarbeiter mich bestimmt informiert. Aber ich habe die von Ihnen angeforderte Liste der Passagiere und Mannschaftsmitglieder mit Blutgruppe B positiv durchgesehen. Schließen wir einmal die Besatzungsmitglieder und Kinder aus — und die Frauen, weil wir wissen, daß der Täter männlich gewesen sein muß —, bleiben rund vierzig Namen übrig.«

Sie holte ein ausgedrucktes Verzeichnis aus ihrem Overall und reichte sie Wallis, bevor sie weiterredete. »Außerdem habe ich etwas Auffälliges bemerkt, während ich den Kreis der Verdächtigen noch stärker einzugrenzen versuchte. Ich wollte das ja nur ganz allgemeine Blutprofil um präzisere Daten ergänzen. Dabei bin ich darauf gestoßen, daß der Täter irgendein Medikament nimmt, das die Feststellung der sekundären Blutfaktoren erschwert.«

»Aber welches«, fragte Wallis, »wissen Sie nicht?«

Shannon schüttelte den Kopf. »Unseren Dateien zufolge nimmt niemand auf der Liste etwas, das diese Wirkung haben könnte. Ich habe die medizinischen Daten sämtlicher an Bord befindlicher Menschen dahingehend überprüft.«

»Tja, und was *bedeutet* das?« fragte Lutobo.

»Es heißt«, sagte Wallis, während sie ihre Liste mit Shannons Aufstellung zu vergleichen anfing, »daß eine der hier verzeichneten Personen gegenwärtig eine derartige Substanz im Blutkreislauf hat — also können wir im schlimmsten Fall, um einmal das ungünstigste Szenario anzuführen, ganz einfach allen Blutproben entnehmen, bis wir den mutmaßlichen Mörder finden.«

»Den *mutmaßlichen* Mörder?« wiederholte Lutobo leise. »Hätten wir dann keinen unwiderleglichen Beweis?«

»Nein, weil es möglich ist, daß mehr als eine Person so ein Medikament verwendet. Dagegen *wäre* es ein eindeutiger Beweis, hätte ein Verdächtiger wenigstens eine Messerverletzung und wahrscheinlich mehrere Krallenwunden. Er wird sich damit sehr vorsichtig verhalten müssen. Vielleicht sind die Kratzwunden, weil die Lehr-Katzen ja nun einmal sind, was sie sind, sogar entzündet. Der Komplize mit der Blutgruppe A positiv wird auch ein, zwei Kratzer abbekommen haben, dürfte jedoch weniger leicht ausfindig zu machen sein, denn nach der Menge an Blut der Gruppe A positiv zu urteilen, die gefunden worden ist, ist er wohl nicht allzuschwer verletzt worden.«

Während Wallis' Darlegungen war das Gesicht des Kapitäns aus Mißtrauen starr und hart wie Stein geworden, und nun schaute er von ihr hinüber zu Mather und dann zu Shannon, heftete den Blick zum Schluß wieder auf Mather; er furchte die Stirn, als ein Ranger Wallis einen neuen Computerausdruck brachte. »Seton, wenn das irgendein hinterhältiges Täuschungsmanöver oder eine Verzögerungstaktik ist ...«

»Welchen *Grund* sollte ich denn haben, um Sie zu täuschen oder eine Aufklärung der Vorgänge zu verzögern, Kapitän?« hielt Mather ihm entgegen, während er die Fäuste in die Hüften stemmte. »Gewiß sind die Katzen für uns sehr wichtig. Sie haben mit unseren Vorgesetzten Rücksprache genommen und kennen den Umfang unserer Vollmachten, also können Sie ermessen, welchen Wert die Katzen für die Imperiumsregierung verkörpern. Aber sollten Sie auch nur einen Moment lang glauben, ich würde an Bord dieses Raumschiffs vorsätzlich das Leben unschuldiger Leute gefährden, nur um meinen Auftrag erfolgreich auszuführen, dann erliegen Sie einem schweren Irrtum.«

»Na schön, und wie gedenken Sie jetzt weiter zu verfahren?« erkundigte sich Lutobo, den die neue Entwicklung der Ereignisse überrascht hatte.

Wallis, die unterdessen mit Shannon die eben erhaltene Liste durchgelesen hatte, wölbte die Brauen, während sie zu Lutobo aufblickte. »Tatsächlich haben Dr. Shannon und ich erst gestern jeweils mit einem Mann auf jeder dieser Listen gesprochen, Kapitän. Beide besitzen über Lehr-Katzen gewisse Kenntnisse, also ist ein Zusammenhang mit den Vorfällen nicht auszuschließen. Das macht sie nicht zwangsläufig verdächtiger als die übrigen Personen auf diesen Listen, aber zumindest bietet sich ein Ansatzpunkt.«

»Wer sind die Männer?«

»Vander Torrell, der Historiker, der vorgestern beim Abendessen an Ihrem Tisch saß«, antwortete Wallis, »und ein Mann namens Reynal, der uns auf B-Gem beim Aufspüren der Katzen geholfen hat.«

»Wer hätte gedacht, daß Torrell Blut der guten alten

Gruppe A positiv hat?« murmelte Shannon. »Wenn man ihn reden hört, könnte man meinen, es sei blau. Da haben wir ja doch etwas gemeinsam.«

Argwöhnisch musterte Lutobo sie. »Sie stehen also auch auf der Liste, Doktor.«

»Genau wie ich und Mather«, sagte Wallis dazwischen, »und ein gutes Drittel der gesamten menschlichen Bevölkerung. Trotzdem, Torrell zählt auf alle Fälle zu den Hauptverdächtigen, obwohl ich vermute, daß der Täter mit der Blutgruppe B positiv von beiden der gefährlichere Verbrecher ist. Ich hätte für den Anfang gern sowohl von Torrell wie Reynal Blutproben, um sie auf dieses sonderbare Medikament zu untersuchen, und um nachzuprüfen, ob einer von ihnen irgendwelche Verletzungen hat, für deren Vorhandensein es keine harmlose Erklärung gibt. Falls die Resultate negativ ausfallen, beschäftigen wir uns der Reihe nach mit den übrigen Leuten, die auf den Listen stehen.«

»Na, ich kann veranlassen, daß Dr. Shannon sie zur Blutentnahme in die Medizinische Station bestellt, wenn's sein muß«, sagte Lutobo.

»Sicher, aber wenn Sie nichts dagegen haben, möchte ich's lieber selber tun«, erwiderte Wallis. »Ich habe in solchen Prozeduren mehr Erfahrung als Dr. Shannon. Ich werde zwei Ranger mitnehmen. Dann werden wir, falls einer der Männer der Mörder ist, schon mit ihm fertig. Selbstverständlich können auch Sie gern mitkommen, Kapitän.«

Lutobo erweckte den Eindruck, als habe er unverändert Bedenken und Zweifel, doch schließlich schnob er unterdrückt und verschränkte entschlossen die Arme. »Nun gut, wir wollen's zunächst einmal so versuchen, wie Sie's als richtig ansehen, Doktor. Aber lassen Sie sich gesagt sein, daß Sie mich noch längst nicht völlig überzeugt haben.« Er zeigte auf Mather. »Ich traue Ihren Katzen noch immer nicht über den Weg — und deshalb wünsche ich, daß hier einige meiner Wachmänner

Posten beziehen, im Laderaum, während ich Dr. Hamilton begleite.«

In versöhnlicher Gebärde breitete Mather die Hände aus. »Solange sie außerhalb der Energo-Abschirmung bleiben, so wie meine Männer auch, erachte ich das als vertretbar, Kapitän. Ich werde mitgehen, sobald ich ein paar letzte Vorkehrungen getroffen habe.«

»Wie Sie wollen«, meinte der Kapitän halblaut. »Aber ich sage Ihnen, falls sich herausstellt, daß die Katzen auf irgendeine Weise darin verwickelt sind ...«

»Kapitän ...«

Mather schaute, während er gereizt aufstöhnte, Wallis und Shannon an, danach die Katzen, zuletzt erneut Lutobo, dann zückte er forsch die Nadelpistole und stapfte zu den Katzenkäfigen und hielt die Waffe in Hüfthöhe. Das Weibchen, dessen Männchen getötet worden war, schlief noch; das zweite Paar hockte ruhig da und blickte ihm, als er sich näherte, mißtrauisch entgegen, das Männchen stieß zur Warnung das eine oder andere gedämpfte Knurren aus.

Mehrere Sekunden lang musterte Mather das Paar, entsann sich an den Preis, den das Einfangen der Großkatzen bereits gekostet hatte, ehe sie an Bord der *Walküre* gebracht worden waren, an die auf der Jagd verletzten und verstümmelten Träger, die beiden auf B-Gem umgekommenen Ranger. Dann senkte er den Blick versonnen auf die Waffe in seiner Hand, hob sie und schoß jedem der Tiere sorgfältig eine Nadel in die Flanke. Die Katzen wirkten verdutzt; das Weibchen begann an der Stelle, wo der Pfeil stak, im Fell herumzubeißen. Beide gerieten ins Torkeln und sackten endlich auf den Käfigboden. Mather hörte, wie hinter ihm jemand gedämpft aufseufzte.

Mather schob die Waffe ins Halfter, streckte den Arm in die Höhe und schaltete über den zwei benommenen Katzen die Scanner ein. Er hörte, wie hinter seinem Rücken die übrigen Anwesenden näher traten, während er beobachtete, wie die Daten eine Stabilisierung der körperlichen Verfassung bei beiden Tieren anzeigten und sie in schweren Schlaf sanken. Wallis berührte seinen Arm, als er sich wieder dem Kapitän zudrehte.

»Würden Sie behaupten, daß die Katzen jetzt noch immer zu irgendwelchen absichtlichen Handlungen fähig wären, Kapitän?« fragte Mather.

Lutobos dunkle Augen streiften kurz die Katzen, dann richtete er den Blick zurück in Mathers Gesicht. »Sie sind wirklich der Überzeugung, daß sie schuldlos sind, was?« meinte der Kapitän brummig. »So sehr überzeugt, daß Sie sie in Gefahr bringen, um zu sichern, daß auch kein weiterer Verdacht auf sie fallen kann.«

»Letzten Endes geht es uns doch um Menschenleben, oder nicht, Kapitän?«

Voller Unbehagen blickte Lutobo umher, sah Shannon und Wallis an, die in der Nähe standen — Wallis mit Exemplaren der Listen in der Hand —, Mather und dessen Ranger, die eigenen Wachmänner; und zu guter Letzt faltete er auf dem Rücken die Hände und schaukelte in paarmal auf den Fußballen.

»Na gut, Dr. Hamilton, ich wüßte es zu schätzen, wenn Sie mir bei Ihrem Vorgehen wenigstens den Schein gönnen, als hätte ich das Kommando, aber ansonsten greife ich natürlich gern auf Ihre ärztlichen und anderweitigen Erfahrungen zurück. Und ich werde dafür sorgen, daß Sie alle erforderliche Unterstützung erhalten. Dr. Shannon, ich glaube, Sie gehen jetzt am besten wieder in die Medizinische Station. Das Schiff ist voller Passagiere, die Anspruch auf ärztliche Betreuung haben.«

»Ja, Kapitän.«

»Courtenay, Sie kommen bitte mit uns«, sagte Lutobo zu seinem Sicherheitschef.

»Jawohl, Sir.«

»Nimm von den Rangern Wing und Casey mit«, sagte

Mather zu Wallis, weil er sich überlegt hatte, daß bei einer zweiköpfigen Eskorte der zweite Mann, falls einer der Ranger der andere Täter war und er zu den Genannten zählte, ihn umbringen könnte, wenn sich die Situation zuspitzte und sich ein Zusammenstoß oder ähnliches ergab. »Sobald ich hier fertig bin, komme ich nach, und wir treffen uns in Reynals Kabine. Und geh' keine überflüssigen Risiken ein.«

»Keine Sorge!« antwortete Wallis mit einem Lachen.

Als sie und ihre Begleiter den Personallift erreichten, lachte Wallis nicht mehr. Und als der Lift auf Deck Vier hielt, eine Etage über dem Deck, in dem Reynals Kabine lag, machte die Reaktion des Pärchens, das vor der Lifttür wartete, sie darauf aufmerksam, welch bedrohlichen Eindruck ihre Gruppe — sie und ihre zwei Ranger, dazu Lutobo und Courtenay — erregen mußte. Das Pärchen verzichtete aufs Zusteigen, und Wallis konnte es ihm kaum verübeln. In dem Moment, als die Tür sich wieder schließen wollte, sprang Wallis zum Kontrollbrett, hieb auf die Öffnungstaste und zwängte sich zwischen den Türflügeln, kaum daß sie weit genug offen waren, zum Lift hinaus.

»Ich habe Torrell gesehen«, sagte sie leise über die Schulter, als sie sich vorbeugte, um nach rechts zu spähen, und im nächsten Augenblick deutete sie auf eine hochgewachsene Gestalt, die sich entfernte. »Dort ist er. Da er gerade hier ist, wollen wir uns ihn zuerst vorknöpfen.«

Casey schaute den Kapitän an, der nickte, und lief Torrell nach, Courtenay und Wing folgten. Torrell wirkte überrascht und leicht verärgert, als sie, Wallis und der Kapitän ihn anhielten.

»Ist etwas nicht in Ordnung, Kapitän?« erkundigte sich Torrell. Sein Blick bezeugte kühle Abschätzigkeit, während er die Gruppe musterte.

»Ich hoffe nicht, Mr. Torrell.«

»*Doktor* Torrell . . .«

»Na schön, *Doktor* Torrell«, sagte Lutobo. »Ein paar Meter weiter im Korridor befindet sich ein Dienstzimmer für Stewards, wo wir ungestört sprechen können. Ich möchte Sie bitten, uns hinzubegleiten und uns einige Fragen zu beantworten.«

Torrell wollte Einspruch erheben, doch plötzlich bemerkte er, daß an seinen Seiten Courtenay und zwei Ranger standen und Passagiere, die sich in der Nähe aufhielten, das Geschehen mit wachsender Neugier beobachteten. Niemand faßte ihn an, aber die unausgesprochene Drohung war deswegen nicht weniger real. »Also gut«, sagte Torrell knapp und ließ sich zum Eingang der Räumlichkeit führen, ohne Schwierigkeiten zu machen. Lutobo warf einen Blick in den Raum, fand ihn leer vor, trat beiseite und winkte die anderen hinein. Kaum hatte sich die Tür hinter ihnen geschlossen, wandte Torrell sich an Lutobo.

»Darf ich davon ausgehen, daß Sie mir erläutern wollen, was das alles soll, Kapitän?«

»Wir betreiben eine Untersuchung, Dr. Torrell. Ziehen Sie doch bitte Ihr Jackett und das Hemd aus!«

»Wie bitte?«

Als Torrell merkte, daß Lutobo es ernst meinte, brach er in eine Schimpfkanonade aus. »Ich denke überhaupt nicht daran! Was soll denn das bedeuten? Willkürjustiz?« Seine Erregung steigerte sich noch mehr, als er sah, wie Wallis aus ihrer Arzttasche ein Instrument holte. »Ich warne Sie, Dr. Hamilton!« fuhr er sie an. »Wenn Sie glauben, Sie könnten mir irgendeine Droge einspritzen und damit durchkommen, irren Sie sich gehörig! Sie haben kein Recht zu . . .«

»Als Kapitän dieses Raumschiffs bin ich zu allem berechtigt, Torrell«, unterbrach der Kapitän ihn gelassen, »aber wir werden Ihnen keine Droge verabreichen, es sei denn, es ließe sich nicht vermeiden, um es Dr. Hamilton zu ermöglichen, Ihnen eine Blutprobe zu entnehmen. Also, wollen Sie uns unnötige Umstände bereiten, oder nicht?«

Torrell wirkte, als sei er ernsthaft dazu entschlossen, Gegenwehr zu leisten, doch ehe der den Mund öffnen konnte, um seine Absicht bekanntzugeben, räusperte sich Casey, der schräg rechts hinter ihm stand, und nahm statt seiner bisherigen lockeren Haltung zackig eine markige Bereitschaftshaltung ein. Geräusch und Bewegung bremsten Torrell. Er drehte sich um und betrachtete Casey, der noch abwartete, sehr aufmerksamen Blicks, drehte sich weiter und sah Wing und Courtenay an, die ihn jetzt in die Mitte nahmen, heftete den Blick am Ende, nun verunsichert und unverkennbar eingeschüchtert, wieder auf Lutobo.

»Kapitän, es dürfte für Sie empfehlenswert sein, dafür außerordentlich gute Gründe zu haben«, sagte Torrell verstimmt, knöpfte sich Jacke und Hemd auf und begann beides gleichzeitig abzustreifen.

Bevor er die erste Hand aus den Ärmeln ziehen konnte, packten Casey und Wing ihn energisch an den von Hemd und Jackett umwickelten Armen und hielten ihn fest, bis Wallis ihm die Blutprobe abgezapft hatte. Torrell wurde ein wenig blaß, während sie diese Aufgabe erledigte, doch anscheinend empfand er es als kaum ratsam, mit einer Kanüle im Arm zu stark herumzuzappeln oder zu lebhaft zu protestieren. Seine Fassung kehrte jedoch zurück, sobald die Männer ihn freigaben, sein Gesicht bekam wieder Farbe, während er die Jacke vollends ablegte und sich mit dem Ausziehen des Hemds beschäftigte. Wallis schlußfolgerte aus seinem Benehmen, als sie die Blutprobe in ihrer Arzttasche verstaute, daß Torrell wahrscheinlich *nicht* der Mörder war; für den gegenteiligen Fall hatte sie einen Injektor mit einem hochwirksamen Betäubungsmittel bereit, denn in der Enge des Zimmers war vielleicht nicht die richtige Gelegenheit zur Verwendung von Nadelpistolen gegeben.

»Ich hoffe, es macht Ihnen Spaß, Doktor«, sagte Torrell sarkastisch, zog erst eine Hand aus dem Ärmel und widmete danach seine Aufmerksamkeit dem anderen Ärmel. »Normalerweise sind keine Zuschauer dabei, wenn ich mich vor einer Frau entkleide. Oder vielleicht ist es der *Kapitän*, der daran Spaß findet!« Er riß sich das Hemd herunter und schleuderte es nach Lutobo, dann stemmte er die Fäuste in die Hüften und starrte den Kapitän mit herausforderndem Blick an. »Sind Sie zufrieden, Kapitän? Ich werde Sie für diese Unverschämtheit persönlich belangen. Sie kommen mir nicht davon, das sollte Ihnen klar sein.«

Ruhig gab Lutobo das Kleidungsstück Courtenay zur Verwahrung. »Weder Drohungen noch Beleidigungen erleichtern die Sache, Dr. Torrell«, entgegnete Lutobo. »Tun Sie einfach, was Ihnen gesagt wird. Drehen Sie sich bitte um.«

»Natürlich, Kapitän. Was Sie wünschen, wird getan, Sir.« Torrell drehte sich mehrmals um die eigene Achse, vollführte dabei spöttisch verschiedenerlei Posen und nahm etliche Posituren ein. Wallis besah sich genau seinen Oberkörper und die Arme, während er seine Mätzchen darbot, doch außer einigen offensichtlich alten und ganz minimalen Narben — und mehreren Reihen paralleler Kratzspuren auf dem Rücken, die allerdings von einer weit menschenähnlicheren Katze als den Tieren, die sich im Frachtraum befanden, stammen mußten — wies er nirgends Anzeichen irgendwelcher Verletzungen auf.

»Offenbar ist er unschuldig, Kapitän«, sagte Wallis leise, ließ den Verschluß der Arzttasche über dem Injektor zuschnappen. »Ich glaube, wir brauchen ihn uns nicht länger anzusehen.«

Lutobo winkte, als er nickte, Courtenay zu, und der Sicherheitschef händigte Torrell das Hemd aus. Der Historiker schenkte dem Kapitän einen Blick, in dem nahezu Abscheu stand, als er es sich überstreifte.

»Was, keine vollständige Hautuntersuchung, Lutobo?« meinte Torrell mit hämischem Grienen, zog sich das Hemd auf dem Brustkorb zu und glättete die Manschetten. »Das wird Sie Ihre Stellung kosten. Sie werden mich kennenlernen! Ich habe die Absicht, eine Klage anzustrengen, und ich werde es tun, sobald wir Tersel erreichen, darauf dürfen Sie Ihre Pension verwetten. Wollen Sie mir noch immer nicht zur Rechtfertigung dieser skandalösen Mißhandlung mitteilen, worauf Sie es eigentlich abgesehen haben?«

Lutobo blieb unbeeindruckt. »Ich entschuldige mich für die Belästigung und die von Ihnen erlittenen Unannehmlichkeiten, Dr. Torrell. Wir haben Anlaß zu der Vermutung, daß jemand mit Ihrer Blutgruppe am heutigen frühen Morgen von einer Lehr-Katze verletzt worden ist, während er das Tier getötet hat. Wenn meine Verfahrensweise etwas überstürzt wirkt, dann nur aus dem Grund, weil innerhalb der vergangenen sechsunddreißig Stunden an Bord dieses Schiffs drei Personen ermordet worden sind.«

»Und Sie dachten, *ich* könnte diese Morde verübt haben?«

»Wir haben gedacht, Sie könnten ein Komplize sein«, sagte Wallis. »Sie haben die passende Blutgruppe.«

Torrell zerrte Courtenay das Jackett aus der Hand und klemmte es sich zusammengeknüllt unter den Arm, ehe er die Tür aufriß. »Wir sehen uns vor Gericht, Doktor! Und Sie sehe ich dort auch wieder, Kapitän! Sie *alle!*«

Als er in den Korridor hinausstampfte, seufzte Wallis und schaute Lutobo versonnen an. »Wissen Sie, Sie hätten ihn von mir betäuben lassen sollen, Kapitän«, sagte sie. »Ich hatte einen Injektor griffbereit. Und anschließend hätten wir ihn Shannon überstellen und eine blitzsaubere Gedächtniskorrektor durchführen lassen können. Ich will nicht behaupten, das sei etwas vollkommen Legales, aber Mather und ich hätten Ihnen jeden Rückhalt gegeben.«

Lutobo schnob, rang sich fast ein Lächeln ab.

»Sie werden mir ohnehin jeden erdenklichen Rückhalt zu gewähren haben, Doktor. Ist Ihnen das nicht klar? Alle rechtlichen Konsequenzen, die sich aus dieser Untersuchung ergeben, werden auf Sie beide zurückfallen. Ihre Beziehungen zu höchsten imperialen Kreisen müssen ja wohl zu noch mehr gut sein als nur zum Schikanieren eines zivilen Raumschiffkapitäns.«

»Das sind sie auch«, antwortete Wallis, unterdrückte selbst ein Lächeln. »Glauben Sie mir, sie sind's.«

Unterdessen beschlich, während Wallis und der Kapitän sich besprachen, nur ein Deck tiefer einer der Mörder sein nächstes Opfer. Hartnäckig hatte er mit schrecklichem Vorsatz auf Deck Vier in den Schatten nahe dem Eingang zum Sportzentrum auf das Auftauchen einer geeigneten Person gelauert. Der nicht ganz planmäßig verlaufene Überfall auf Phillips hatte ihn geschwächt; auch die Verletzungen, die er beim Töten der Lehr-Katze davongetragen hatte, beeinträchtigten seine Konstitution. Doch es hatte nicht allzulange gedauert, bis zwei ideale Opfer aufkreuzten; zwei Jungen, die sich unterhielten, und lachten und kaum darauf achteten, wohin sie gingen, und noch weniger, wer oder was sich in ihrer Nähe zeigte.

Sie kannten keine Wachsamkeit. Sie waren Kinder, der größere Junge war nicht älter als neun Standardjahre, und keiner von beiden hatte gelernt, die unauffälligen Anzeichen zu deuten, die darauf hinwiesen, als *Beute* belauert zu werden. Sie bemerkten die Gestalt zu spät, die sich aus einem Seitengang auf sie stürzte.

Als der Angreifer in einem Wirbeln blauen Fells, mit goldenen Augen, die in den schattendunklen Falten eines Kapuzenmantels von fanatischem Willen leuchteten, ihnen in den Weg sprang, war es fast zu spät, und als Hände zugriffen, beide Jungen packten, war es zu spät — die Fäuste ergriffen den jüngeren am Arm und den älteren am Hals, und schon die bloße Berührung

190

lähmte jede bewußte Bewegungsfähigkeit, trübte ihnen die Sinne, umnebelte ihren Verstand. Endgültig war es zu spät, als der Mörder das ältere Opfer gnadenlos in seine verhängnisvolle Umarmung zog, mit rauher, mißtönender Stimme fremdartige Worte raunte, bevor er spitze Zähne in die nach oben gewandte, schutzlose Kehle des Jungen bohrte.

Der jüngere blieb selbst zum Versuch, dem Angreifer zu entfliehen, völlig außerstande, denn schon die Berührung der Hand, die ihn festhielt, raubte ihm jede Willenskraft und das gesamte Reaktionsvermögen. Er schlotterte nur im Griff der Faust vor sich hin, während er mitansehen mußte, wie sein Freund immer bleicher wurde und schließlich starb, und er konnte nicht einmal zurückschrecken, als der Mörder den Leblosen auf den Teppichboden fallen ließ und sich ihm zudrehte, um ihn in die gleiche tödliche Umarmung zu nehmen.

Nur ein paar Korridore weiter stand Dr. Shivaun Shannon in der Nähe des Lifts und versuchte ein Trio vollkommen überdrehter Passagiere zu beruhigen. Der Mann war vor Aufregung käsig im Gesicht, die zwei Frauen schwadronierten fast unverständlich durcheinander und behaupteten, sie würden bestimmt noch alle in ihren Betten ermordet werden, ehe das Sternenschiff den nächsten Raumhafen erreichte.

Höflich hörte Shannon zu, äußerte diverse ermutigende Beteuerungen und gab jedem der drei eine Tranquilizerpille. Gerade hatte sie sich wieder auf den Weg zu ihrem Büro gemacht, da gellte der schrille Schrei einer Frau durch die Gänge.

»Was war das?« fragte ein Passagier und keuchte auf.

»Entschuldigung!« stieß Shannon halblaut hervor und rannte in die Richtung, woher der Schrei ertönt war, doch ein Steward und ein Wachmann trafen vor ihr am Schauplatz des neuen Zwischenfalls ein. Der Wachmann erhaschte sogar einen Blick auf den vermutlichen Täter, als der Flüchtende gerade um die entfernte Ecke des Wandelgangs bog. Während der Steward ein Erste-Hilfe-Team rief und versuchte, den jungen Opfern und einer hysterischen Frau, die anscheinend den Schrei ausgestoßen hatte, Beistand zu leisten, nahm der Sicherheitsmitarbeiter sofort die Verfolgung auf, schlitterte einer geduckten Gestalt in dunklem Mantel in die Arme, kam verwirrt zum Stehen.

Als die Erscheinung den Mann packte, paralysierte ihre Berührung den Mann augenblicklich, er fiel auf die Knie, sein Kopf hing über die Stiefel der Gestalt hinab. Durch den Schmerz, der ihn durchschoß, bemerkte der Wachmann nur undeutlich, wie sich die Person über ihn beugte, doch er brachte weder den Willen auf, um den Kopf zu heben und hinzuschauen, noch die Kraft.

»Du hast niemanden gesehen«, flüsterte eine Stimme ihm ins linke Ohr. »Verstehst du mich?«

»Ich ... ich ...«, vermochte der Wachmann lediglich zu stottern. Er spürte, wie der Unbekannte ihm in den Nacken atmete und roch in seinem Atem Blutdunst.

»Du wirst dich an diese Begegnung nicht erinnern«, flüsterte die Stimme weiter. »Du bist gestolpert und gefallen, und was du verfolgt hast, ist dir entkommen. Du entsinnst dich nicht daran, was du gesehen hast.«

Etwas Kaltes berührte seitlich den Hals des Wachmanns, kurz fühlte er es an seinem Plusschlag, dann breitete sich mit einem scharfen Stich von dieser Stelle Gluthitze aus, erfüllte schnell seinen ganzen Schädel mit solchem Schmerz, daß er das Bewußtsein verlor. Als er wieder zu sich kam, dröhnten rings um ihn und überall im Korridor Schritte, und irgendwer blieb stehen, um ihn zu fragen, ob es ihm gut gehe. Benommen raffte er sich auf, fragte sich, worüber er wohl so unglücklich gefallen sein mochte, daß er vom Aufprall fast ohnmächtig geworden wäre, und kehrte zum Ursprungsort des Durcheinanders zurück, das rundum herrschte.

Als der Wachmann dort eintraf, kauerten Shannon und ein Steward gebückt bei einem Jungen von sieben oder acht Jahren, der hysterisch vor sich hinschluchzte. Ein im Gesicht aschfahler Passagier hatte seine Jacke über den reglosen Körper eines etwas älteren Kindes gebreitet, und ein anderer Mann bemühte sich, die tränenüberströmte Frau zu trösten, die das Opfer entdeckt hatte. Zwei weitere Sicherheitsmitarbeiter fanden sich ein, versuchten die Umgebung von sensationslüsternen Gaffern zu räumen. Deller kam in Begleitung eines Medtechs mit einem Rettungskoffer, widmete der Leiche unter dem Jackett nur einen kurzen Blick und wies den Medtech an, sich um die übrigen in Mitleidenschaft gezogenen Fluggäste zu kümmern. Er hockte sich neben Shannon und begann, einen Scanner an dem hysterischen Kind in ihren Armen entlangzubewegen.

»Es grenzt an ein Wunder, aber ich glaube, er ist mit dem Schrecken davongekommen«, sagte Shannon leise, versuchte mit einer Hand in ihrer Arzttasche zu kramen, während sie mit dem anderen Arm das Kind an sich gedrückt hielt und es behutsam schaukelte. »Wir geben ihm 'n halben Kubikzentimeter Suainol, ja? So, schon gut, mein Kleiner, gleich geht's dir wieder besser. Du bist jetzt in Sicherheit. Niemand wird dir was antun. Nur die Ruhe, Liebchen. Es ist vorbei.«

Der Junge zuckte nicht einmal zusammen, als Deller ihm das Medikament injizierte; dank Shannons Beschwichtigungen und der leichten Dosis des Beruhigungsmittels ließ sein Schluchzen allmählich nach, und er brachte wieder verständlichere Worte hervor.

»Der B-b-bulim hat Laije g-g-gebissen ...!« stammelte der Junge, es schauderte ihn, als ihn erneut Furcht zu überwältigen drohte. »Ich hab's gesehn! Er hat Laije in 'n Hals gebissen, und 's hat geblutet, und ich konnte nichts tun!«

»Der *Bulim?*« wiederholte Shannon.

»Ein Bulim!« kreischte das Kind. »Ein Bulim! Er hat Laije was getan! Laije hat geblutet, und dann hat er sich nicht mehr bewegt!«

Das letzte Wort erstickte in Schluckauf und einem Hustenanfall, und Shannon wechselte mit Deller einen sorgenvollen Blick, während sie das Kind fester in die Arme schloß.

»Was ist ein Bulim?« fragte Deller gedämpft.

Shannon hob die Schultern und schenkte ihre Aufmerksamkeit erneut dem Kind. »Schon gut, mein Junge, es ist gut, er wird dich nicht kriegen, keine Bange. Erinnere dich mal daran, was war, bevor du den Bulim gesehen hast. Im Moment denke mal nicht an den Bulim. Erzähl mir, was passiert ist. Was habt ihr gemacht?«

»L-laije und ich ha-haben im Sportzentrum A-antigrav-Ball gespielt«, antwortete der Junge, der sich in dem Maße beruhigte, wie das Medikament nachhaltiger wirkte. »Dann sind wir gegangen, wir ... wir liefen einfach durch den Flur ... und auf ei-einmal überfiel uns der Bu-bulim, ich konnte nicht wegrennen, und Laije auch nicht. Er hatte Laije am Hals gefaßt. Und er hat ... hat ...«

»Wie sah der Bulim aus?« fragte Shannon, blickte flüchtig zur Seite, als sich ein Wachmann niederkniete, um zuzuhören. »Er kann dich jetzt nicht mehr kriegen, Junge. Versuche dich an sein Aussehen zu erinnern.«

Das Kind schluckte, seine Stimme wurde leiser. »Er war groß und schwarz ...«

»Wie groß?« fragte Shannon. »Größer als ich?«

Aus tränenfeuchten Augen schaute der Junge zu ihr auf, bevor er nickte. »G-größer. Und er hatte große schwarze Flügel ... glaube ich ... Unter den Flügeln war er blau ... und ... als er mich anfaßte, tat's weh, und ... und ... ich konnte nichts tun, und auch Laije nicht. Und dann ... und dann ...«

»Weiter. Was ist dann passiert?«

»Dann hat er Laije gebissen! Er hatte große gelbe Zähne, und als er aufhörte, hatte er Blut am Mund ... und Laije bewegte sich nicht mehr!«

»Und hatte er so was auch mit dir vor?« fragte Shannon.

Das Kind gähnte und nickte dösig, seine Antworten klangen nun gleichgültig. »Hm-hmm. Der Bulim hielt mich fest, er wollte mich auch beißen. Ich habe die Zähne gesehen, und Laijes Blut ... Aber dann ist er abgehauen.«

»Er ist abgehauen«, wiederholte Shannon verwundert. »Erst wollte er dich beißen, und dann ist er geflohen?«

Der Junge brachte mit Mühe ein schläfriges Nicken zustande. »Genau wie Laije«, nuschelte er. »Nur ... hat er's nicht. Ich glaube ...«

»Was glaubst du?« drängte Shannon ihn zu einer Antwort, als er einzuschlafen begann.

»Ich glaub' ... er hat sich ... gefürchtet ...«

»Gefürchtet?« murmelte Shannon. Nur Deller und der Wachmann hörten es. »Was halten Sie davon, Deller?«

Deller schüttelte den Kopf. »Das ist ja eine phantastische Geschichte. Sind Sie der Meinung, es ist alles wahr?«

»Na ja, er hält's jedenfalls für die Wahrheit.« Das eingeschlafene Kind in den Armen, als hätte sie davon so viel Trost wie der Junge, verkniff Shannon die Augen, als ob sie sich an etwas zu entsinnen versuchte. »Deller, haben Sie eine Ahnung, was ein Bulim ist?«

Wieder schüttelte Deller den Kopf. »Tut mir leid, Shivaun. Aber der Junge ist ein Al Kaffan. Ich habe mir seinen Id-Anhänger angeschaut, während Sie ihm Fragen gestellt haben. Was er geredet hat, klang wie irgend etwas aus einem Märchen. Vielleicht bringen bei den Al Kaffan die Eltern ihre Kinder mit dem Hinweis auf Bulims zum Gruseln, wenn sie nicht artig sind.«

»Ich werde in dieser Hinsicht nachforschen«, sagte Shannon. »Schaffen Sie unterdessen unseren jungen Freund zu einer gründlichen Untersuchung in die Station. Machen Sie seine Eltern ausfindig und bitten Sie sie in mein Büro. Das gleiche gilt für die Eltern des toten Jungen. Ich muß ...«

Während sie ihre Anweisungen erteilte, wollte sie den schlafenden Jungen in Dellers Arme übergeben, doch als sie ihn anhob, verstummte sie mitten im Satz, verharrte inmitten der Bewegung, betrachtete betroffen ein Stück einer Kette aus hellem harten Metall, das ihr am Hals des Jungen auf die Hand gerutscht war; an der Kette hing ein mit Juwelen verziertes Identifikationsschildchen, und Shannon hatte auf einmal den mit einem Gefühl der Gewißheit vermischten Verdacht, daß weder das Schild noch die Kette aus Stahl oder einem anderen unedlen Metall bestand. Plötzlich fing alles einen Sinn zu ergeben an — jedenfalls gewissermaßen.

»Silber!« stieß sie im Flüsterton hervor, als sie den Jungen Dellers Obhut überließ, ehe sie sich erhob und aufmachte, um Mather Seton aufzusuchen.

Kapitel 10

S ilber. Wider Willen erinnerte Shannon sich ständig
an das, was sie über Silber und Vampire gelesen
hatte, und daran, was ihr von Seton und Wallis zu diesem Thema erzählt worden war, doch sie mochte Deller
nichts von ihrem Verdacht verraten, weil sie sich sorgte,
er könnte sie auslachen. Nachdem sie die Kette mit dem
juwelenbesetzten Id-Schildchen vom Hals des Jungen
entfernt hatte — wenigstens war darauf kein Kreuz zu
sehen —, murmelte sie eine vage Ausrede, die ungefähr
besagte, sie hätte vor, die medizinischen Daten des
überlebenden Opfers zu sichten, und eilte zum nächst-
besten Lift, so schnell es ging, ohne Aufsehen zu erregen. Sie drückte die Taste und wartete, zappelig vor Ungeduld, während das Anzeigelicht langsam auf Deck
Vier zuwanderte.

Die ganze Sache war völlig unglaubhaft, zu lächerlich, als daß eine ausgebildete Wissenschaftlerin im
Ernst über sie nachdenken dürfte. Sie wußte, daß Dinge
nicht immer so beschaffen waren, wie sie auf den ersten
Blick wirkten, daß Hinweise fehlinterpretiert werden
konnten, doch zu übersehen vermochte sie nicht, was
sich allem Anschein nach ereignet hatte. Und demnach
hatte wohl die Silberkette in ihrer Hand den Angreifer
verscheucht. Das beruhte womöglich auf Zufall, jedoch
verbanden alle Überlieferungen Silber immer mit der
Abwehr böser Wesen — unter anderem auch Vampiren.

Sicherlich konnte es so etwas wie *wirkliche* Vampire
nicht geben, und erst recht nicht an Bord eines hochmodernen Sternenschiffs wie der *Walküre*. Selbst falls welche existieren sollten, war es eine lachhafte Annahme,
solche Kreaturen ließen sich durch Gegenstände ab-

schrecken, wie sie zu diesem Zweck der Aberglaube empfahl, Kreuze, Knoblauch ... und Silber.

Silber. Die Kette schien in Shannons Handfläche zu brennen, je länger sie über alles nachdachte, und sie wechselte sie nervös wiederholt von einer in die andere Hand, während sie auf den Lift wartete.

Aber wenn es nicht die silberne Kette gewesen war, was hatte dann den kleinen Nikkos Vedarras gerettet? So lautete der Name, der auf dem Id-Umhänger stand. Warum lagen hinter ihr im Korridor nicht *zwei* blasse blutige Leichen, sondern hatte es nur einen Toten gegeben? War es möglich, daß sich *wahrhaftig* ein vampirähnliches Lebewesen an Bord des Raumschiffs befand — mit Blut der Gruppe B positiv und seltsamen Faktoren — und daß es *tatsächlich* vor Silber Furcht empfand?

Der Lift war noch immer nicht da — anscheinend hing er auf Deck Drei fest —, und in zunehmender Verärgerung schob Shannon ihren Korrekturschlüssel in den dafür bestimmten Schlitz. Sofort setzte sich der Lift in Bewegung; gleich darauf öffnete sich die Tür und gab den Blick auf mehrere verdutzte Passagiere frei.

»Entschuldigen Sie, meine Damen und Herren, es liegt ein medizinischer Notfall vor«, sagte Shannon, als sie einstieg, die Taste des Frachtdecks betätigte und auch dieser Funktion, ohne auf verhaltenes Gemurmel des Protests hinter ihrem Rücken zu achten, mit dem Korrekturschlüssel Vorrang verlieh.

Sie hatte beschlossen, sich zuerst an Seton zu wenden. Sie war sich noch unsicher, was man mit den neuen Feststellungen anfangen könnte oder sollte, aber sie war der Überzeugung, Mather Seton würde es wissen. Außerdem befragten Kapitän Lutobo und Wallis Hamilton gegenwärtig etwaige Tatverdächtige. Wenn sie den Mörder nun entlarvten und selbst von ihm angegriffen wurden? Sie ahnten nichts von der Möglichkeit, sich mit Silber zu schützen — falls das wirklich eine Waffe gegen das Wesen war, das sie suchten. Und wenn er oder es

genug körperliche Kräfte besaß, um die Leiber seiner Opfer so zuzurichten, wie man sie in einigen Fällen aufgefunden hatte ...

Kaum daß der Lift anhielt und die Tür sich öffnete, sprang sie zwischen den Türflügeln hinaus, lief zum Tor des Frachtraums, in dem die Katzen untergebracht waren, und preßte die Hand auf den Id-Scanner. Als das Tor sich teilte, zwängte sie sich sofort hindurch — und geriet für einen Augenblick atemberaubenden Schreckens in ein Fang-Kraftfeld. Jemand schaltete es ab, fast bevor sie die volle Wirkung spürte, aber es hatte ihr den Atem verschlagen, und sie torkelte, als der Ranger mit Namen Peterson sie am Ellbogen stützte.

»Kommodore Seton! Wo sind der Kapitän und Ihre Frau?«

Mather, der sich gerade im Aufsichtsbüro mit einem der Sicherheitsmänner des Raumschiffs unterhielt, blickte auf, und als er Shannons Gesichtsausdruck sah, erhob er sich von seinem Sitzplatz.

»Was ist passiert?«

»Ein neuer Mord und ein Mordversuch, zwei Decks höher.« Shannon beugte sich über ein Computerterminal und tippte die KomNetz-Taste. »KomNetz, hier Shannon. Bitte finden Sie mir schleunigst den Kapitän. Vielleicht ist er auf Deck Zwei. Es liegt ein Notfall vor.« Sie wandte sich an den Sicherheitsbeauftragten, winkte gleichzeitig Mather ein wenig beiseite. »Smitty, bleiben Sie bitte am Apparat, bis er gefunden worden ist, ja?«

Als der Mann zur Zustimmung nickte, zog Shannon den Kommodore weiter zur Seite, von der Computerkonsole fort.

»Sie haben etwas entdeckt«, mutmaßte Mather, wölbte die Brauen, als Shannon seine Hand nahm und ihm einen mit Juwelen besetzten Identifikations-Umhänger an einem verschlungenen Kettchen von warmem Silberglanz in die Handfläche legte. »Was ist das?«

Shannon holte tief Luft und atmete hörbar aus. »Ich glaube, es ist Silber.«

»Und?«

»Wagen Sie nicht zu lachen. Diesmal sind zwei Kinder die Opfer. Das überlebende Kind hat diesen Anhänger um den Hals getragen. Ich halte das Material für Silber, und ich bin der Ansicht, das war es, was es gerettet hat.«

Mathers Miene blieb unverändert, doch seine Hand schloß sich kurz um die Kette und das Schildchen, ehe er versuchsweise mit dem Daumennagel an einem Kettenglied kratzte.

»Es *sieht aus* wie Silber«, sagte er tonlos, »aber um sicher zu sein, müßte ein Test gemacht werden. Haben Sie eine Beschreibung des Mörders erhalten?«

»Der Junge hat ihn als Bulim bezeichnet, was das auch sein mag«, antwortete Shannon. »Smitty, ist der Kapitän noch nicht gefunden worden?«

Der Sicherheitsdienstler tippte eine Anzahl Tasten und schüttelte den Kopf. »Auf das Standardsignal antwortet er nicht, Doktor. Er muß in irgendeiner Kabine sein.«

»Hat er keinen Taschenkommunikator dabei?« fragte Mather.

»Damit habe ich's auch schon versucht, Kommodore. Entweder hat er ihn abgeschaltet oder irgendwo vergessen, oder das Gerät wird in einer Räumlichkeit irgendwie abgeschirmt. Viele Passagiere bestehen ja auf zusätzlichen Schutzmaßnahmen und Garantien ihrer Privatsphäre, und bei Kabinen mit künstlicher Umgebung, wie die Aliens unter unseren Passagieren sie bewohnen, tritt die gleiche Wirkung auf. Aber ich könnte den Standort des Kapitäns einzugrenzen versuchen, bei ausreichend guter Begründung dürfen die Schutzeinrichtungen per Korrektursteuerung neutralisiert werden.«

»Wir haben gute Gründe, glauben Sie mir«, sagte Mather, wog Kette und Anhänger in der Hand. »Versuchen Sie's zuerst mit Lorcas Reynals Kabine, und wenn das zu nichts führt, gehen Sie die Liste der übrigen Passagiere mit der Blutgruppe B positiv durch.«

»Ja, Sir.«

Smitty machte sich an die Arbeit, und Mather wandte sich wieder an Shannon.

»Sie haben einen Bulim erwähnt. Wissen Sie, was das ist?«

Shannon schüttelte den Kopf.

»*Bulim* ist ein Slangausdruck der Al Kaffan.« Mather besah das Id-Schild genauer. »Ja, das dachte ich mir. Der kleine Nikkos ist ein Al Kaffan. Das gehört zu den sonderbaren Parallelen, über die ich letztens gesprochen habe. Ganz allgemein betrachtet, hat der *Bulim* Ähnlichkeit mit dem alten irdischen ›Buhmann‹, aber hat bei den Al Kaffan spezifische Wurzeln im Mythenkreis um den *abul-aienim*, was heißt: *nächtlicher Bluttrinker*.«

»Mit anderen Worten«, sagte Shannon matt, »ein Vampir.«

»Wenn Sie so wollen ...«

Mather drehte sich gerade dem Sicherheitsbeauftragten zu, da schaute der Mann auf.

»Er ist in keiner der Kabinen, Kommodore ...«

»Nicht?«

»Ich meine, er ist eindeutig in keiner außer vielleicht einer, bei der ich's nicht feststellen kann. Das ist Nummer neununddreißig auf Deck Zwo. Dort tritt irgendeine Art von Stör ...«

»Neununddreißig ist Reynals Kabine!« rief Shannon, indem sie nach Luft schnappte.

»Störungen?« fragte Mather den Sicherheitsmitarbeiter, beugte sich vor und schaute dem Mann über die Schulter, adjustierte eine Kontrollfunktion. »Was meinen Sie: Sie können's nicht feststellen?«

Der Mann gab ein paar Befehle ein, dann deutete er mit dem Finger auf ein kleines grünes Kontrollicht.

»Sehen Sie das Lämpchen? Es zeigt Kabine zweiund-

202

zwanzig auf Deck Eins an, das Quartier eines Mr. Carrington. Grün heißt, es ist niemand da. Gelb hieße, Mr. Carrington wäre anwesend. Wäre der Kapitän dort, würde das Lämpchen rot leuchten, weil er es ist, den wir suchen. Aber wenn ich auf Kabine neununddreißig, Deck Zwo, umschalte ...« Er tippte eine Reihe anderer Tasten, und das Lämpchen erlosch. »... dann erscheint überhaupt keine Meldung. Eine Fehlfunktion in den Schaltkreisen ist es nicht, das habe ich schon gecheckt. Doktor, könnte es sein, daß in Kabine neununddreißig irgendein Typ von speziellem Lebenserhaltungssystem installiert ist, das ich nicht kenne?«

»Ja, das kann sein«, sagte Shannon, schnippte mit den Fingern, als sie sich erinnerte. »Er hat für die Kabine eine Luftsterilisations-Klimaanlage und eine Antimikroben-Kraftfeldabschirmung geordert. Ich glaube, er trägt auch einen Individual-Antimikrobenschirm. Jeder davon kommt als Störungsquelle für die Lokalisationssignale in Frage.«

»Wäre es möglich, trotzdem ein Signal durchzubringen?« erkundigte sich Mather.

Smitty schüttelte den Kopf. »Leider nicht, Kommodore. Nicht ohne hinzugehen und die Geräte, die die Störung verursachen, anders zu justieren.«

»Egal.« Mather winkte einen der Ranger heran. »Rufen Sie die Männer zusammen, Perelli. Einer von ihnen ... äh ... Fredericks soll bei den Katzen bleiben, der Rest beeilt sich mit Ihnen hinauf zu Kabine neununddreißig auf Deck Zwo. Warten Sie dort auf uns. Nehmen Sie unterwegs so viele Wachmänner mit, wie Ihnen über den Weg laufen. Rüsten Sie sich mit Stunnern und Nadelwaffen aus. Tun Sie, was Sie für nötig halten, falls irgendwas geschieht, bevor wir eintreffen, andernfalls halten Sie sich nur in Bereitschaft. Noch Fragen?«

»Nein, Sir.«

»Dr. Shannon und ich machen einen Umweg und gehen zwischendurch in die Medizinische Station. Ich will mich davon überzeugen, daß das Silber ist.« Seine Hand schwang das Kettchen. »Und ich möchte einige Sachen haben. Ich hoffe, Doktor, Ihr Reagenzienschrank ist gut sortiert, ich glaube nämlich, ich weiß, wie wir unserem Vampir das Handwerk legen können.«

Auf Deck Zwei befanden sich Wallis, Lutobo, Courtenay und die beiden Ranger bereits in Kabine 39, nachdem sie, weil alles Läuten und Klopfen nichts nutzten, mit Courtenays Hauptschlüssel die Tür geöffnet hatten. In der Kabine war es düster, besonders nachdem sie die Tür von innen geschlossen hatten, und sie warteten alle fünf still unmittelbar hinter der Schwelle, bis Wing die Beleuchtung hochdimmte. Wallis' Medscanner hatte bereits abgeklärt, daß sich Reynal nicht in seiner Unterkunft aufhielt.

»Wo er wohl steckt?« fragte Wallis, blickte sich in der Kabine um, die nur recht dürftige Anzeichen der Benutzung zeigte. Abgesehen von einer Karaffe und einem Glas auf einem Tische neben einem Sessel und einigen persönlichen Utensilien hinter den milchigen Plastiktüren eines Wandschränkchens in der Toilette wirkte die Räumlichkeit, als sei sie unbewohnt. Die Augen des Kapitäns folgten Wallis' Blick. Lutobo schnob.

»Wenn er derjenige *ist*, der an alldem die Schuld trägt, womit wir uns abplagen müssen, wage ich gar nicht daran zu denken, wo er sich herumtreiben könnte«, bemerkte er halblaut, wies Courtenay mit einer Geste an, am Türmonitor auf eine etwaige Rückkehr Reynals zu achten. »Was für ein *Typ* Mensch ist dieser Reynal überhaupt?«

Mit einer Gebärde des Widerwillens deutete er in der freudlosen Kabine rundum, rückte mit dem Fuß einen Stuhl gerade; währenddessen schob Wallis den Medscanner in ihre Arzttasche zurück und trat zielstrebig vor die Fächer eines Einbauschranks, zog eine Schublade heraus und wühlte im Inhalt.

»Er kommt schlecht mit anderen Menschen aus, Kapitän«, gab sie zur Antwort. »Sein eigentliches Fachgebiet ist Archäologie, für ihn ein Glück, weil Archäologen hauptsächlich mit Toten und alten Gegenständen zu tun haben. Aber er kennt sich auch mit Tieren aus. Er war der beste Führer, den wir auf B-Gem für die Jagd auf die Lehr-Katzen finden konnten. Wing ist einigermaßen gut mit ihm gestanden, nicht wahr, Wing? Zumindest hat er mit Ihnen wahrscheinlich nie absichtlich Streit angefangen.«

Wing öffnete eine Schranktür und sah oberflächlich die wenigen Kleidungsstücke durch, die darin hingen. »Wir haben uns 'n paarmal unterhalten«, sagte er. »Ich glaube, er ist eher Anthropologe als Archäologe. Zu Hause gilt er als so was wie 'n verehrungswürdiger Bewahrer des überlieferten Volkswissens. Er hat mir einige faszinierende Geschichten über die Zeit vor Il Nuadis Wiederentdeckung erzählt. Zeitalter des Lichts sagen sie dazu. Er behauptet, als das Imperium Il Nuadi wiederfand und es der allgemeinen Entwicklung der menschlichen Zivilisation neu einzugliedern anfing, hätte es Finsternis und Vergessen beschert, genau wie früher die ursprünglichen Siedler. Er sagt, seine Rasse sei im Aussterben begriffen.«

»Was meint er damit, ›seine Rasse?‹« fragte Wallis, klappte das letzte der inzwischen von ihr durchsuchten Fächer zu und begann in der Tischschublade zu kramen. »Die heutigen Bewohner Il Nuadis entstammen menschlichem Erbgut. In den vierhundert Jahren der Isolation mag sich der genetische Pool ein bißchen gewandelt haben, aber sie sind nach wie vor dazu imstande, mit sämtlichen anderen Völkern des Imperiums, die menschlichen Ursprungs sind, Nachkommen zu zeugen, und das ist ja immerhin das maßgebliche Kriterium für die Zugehörigkeit zu einer Spezies.«

»Ich weiß bloß, was er mir gesagt hat«, äußerte Wing mit einem Achselzucken. »Er behauptet, sein Volk habe sich im Zeitalter des Lichts verändert, es habe angefangen gehabt, ›gottgleich‹ zu werden ... Ja, ich glaube, das war das Wort, das er benutzt hat. Er sagt, es hätte so werden sollen, daß es irgendwie die Nachfolge der untergegangenen einheimischen Rasse angetreten hätte. Reynal ist der Ansicht, daß ...«

»Reynal ist ein sehr kranker Mann«, unterbrach Wallis ihn, faltete ein zusammengelegtes Stück Stoff auseinander und fand darin ein flaches Behältnis mit Schiebedeckel, das Dutzende kleiner Ampullen mit einer klaren strohgelben Flüssigkeit enthielt. Neben dem Behälter lagen zwei Injektoren und ein dazugehöriges Reinigungsset. Wallis nahm eine der kleinen Ampullen heraus und drehte behutsam das Etikett ans Licht.

»Reparanol«, las sie laut. »Das ist ein Medikament zum Unterbinden von Gewebeabstoßung, es ist im schlimmsten Fall das letzte Mittel.« Sie schaute den Kapitän und Wing an. »Zu dem, was *ich* über seine medizinische Vergangenheit weiß, paßt's allerdings nicht. Entweder ist er nur ein Hypochonder oder hat wirklich ein ernstes gesundheitliches Problem ... Er hat ständig Furcht vor irgendwelchen Ansteckungen gehabt ... Aber bei sowieso verminderter Immunität nimmt man nicht so ein Medikament, es würde sie eher herabsetzen. Ich überlege, ob es auch die sekundären Blutfaktoren überdecken könnte ...«

Während ihre Stimme mit nachdenklichem Klang herabsank, nahm Lutobo ebenfalls eine Ampulle in die Hand, betrachtete sie. »Ist Reparanol teuer, Doktor? Ich meine, ist es schwer erhältlich, oder so was?«

»Sie meinen, er könnte damit Schmuggel betreiben?« fragte Wallis. »Daran habe ich meine Zweifel. Ein billiges Medikament ist es nicht, aber wer's wirklich benötigt, kann es ohne weiteres erhalten, sogar auf B-Gem. Es *steht* unter mittelmäßig strenger Kontrolle — man braucht das Rezept eines Spezialisten, um es zu kaufen —, aber ich kann mir nicht vorstellen, wieso jemand es schmuggeln sollte. Außerdem legt das Vorhandensein der Injektoren die Annahme nahe, daß es zum Eigenverbrauch bestimmt ist.«

Mit einem Aufseufzen tat Lutobo die Ampulle zurück ins Behältnis und begann die Schublade gründlicher zu durchsuchen. »Na schön, dann ist er eben krank. Und er hat irgendeinen Grund, weshalb er in seinen medizinischen Daten darüber keine genauen Angaben haben will. Das ist sein gutes Recht, würde ich sagen, wenn er dazu bereit ist, die damit verbundenen Risiken zu tragen, aber ... Oha! Was ist denn das?«

Während er einen Stapel Raumschiff-Briefpapier hervorzog, deutete Lutobo auf mehrere miniaturisierte Energiezellen, nicht größer als ein Daumennagel, dann riß er die Schublade vollends heraus und kippte den Inhalt auf die Koje. Ganz hinten in der Schublade hatte ein halbes Dutzend Schachteln mit Schwachdosis-Nadelwaffenprojektilen gelegen, die Schachtel zu zwanzig Stück. Eine Schachtel war fast leer.

»Und keine Pistole«, sagte Wallis erregt, nachdem sie den gesamten Inhalt der Schublade geordnet ausgebreitet hatten. »Diese Pfeile sind vom selben Produzenten wie das Projektil, das ich im Fell der toten Katze gefunden habe.«

»Dann ist Reynal der Mörder«, äußerte Lutobo gedämpft.

»Jedenfalls sieht's so aus.«

Lutobo schüttelte den Kopf. »Ich muß gestehen, beinahe *wünsche* ich mir, die Katzen wären doch an allem schuld, Doktor«, sagte er im Ton leichter Verlegenheit. »Ich bezweifle, daß Lehr-Katzen nur halb so hinterlistig wie das Tier sind, das im Menschen steckt. Wir müssen wohl davon ausgehen, daß Reynal die Waffe bei sich hat, oder?«

»Leider ja, Kapitän.«

»Dann lassen wir am besten gleich nach ihm fahnden«, sagte Lutobo und strebte zur Tür, wo Courtenay noch

Wache hielt. »Und Ihnen, Dr. Hamilton, schulde ich ja wohl ...«

»Äh-ähm, Kapitän, wir brauchen nicht nach ihm zu fahnden«, sagte plötzlich Courtenay, straffte sich beim Anblick dessen, was er am Türmonitor sah. »Er ist eben um die Ecke gebogen und kommt in diese Richtung, und es sind sechs oder acht andere Passagiere in der Nähe. Wollen Sie einen Schußwechsel im Korridor riskieren, oder sollen wir ihn uns vielleicht hier drin kaschen?«

»Verstecken Sie sich und lassen Sie ihn reinkommen«, empfahl Wing, ergriff die Initiative, bevor Lutobo antworten konnte, gab mit schon gezückter Nadelpistole den Umstehenden durch einen Wink zu verstehen, daß sie sich beeilen sollten. »Kapitän, gehen Sie hinterm Bett in Deckung. Casey, duck dich hinter den Sessel! Courtenay, dimmen Sie das Licht runter und verziehen Sie sich mit Dr. Hamilton in die Dusche. Schnell!«

Die Zivilisten gehorchten unverzüglich, sie erkannten sofort, daß Wing dank seiner speziellen Ausbildung der bessere Mann war, um die Situation zu bewältigen, und auch Casey ordnete sich gleich unter. Während der junge Rangerleutnant sich, die Nadelpistole bereit, in einen engen Wandschrank zwängte, dessen Tür schloß, der Kapitän sich an der Rückseite der Koje auf den Fußboden warf, den verräterischen Inhalt der Schublade zu sich herunterfegte und ebenfalls die Waffe zückte, Casey sich, die Nadelwaffe in der Faust, hinter den Sessel hockte, zog Wallis, nachdem Courtenay die Beleuchtung gedämpft hatte, den Sicherheitschef, als sie in der plötzlichen Düsterkeit ein wenig stolperte, mit sich ins Bad; sie ließ die Tür der Duschkammer einen schmalen Spaltbreit offen, gerade so weit, daß sie etwas sehen konnte, suchte zuletzt so leise wie möglich in ihrer Arzttasche nach dem Injektor mit dem Betäubungsmittel.

Endlos lange Stunden schienen zu verstreichen, be-

vor sie die Geräusche hörte, mit denen die Kabinentür
auf- und zuging, und unmittelbar danach zerrte jemand
schweren Schritts die Badtür auf und taumelte in das
kleine Abteil, ohne jedoch das Licht anzuknipsen. Wallis versuchte, nicht einmal zu atmen — und hoffte, daß
Courtenay sich ebensoviel Mühe gab —, als sich eine
dunkle Gestalt übers Waschbecken beugte, zu würgen
anfing und fast unverzüglich eine erhebliche Flüssig-
keitsmenge erbrach.

Wallis spürte, wie Courtenay mit Brechreiz rang, als
der Gestank von Blut die winzige Duschkammer verpe-
stete, und fast neigte sie dazu, mit dem Injektor, den sie
nun in der Hand hatte, *ihn* aus dem Verkehr zu ziehen.
Aber da richtete die Gestalt am Becken sich auf — es
war Reynal — und schaute in den dunklen Spiegel,
starrte ungläubig an, was er *hinter sich* im Spiegelbild
sah, und da erkannte sie, daß sie sehr dringend Courtenays Beistand benötigte.

»Jetzt!« schrie sie, trat die Tür der Dusche auf und
stieß Courtenay vorwärts. »Packen Sie ihn!« Sie sprang
ihm nach, zielte mit dem Injektor auf Reynals unge-
schütztes Handgelenk.

Die Sprühinjektion verpuffte in der leeren Luft; oder
vielmehr zischte sie wirkungslos gegen den Antimikro-
ben-Schutzschirm, der offenbar, wie sie in diesem Moment begriff, zur Verteidigung gegen einiges mehr als
nur Krankheitskeime taugte. Courtenays Nadelprojektile prallten ebenso daran ab. In seiner ersten Panik
schrak Reynal zurück, nahm dann jedoch Courtenay in
eine Umklammerung, die den Sicherheitschef im Handumdrehen wehrlos machte, stierte anschließend wild
umher, als Casey und der Kapitän aus ihrer jeweiligen
Deckung sprangen und auf ihn schossen; allerdings
blieben auch ihre Nadeln gegen den Schutzschirm nutzlos, und einige Projektile trafen den bereits hilflosen
Courtenay.

Reynal stieß ein Johlen aus, die goldgelben Augen

glommen, und die dünnen Lippen verzogen sich zu einem gehässigen Grinsen des Triumphs. Er ließ Courtenay fallen, aber nur, um auf den Kapitän und Casey loszugehen, von denen letzterer sich wieder hinter den Sessel geduckt hatte, um nachzuladen. Während Reynal auf Lutobo zustürzte, ohne sich um die Waffe zu scheren, die der Kapitän erst auf ihn leerschoß, obwohl alle Projektile ohne jede Wirkung vom Schutzschirm abprallten, ihm dann entgegenschleuderte, lief Wallis ihm hastig nach und ergriff vom Tisch, an dem er gerade vorbeigestürmt war, die Karaffe.

Doch als Reynal den Kapitän erreichte, ihn ebenfalls packte und mit nicht mehr als einer ruckartigen Handbewegung auf die Knie zwang, Wallis weit ausholte, um die Karaffe nach Reynal zu schleudern — in der Hoffnung, ein größeres, schwereres Wurfgeschoß könne ihn zumindest ablenken —, rief auf einmal eine bekannte Stimme sie von hinten an. Sie wirbelte herum und sah Wing aus dem Wandschrank treten. Ein andeutungsweises merkwürdiges Lächeln umspielte seine Lippen, während er die Nadelpistole hob.

Aber sie kann Reynal doch nichts anhaben! dachte Wallis in einem Moment der Verwirrung und des Unglaubens, ehe Wing die Waffe statt auf Reynal geradewegs auf sie richtete, und im selben Augenblick sah sie Casey reglos ausgestreckt hinter dem Sessel liegen.

»Was machen Sie denn?« schrie Wallis.

»Tun Sie das Ding weg, Doktor!« forderte Wing sie leise auf. »Sehen Sie nicht, daß Sie mit ihm nicht fertigwerden können?«

Sie konnte es trotzdem versuchen. Sie fuhr herum, hob nochmals den Arm, um das Gefäß zu werfen, doch da krallte sich schon Reynals Hand am Schlüsselbein in ihre Schulter, und ein Schlag durchzuckte sie, als hätte sie sich elektrisiert, jedes einzelne Nervenende in ihrem Körper schien sich zu kräuseln.

»Hören Sie auf ihn, Doktor!« raunte Reynal, aber seine Stimme klang hohl und wie von fern, als müßte sie eine Wand aus Watte durchdringen.

Vor Schmerz vermochte Wallis kaum noch etwas zu sehen, die Beine gaben unter ihr nach. Sie versuchte verzweifelt, die Karaffe festzuhalten, um wenigstens irgend etwas als mögliche Waffe gegen ihn zu haben, doch schließlich spürte sie, wie ihr das Gefäß aus den taub gewordenen Fingern rutschte, während der Druck des unbarmherzigen Zugriffs Reynals sie auf die Knie zwang und ihre Arme an den Seiten baumelten, als befänden sich darin keine Knochen mehr, gelegentlich von unwillkürlichen Zuckungen geschüttelt, während ihr fortgesetzt pure Energie durch den Körper raste. Ein nüchterner, wie unbeteiligter Teil ihrer selbst gelangte zu der Schlußfolgerung, daß Reynals Abschirmapparat die Ursache sein mußte, während die instinktiven Bestandteile ihres Ichs innerlich heulten, sie werde bestimmt die Besinnung verlieren, wenn die Qual nicht aufhörte, oder sogar sterben.

Sie endete gleich darauf, denn Reynal keuchte plötzlich und ließ Wallis los, aber ihr Sehvermögen blieb beeinträchtigt, und noch weniger war sie fähig, sich zu rühren. Es dauerte mehrere Sekunden, bis sie bemerkte, daß Reynal endlich die hinterm Bett verstreuten Ampullen und Nadelprojektile gesehen hatte. Bei dem Ringkampf mit Lutobo, der in Krämpfen auf dem Boden lag, waren einige Ampullen zerbrochen.

»Wie konnte es dazu kommen?« schnaufte Reynal, fiel auf Hände und Knie, um die intakten Ampullen aufzusammeln. »Wieso hast du geduldet, daß sie hier eindringen?«

Er legte eine Handvoll Ampullen an ein Ende des Betts und suchte nach einem Injektor.

»Sie wissen, daß es nicht die Katzen gewesen sind«, antwortete Wing und widmete seine Aufmerksamkeit vorübergehend Reynal statt Wallis.

Wallis spürte, wie allmählich das Gefühl in ihre Glieder zurückkehrte — viel zu langsam! —, doch die Anstrengung, die es kostete, die gestörten Synapsen zu normalisieren, überforderte sie beinahe, und sie fragte sich, ob Wing schießen werde, bevor sie zum Interkom an der Tür gelangen und Hilfe rufen konnte.

»Ich habe alles so gemacht, wie du's wolltest«, fügte Wing hinzu, »aber irgendwie hat Seton herausgefunden, wie gestern nacht die Katze getötet worden ist. Er hat irgendwas mit dem Weibchen des toten Tiers angestellt.«

»Dann weiß er über uns Bescheid«, sagte Reynal. »Wir sind verloren.«

Seine Hände zitterten leicht, während er eine Ampulle in den Injektor schob und sich auf das Bett setzte; er betätigte eine Funktion an einem Gerät, das einem Armbandchronometer ähnelte, bevor er sich an der Innenseite des Arms die Injektion gab. Es gruselte Wallis, als sie sein Aufstöhnen der Erleichterung hörte, und als Wing sich einige Schritte weiter von der Tür entfernte und sich statt dessen Reynal näherte, sammelte sie alle Kräfte für den beabsichtigten Versuch, sie zu erreichen.

»Ich ... würde nicht unbedingt sagen, daß Seton Bescheid weiß«, widersprach Wing ruhig, während er den Kopf schüttelte. »Mich verdächtigt er nicht einmal, sonst hätte er nicht erlaubt, daß ich Dr. Hamilton und den Kapitän zu dir begleite. Sie wollten dich überprüfen, weil sie beim Blut am Messer des Maschinisten, an den Krallen der Katze und bei dir dieselbe Blutgruppe festgestellt hatten. Du bist wahrscheinlich nur deshalb der erste auf ihrer Liste gewesen, weil ...« Plötzlich bemerkte er, wie Wallis sich bewegte, stellte sich mit einem Satz zwischen sie und den Ausgang. »Nicht so eilig, Doktor!« schnauzte er. Wallis hatte, entgegen ihrer Absicht, kein Aufspringen und Fortlaufen zustande gebracht, sondern nur ein kurzes Krabbeln.

Er setzte ihr einen Stiefel an die Schulter, stieß sie, ohne daß sie sich zu wehren vermocht hätte, auf die

Seite, und sie hörte Reynal vor sich hinlachen. »Welch eine starrsinnige Frau!« sagte er. »Sie hat einen starken Geist. Sie wird ein sehr würdiges Opfer abgeben. Schieß, Wing, und du darfst an der Herrlichkeit teilhaben.«

Wallis' Magen rumorte, als sie sah, wie Wing lächelte und die Waffe anlegte, doch sie blieb hartnäckig bei ihren Bemühungen, sich auf Hände und Knie zu erheben, denn ein Mißlingen bedeutete den Tod. Den schwachen Funken aus Wings Nadelpistole, als er abdrückte, sah sie nicht, aber sie hörte das leise Schwuppen, und sie fühlte, wie sich das Geschoß mit einem Stechen in ihre Schulter bohrte. Aufgrund des geringen Abstands versetzte der Treffer ihrem ganzen Körper einen Ruck, und sie dachte widersinnigerweise an den Bluterguß, den sie würde behandeln müssen, falls sie überlebte.

Dann merkte sie, wie ihr der Gleichgewichtssinn abhanden kam, die Sicht verschwamm. Ohrensausen trat auf. Sie verlor nicht das Bewußtsein, als sie auf den Fußboden zurücksackte — die schwache Dosis der von Wing verwendeten Nadel reichte nicht aus, um sie vollständig zu betäuben —, doch sie war außerstande, ein Zusammensinken zu verhindern.

Undeutlich nahm sie wahr, wie Wing sich über sie bückte und etwas Massiges neben sie zog. Danach breitete er etwas Glattes, Weiches, Dunkles über ihren Körper. Es war der weite schwarze Mantel Reynals — die ›Flügel‹, wie eines seiner Opfer ihn geschildert hatte —, und wie Wallis nun erkannte, besaß er ein Futter aus dem weichen blauen Fell einer Lehr-Katze.

KAPITEL 11

Trotz ihres vom Betäubungsmittel streckenweise umnachteten Verstands versuchte Wallis, sich auf alles zu besinnen, was sie über den Mann wußte, dessen Gefangene sie nun war. Und über Wing ... Noch immer mochte sie kaum glauben, daß der äußerst gescheite und auf seine Laufbahn bedachte Wing, der in seiner Einhaltung der militärischen Disziplin stets die größte Akkuratesse gezeigt hatte, so völlig für die Sache dieses Irren hatte gewonnen werden können. *Er* mußte es gewesen sein, der seine Kameraden mit Gas ausgeschaltet und Reynal in den Frachtraum gelassen hatte, damit er die Lehr-Katze töten konnte.

»Was werden wir jetzt unternehmen?« fragte Wing, steckte die Waffe ins Halfter und kniete sich neben die Koje, auf der Reynal sich inzwischen ausgestreckt hatte, die Schultern ans Kopfende gestützt, noch von der Nachwirkung der Injektion bebend.

»Ich bedaure, daß ich dich noch tiefer in die Angelegenheit hineingezogen habe, Wing«, sagte Reynal halblaut. »Jetzt werden die Ungläubigen auch dich ermorden, wenn's nach ihnen geht. Doch wenn die Leuchtenden gerächt sind, werden zumindest die kommenden Zeiten wunderbar sein. Es steht nun in unserer Macht, das letzte Opfer darzubringen.«

»*Wir?*« meinte Wing ruhig. »Was genau hast du vorhin damit sagen wollen, ich könnte an der ›Herrlichkeit‹ teilhaben?«

»Daß ich dich, wenn du es wünschst, tatsächlich zu *ihrem* Diener machen werde«, antwortete Reynal, schloß verträumt die Augen. »Dann darfst du *ihre* Herrlichkeit kennenlernen. Ich mache dir dies Angebot nicht leichtfertig, Wing. Du entstammst nicht meinem Volk, aber

214

du bist ein ernsthafter und treuer Jünger gewesen. Und ich werde dir einen leichten Tod gewähren, sollte uns die Flucht nicht gelingen ... Aber auch dafür habe ich einen Plan.«

»Ich will's hoffen«, entgegnete Wing gelassen. »Für dich habe ich meine Kameraden verraten. Selbst wenn ich am Leben bleibe, werde ich erledigt sein, falls jemand es herausfindet.«

»Ich werde dir in *ihrem* Dienst eine viel glänzendere Berufung eröffnen«, versicherte Reynal und setzte sich auf. »Dein Opfer gilt nicht mir, sondern *ihnen*.«

Mit dem Daumen betätigte er den Auswurfmechanismus des Injektors, so daß die leere Reparanolampulle blinkend in hohem Bogen durch die Luft in Wallis' Richtung flog, auf den Teppichboden fiel, auf Wallis zurollte und ein paar Dutzend Zentimeter von ihrem gelähmten Fuß entfernt liegenblieb.

»Bereite Dr. Hamilton und den Kapitän vor, dann komm zu mir, *Tsortse*«, sagte Reynal. »Wenn du die Ekstase der Götter genießen willst, muß ich auch dich erst darauf vorbereiten.«

Das Klicken, das ertönte, als er den Injektor nachlud, während Wing für einen kurzen Moment zur Tür stapfte und sich zu irgendeinem Zweck am Schloß zu schaffen machte, klang wie Vorzeichen des Unheils. Wallis' Magen rumorte, verkrampfte sich noch stärker als vorher. Die Beschwerden wurden noch schlimmer, während Wing zu ihr trat, den Kapuzenmantel mit dem Futter aus Lehr-Katzenfell nach oben über den Sessel warf, dann sie in seinen Armen in eine Stellung anhob, als säße sie halb und hinge halb; ihr Kopf fiel haltlos von Seite zu Seite.

Der Sessel, in den Wing sie senkte, stand der Tür zugewandt, so daß sie nur noch das Fußende des Betts innerhalb ihres Blickfelds hatte und Reynal nicht mehr sah, folglich auch nicht beobachten konnte, was er, sobald Wing sich am Kopfende aufs Bett gesetzt hatte, mit dem jungen Ranger anstellte. Es widerstrebte ihr zu glauben, daß Wing sich wirklich bei voller geistiger Klarheit für eine Unterstützung Reynals entschieden hatte, doch das Zischen der Sprayinjektion überzeugte sie endlich davon, daß es sich tatsächlich so verhielt. Sie sah Wings Fuß zucken, als das Medikament zu wirken begann, hörte ihn unterdrückt stöhnen und hoffte, Reynal könnte die Dosis falsch berechnet und Wing Schwierigkeiten verursacht haben. Letzten Endes wäre der Tod für ihn sowieso viel angenehmer als das, was Mather mit ihm anstellen würde, wenn der Verrat aufflog.

»Ruh dich für eine Weile aus, während das Mittel dich transformiert, *Tsortse*«, hörte Wallis gleich darauf Reynal äußern.

Im nächsten Moment stand er auf einmal neben *ihr*, seine fahlen goldgelben Augen blickten mit einer Gier auf sie herab, wie sie sie außer in Alpträumen noch nie gesehen hatte.

»Sie sind für mich eine schwere Prüfung gewesen, Doktor«, sagte er leise. »Und trotz meiner tüchtigsten Anstrengungen, sie zu rächen, meiner Bemühungen in ihrem Namen, sind die Leuchtenden weniger huldvoll zu mir gewesen, als ich es mir gewünscht hätte. Obwohl durch Medikamente ihre Stimmen zum Schweigen gebracht waren, haben sie mich hintergangen — *mich*, den Diener der Götter, *ihren* Diener! Das war ihr Dank!«

Er zerrte einen Ärmel hoch und entblößte einen stark bandagierten Arm, dann öffnete er vorn das Hemd, so daß Wallis auf Teilen seines Brustkorbs lange infizierte Kratzwunden erkennen konnte.

»Die Strafe für meine Unvorsichtigkeit«, sagte Reynal verbittert. »Ich hätte warten müssen, bis die Wirkung der Nadeln stärker gewesen wäre. Jetzt sind die Kratzer entzündet und vermindern noch weiter meine Handlungsfähigkeit. Das wäre nie passiert, hätten Sie die Leuchtenden nicht von Il Nuadi verschleppt!«

216

Er ließ den Ärmel herunterrutschen, sparte sich jedoch die Mühe, das Hemd zuzuknöpfen.

»Aber ich kann Ihnen das verzeihen, Doktor, sobald Wiedergutmachung erfolgt ist. Sagen Sie, sind Sie gar nicht neugierig, ehe Sie ins große Nichts eingehen? Wäre es ein Trost für Sie zu erfahren, wie ich meine Taten begangen habe?«

Wallis interessierte sich viel mehr für das *Warum* als das *Wie*, aber sie schaute hin, während Reynal vom Fußboden bei der Tür einen dunklen Kleiderbeutel auf den kleinen Tisch neben dem Sessel hob. Sie mußte ihr Augenlicht beträchtlich anstrengen, um alles deutlich unterscheiden zu können, während er dem Sack ein zusammengedrücktes Bündel losen blauen Fells, eine einbalsamierte mumifizierte Lehr-Katzenpfote, die schwärzliche Blutflecken aufwies, und einen engen, an den Fingerkuppen mit Stahlschneiden ausgestatteten Handschuh entnahm. Dadurch wurde das *Wie*, als Reynal den Handschuh an die linke Hand zog, innerhalb eines Moments klar.

»Blicken Sie jetzt durch, Doktor?« fragte Reynal, krümmte in dem mit Stahl besetzten Leder die Finger. »Wings kleine ... ähm ... ›Verbesserung‹ meines Antimikrobenschirms hat's mir ermöglicht, meine Opfer zu lähmen und wehrlos zu machen, ehe sie überhaupt richtig merkten, wie ihnen geschah. Und da ich meinen pelzgefütterten Mantel und diese Hilfsmittel trug, um sogar die ›Experten‹ irrezuführen, ist es wohl kaum erstaunlich, daß man glaubte, es sei eine Katze gewesen, zumal man wußte, daß Lehr-Katzen an Bord sind.« Leise klapperte er mit den stählernen Krallen unter Wallis' Nase.

»Fell und Klauen, Doktor. Und blutige Pfotenabdrükke. Raffiniert, finden Sie nicht auch? Aber die Zähne, das muß ich bei aller Bescheidenheit sagen, sind meine eigenen gewesen.«

Er zog die Lippen zu einer häßlichen Karikatur eines

Lächelns zurück und bleckte das Gebiß, und Wallis sah aus dem Oberkiefer zwei mörderische blanke Reißzähne ragen. Sie fragte sich, wieso sie sie nie bemerkt hatte — und da fiel ihr auf, daß sie Reynal während der Wochen, in denen sie auf der Expedition mit ihm zusammenarbeitete, niemals lächeln gesehen hatte.

Sie schluckte, krampfte sich unwillkürlich zusammen, als er mit einer blutverklebten Stahlkralle, als wolle er eine abartige Form von Zärtlichkeit zum Ausdruck bringen, seitlich an ihrem Hals entlangstrich. Aber er mußte seine Absichten, welcher Art sie auch sein mochten, vorerst aufschieben — wenigstens für den Moment —, weil in diesem Augenblick das aufdringliche, schrille Summen der Tür erscholl.

Reynal grummelte etwas, reaktivierte seinen Antimikrobenschirm und legte die andere, bloße Hand kurz auf Wallis' aufwärtsgewandte Kehle. Die Berührung reizte auch diesmal ihre Nervenenden aufs äußerste, verstärkte die Lähmung ihres Körpers, machte sie nahezu blind und taub, bevor er von ihr abließ und zur Tür eilte. Obwohl Wallis wußte, daß sie kaum eine Aussicht besaß, irgendeinen Körperteil regen zu können, versuchte sie angestrengt, in der Hoffnung, es könnte ihr gelingen, wenn Reynal das Interkom eingeschaltet hatte, irgendeine Warnung auszustoßen und ihre Stimmbänder zu benutzen. Doch sie bemühte sich vergeblich.

»Ja, was ist?«

Im Korridor erschrak Shannon beim Klang der ruhigen leisen Stimme. Sie hielt den Korrekturschlüssel in der Hand, um zu versuchen, sowohl das Schloß wie auch die Audiokomponente des Interkoms zu beeinflussen; jetzt verharrte sie und schaute zur Seite, sah Mather an. Hinter dem Imperiumsagenten warteten drei Wachmänner des Sicherheitsdienstes, und rechts von Shannon, unmittelbar außerhalb des Aufnahmebereichs der Optik, standen zwei Ranger bereit.

»Mr. Reynal, hier ist Dr. Shannon, die Bordärztin«, sagte Shannon, senkte die Hand mit dem Korrekturschlüssel, als Mather den Kopf schüttelte. »Ich suche Kapitän Lutobo.«

»So? Und wie kommen Sie auf die Idee, er könnte bei mir sein, Doktor?«

»Weil die Schiffscomputer diese Annahme nahelegen«, antwortete Shannon. »Ich habe ihn vor einem Weilchen per Bordfunk ausfindig zu machen versucht, aber er hat sich nicht gemeldet. Ich dachte mir, vielleicht stört das Spezialmilieu Ihrer Kabine seinen Kommunikator.«

»Wie komisch. Na ja, aber er ist nicht da, Doktor.«

»Und Dr. Hamilton?« fragte Shannon, blickte Mather an. »Haben Sie sie gesehen?«

»Nein, warum *sollte* ich?« entgegnete Reynal. »Ausgerechnet sie! Sie werden nun wirklich lästig, Doktor. Schönen Tag noch.«

Als das Interkom desaktiviert wurde, hob Shannon erneut den Korrekturschlüssel, sah Mather an und machte sich darauf gefaßt, blitzartig beiseite zu springen, sobald die Tür sich öffnete. Mather nickte, Shannon steckte den Schlüssel hinein und drückte — doch nichts geschah. Als Mather den Kopf schüttelte, winkte er sie zu sich, trat zurück, und die Wachmänner nahmen seine Stelle ein. Seine normalerweise freundlichen haselnußbraunen Augen hatten inzwischen einen steinharten Blick. Plötzlich fürchtete Shannon sich ein wenig vor diesem Mann.

»Er hat irgendwie an der Tür gemurkst«, flüsterte Shannon. »Daß der Korrekturschlüssel nicht öffnet, ist nicht normal.«

Mather nickte, betrachtete an ihr vorbei die Kabinentür. »Überrascht mich keineswegs. Ich habe sofort gemerkt, daß er lügt. Wallis ist bei ihm — ich weiß es ganz genau —, und irgend etwas stimmt mit ihr überhaupt nicht.«

»Sie ... Sie *wissen*, daß sie da drin ist?« raunte Shannon.

Mather wich ihrem Blick aus. »Ich ... äh ... ich habe ein Talent, das es mir erleichtert, gewisse Leute zu finden. Bei Fremden oder bloßen Bekannten klappt's weniger verläßlich, aber ... Nun ja, Wallis und ich sind ja schon seit ... seit vielen Jahren zusammen. Diese undeutliche psychische Wahrnehmung, die ich hatte, bedeutet — soweit ich das sagen kann —, daß sie verletzt ist oder betäubt, oder ... Ich kann nicht erkennen, was mit ihr los ist, sondern nur, *daß* etwas nicht stimmt.« Schließlich schaute er sie doch an. »Auch die anderen müssen drinnen sein — der Kapitän, Wing und Casey, und ... Courtenay, der Sicherheitschef.«

»Das könnte zusammenpassen«, räumte Shannon ein. »Aber kann Reynal alle fünf überwältigt haben? Einen oder zwei vielleicht, aber ...«

»Wenn Reynal für das, was sich ereignet hat, verantwortlich ist, bin ich der Auffassung, daß wir ihn in der Hinsicht, wozu er fähig ist, völlig unterschätzt haben.« Mather richtete den Blick auf die Wachmänner und Ranger. »Leider habe ich auch den Verdacht, daß entweder Casey sein Komplize ist oder Wing. Ich glaube, beide haben Blutgruppe A positiv. Ich frage mich, wo die Sprengladung so lange bleibt.«

»Na, so was gehört auf einem zivilen Raumschiff ja nicht eben zur standardmäßigen Ausrüstung«, meinte Shannon halblaut. »Ich könnte nicht feststellen, daß *Ihre* Männer gegenwärtig irgendwelche Wunder vollbringen.«

Mather schenkte ihr ein schwaches bitteres Lächeln. »Ich bin sicher, sie geben ihr Bestes«, sagte er. »Nur weiß ich nicht, wieviel Zeit wir haben. Wallis lebt noch — soviel kann ich mit Gewißheit sagen —, und ich gehe mit hoher Sicherheit davon aus, daß das auch bei den anderen der Fall ist. Aber ich kann nicht voraussehen, wie lange es noch so bleiben wird. Einerseits möchte ich ungern Reynal zu überstürzten Handlungen verleiten, andererseits bezweifle ich, daß wir noch allzulange mit dem Eingreifen warten dürfen.«

Inzwischen waren Reynal und Wing in der Kabine nicht untätig gewesen. Überall in dem Raum lagen nun Büschel blauen Lehr-Katzenfells verstreut.

»Es soll so aussehen, als wären hier die Katzen gewesen«, sagte Reynal, während er die restlichen Ampullen, die herumliegenden Energiezellen und Nadelwaffenprojektile auflas. Er packte alles in eine Aktenmappe und adjustierte anschließend die Einstellung seiner zwei Injektoren. Aus einem Versteck im Wandschrank holte er eine streng verbotene Miniatur-Stunnerpistole und schob sie in den Hosenbund. Dann gesellte er sich zu Wing. »Alle Hinweise deuten noch immer auf die Katzen, obwohl sich niemand erklären kann, wie sie's gewesen sein könnten. Eigentlich ist nicht mehr nötig, um uns Ärger zu vermeiden, als das Schüren begründeter Zweifel.«

Wing, der den halb besinnungslosen Kapitän zum Bett geschleift und in Sitzhaltung ans Fußende gelehnt hatte, trat zurück, als Reynal sich vor ihn kniete und die bloße Hand flüchtig an den Hals des Kapitäns legte, so daß sein Antimikrobenschirm Lutobo nochmals einen heftigen energetischen Schock versetzte. Lutobo zuckte noch, als Reynal sich aufrichtete und den Schutzschirm abschaltete; Wing stützte ihn, als er schwerfällig, während seine Atmung unregelmäßig wurde, am Fußende des Betts Platz nahm.

»Ist es nicht 'n bißchen zu spät, um die Schuld auf die Katzen zu schieben?« fragte Wing. »Kommodore Seton kennt deine Blutgruppe und hat in bezug auf sämtliche Todesfälle längst seine Schlußfolgerungen gezogen. Außerdem hat er die Katzen betäubt, bevor wir gegangen sind. Ihm wird klar sein, daß sie unmöglich hier gewesen sein können.«

»Er weiß *nichts* über die wahren Kräfte der Leuchtenden«, sagte Reynal, brach mit fanatischem Glanz in den Augen die Spitze einer Reparanolampulle ab und reichte sie Wing. »Trink das. Es wird dir bei der Aufnahme des Bluts helfen.«

Wing gehorchte, verzog das Gesicht, während er die Ampulle leersaugte und wegsteckte, und Reynal gab weitere Anweisungen.

»Gut. Nun atme tief durch, um dich zu beruhigen, während ich dir sage, was du gleich tun mußt, denn ich habe ja noch, wenn wir mit dem Kapitän fertig sind, den Höhepunkt der Opferung zu vollziehen. Wenn alles erledigt ist, müssen wir es so darstellen, als hätten hier die Katzen gewütet, und wir beide wären die einzigen Überlebenden. Die Beweise für unser wirkliches Tun werden wir vernichten. Und danach, im größten Wirrwarr, werden wir mit einem Shuttle fliehen. Diese Dummköpfe werden die volle Wahrheit niemals begreifen. Jetzt halt ihn fest! Er ist für dich, ich werde ihn für dich vorbereiten. Trotz seiner Lähmung wird er zunächst versuchen, sich zu wehren.«

Wings Gesicht bezeugte keine Gefühle, als er Lutobos Handgelenke packte und niederhielt. »Seton ist kein Dummkopf«, meinte er gedämpft.

Während er verächtlich auflachte, hakte Reynal eine Kralle in den Verschluß von Lutobos Kragen und riß ihn auf, drückte mit der Rechten den kräftigen Hals des Kapitäns gegen die Bettkante und legte die Linke auf die Kehle, setzte die messerscharfe, stahlblanke Kralle des Zeigefingers dicht unterhalb der Stelle, wo man den Puls fühlen konnte, an die rechte Halsader.

»Seton *ist* ein Dummkopf, *Tsortse*«, erwiderte er halblaut, stierte Wing in die Augen, »aber du bist keiner. Und du wirst in die Schar der Gesegneten aufgenommen werden. Trink nun den Opfertrank und werde eins mit den Göttern!«

Wing zuckte, als Reynal mit dem flinken Zustechen

einer Kralle die Halsschlagader des Opfers aufschnitt, und Wallis spürte, wie sich ihr Magen zusammenkrampfte, als Lutobo, während er verschwommen fühlte, was geschah, weit die Augen öffnete und ein ersticktes, leises Wimmern des Entsetzens ausstieß. Der Kapitän versuchte Gegenwehr zu leisten, während sein Blut zuerst vorn auf Wings Uniform spritzte und ihn einer Bluttaufe unterzog, doch er war seinen Gegnern nicht gewachsen, zumal die Beeinträchtigung seiner Körperkräfte und Reflexe durch Reynals Schutzschirm noch anhielt. Reynal hob die blutige Klauenhand zu einem gräßlichen Segen und brabbelte etwas in einer Sprache, die Wallis nicht kannte, und Wing, der keine Miene verzog, während Lutobos Blut ihn fortgesetzt besudelte, gab darauf eine Antwort, die ähnlich klang.

Wallis wollte nicht sehen, wie Reynals Krallenhand Wings Gesicht auf das Pulsen des Blutstroms preßte, doch sie konnte die Augen nicht abwenden, so wenig, wie sie es vermochte, als Reynal sich vorbeugte und seine Zähne in die andere Schlagader biß, aber als Lutobo lauter zu stöhnen anfing, seine Gliedmaßen schwächlich zu zappeln begannen, gelang es ihr zumindest, die Lider zu schließen.

Stunden schienen zu verstreichen, aber wie sie durchs Zählen der eigenen Herzschläge feststellte, waren es nur Minuten. Sie schlug die Augen wieder auf, als sie einen leisen Röchellaut hörte, und sah, wie Wing und dann Reynal von ihrem Opfer abließen. Zunächst glaubte sie, Lutobo sei von ihnen umgebracht worden, bemerkte jedoch, daß sich sein Brustkorb noch bewegte; allerdings war ihr klar, daß er, weil Blut ihm ununterbrochen aus beiden Seiten des Halses rann, keine Aussicht hatte, wesentlich länger zu überleben. Wing hustete, hob eine blutige Faust an die Lippen und krümmte sich kurz vornüber, holte danach tief Luft, straffte sich, blieb aber auf den Knien — er hatte jetzt nicht nur auf der Rangeruniform, sondern auch im Gesicht Blut —

und blickte Reynal regelrecht ehrfürchtig an. Reynal, der offenbar im Bluttrinken über mehr Erfahrung verfügte, war nur rings um den Mund etwas rot, doch auch seine goldenen Augen schienen rot zu glimmen, als er zu Wallis herüberschaute.

»Gut gemacht, *Tsortse*«, raunte er Wing zu, nahm jedoch nicht den Blick von Wallis, als er Wing einen der Injektoren übergab. »Injizier dir jetzt das Mittel und versuch das Opfer bei dir zu behalten. Vor dem Höhepunkt der Opferung muß ich die Irreführung in Szene setzen.«

Während Wallis sich um eine tiefe gleichmäßige Atmung bemühte, beobachtete sie in hilfloser Faszination, wie Reynal aufstand und damit begann, Mobiliar umzukippen, mit dem Klauenhandschuh Polster und Teppichboden aufzuschlitzen und noch mehr Büschel des losen blauen Lehr-Katzenfells überall in der Räumlichkeit zu verteilen. Sie bekam nicht mit, ob Wing sich die Injektion verabreichte, doch gleich darauf leistete er seinen Beitrag beim Schaffen des Chaos, tauchte die Lehr-Katzenpfote in das Rinnsal von Blut, das aus den Verletzungen an Lutobos Hals sickerte, und machte damit im Umkreis des Kapitäns greuliche blutige Pfotenabdrücke.

Wallis empfand einen sonderbaren Abstand von allem, während sie es mitansah, obwohl sie wußte, daß man voraussichtlich mit ihr das gleiche wie mit Lutobo plante, und den Moment fürchtete, da Reynal seine Vorbereitungen beenden und sich mit ihr befassen würde. Verzweifelt fragte sie sich, wo Mather blieb, ob Shannon die frechen Lügen glaubte, mit denen Reynal ihre und Lutobos Anwesenheit bestritten hatte, und ob sie wirklich in Kürze sterben müßte.

Auf einmal stand Reynal wieder bei ihr, in ihrer plötzlichen Panik erinnerte sie sich gar nicht, gesehen zu haben, wie er zu ihr kam, unversehens war er ganz einfach *da*, seine schrecklichen goldgelben Augen betrachteten sie, und es schien, als seien sie es, die ihr jeden körperlichen Widerstand verwehrten.

»Sagen Sie, Doktor, bedeutet Ihr großes Wissen Ihnen jetzt einen Trost?« fragte er, hob behutsam eine lockere Strähne ihres Haars, rieb sie zwischen Daumen und Zeigefinger, als wolle er seine Beschaffenheit prüfen. »Können Ihre wissenschaftliche Ausbildung und alle Ihre Kenntnisse Sie der Herrlichkeit entziehen, die Sie in diesen letzten Augenblicken erwartet?«

Wallis wollte schlucken, weil ihre Kehle mit einem Mal trocken war, und versuchte zu sprechen, brachte aber kein Wort hervor. Das Betäubungsmittel, das Wing ihr mit dem Nadelprojektil in den Kreislauf geschossen hatte, wirkte noch, beließ sie dicht am Rande gelähmter Gleichgültigkeit, und die Störung, die ihr Nervensystem durch Reynals zweckentfremdeten Antimikrobenschirm erlitten hatte, schloß jede körperliche Gegenwehr aus. Sie hoffte, daß Reynal ihr, wenn sie schon sterben sollte, wenigstens den Grund verriet. Und was würde sie dabei empfinden?

»Es wird ein leichter Tod sein, Doktor«, versicherte Reynal leise, fast als hätte er ihre Gedanken gelesen; doch Wallis war weitgehend davon überzeugt, daß er so etwas nicht konnte. »In früherer Zeit, bevor die Irdischen nach Il Nuadi kamen, wandelten die Alten auf den Wegen der Götter. Die Leuchtenden, die Sie so blödsinnig ›Lehr-Katzen‹ nennen, waren die heiligen Boten dieser Götter — selbst niedrigstehendere Götter —, und *ihnen* brachten die Priester der Alten Blutopfer dar, damit *sie* die Bitten der Gläubigen in den Himmel emportrugen. Aber die Irdischen schleppten Krankheiten ein und verursachten den Untergang der überlieferten Lebensweise.« Reynals Blick wurde härter. »Der Verfall hatte erst begonnen, als die Kriege der Irdischen Il Nuadi isolierten und eine weitere Zersetzung ersparten, aber der Anfang des Niedergangs war gemacht. Bald gab es keine Alten mehr, und die Götter erhielten jahrhundertelang keine Opfer. Aber vor einem halben Jahrhundert, Doktor, lernten unsere Gelehrten, den einstigen Beispielen wieder nachzueifern. Mit Freuden griffen wir die Tradition der Opferungen neu auf, um dafür, was den Alten und ihren Göttern zugemutet worden war, Sühne zu tun, und heute können die Menschen wieder Bittgesuche in den Himmel senden. Wenn einer der Leuchtenden getötet oder von Il Nuadi fortgebracht wird, muß dafür eine Opferung erfolgen. Das Medikament Reparanol gab uns den Schlüssel zur Neubelebung, durch seine Verwendung können wir, so wie die Alten, das Blut der Opfer in uns aufnehmen, während sie, wenn sie ins gesegnete Jenseits eingehen, die ehrfurchtgebietende, ehrfurchtsvolle Ekstase der Vereinigung mit den Göttern erleben.«

Er beugte sich tiefer über Wallis, stützte die Hände an ihren beiden Seiten auf die Armlehnen des Sessels, glotzte ihr in die Augen. Sein Atem roch nach Blut.

»Es ist ein süßer Schmerz, Dr. Hamilton. Bäumen Sie sich nicht dagegen auf. Ihr Leben wird den Göttern geweiht und geschenkt. Finden Sie sich damit ab und frohlocken Sie.«

Sie *mußte* sich notgedrungen damit abfinden. Sie war zu jedem Widerstand und sogar zum Zurückweichen außerstande. Als Reynal sie mit den Armen umfing, ihr unverständliche Worte eines fremdartigen Rituals zuraunte, schloß sie die Augen, fühlte die Stahlspitzen seiner Finger ihren Kopf zur Seite drehen, die andere Hand schob er ihr in den Rücken, um Hals und Kopf zu stützen.

Dann spürte sie, wie seine Lippen feucht ihre Kehle streiften, die heiße Zunge an der Schlagader nach ihrem Puls tastete. Sie machte sich auf den Einstich seiner Zähne gefaßt, doch statt dessen fühlte sie das schwächere Brennen, als eine der Krallen die Ader ritzte, unmittelbar bevor er seine Lippen zum Todeskuß darauf festsaugte.

Wallis hatte nicht erwartet, daß es so schmerzlos ab-
lief. Anhand ihrer Herzschläge konnte sie das Verstreichen einer vollen Minute messen, ehe sie merkte, wie
ihr infolge des Blutverlusts das Bewußtsein zu schwinden anfing. Binnen kurzem würde sie besinnungslos
werden und das eigene Ende nicht mehr erleben.

Aber weitere Eindrücke dieser völlig neuen Erfahrung
blieben ihr versagt. Gerade als zwecklose Verzweiflung
sie zu überwältigen drohte, donnerte eine Explosion
durch die Kabine, das hohle Dröhnen der Detonation
drang dumpf zu Wallis' umnebelter Sinneswahrnehmung durch, Reynal schrak zurück und sprang auf die
Füße.

Die Kabinentür flog in einem Schwall erhitzter Luft
und einer Qualmwolke auseinander, plötzlich stürmten
Ranger und Wachmänner herein, ihre Nadelwaffen
glänzten. Doch Reynal hatte beim ersten Anzeichen der
Gefahr seinen Schutzschirm aktiviert, und die Nadeln
umsausten ihn ohne jede Wirkung. Nicht einmal die
Entladungen von Stunnerschüssen hatten irgendeine
Wirkung. Spitzer Stahl und angekohlte Plastikbröck-
chen umschwirrten ihn wie ein Hagel, und mit der
Stunnerpistole, die er unverzüglich zückte, fällte er die
in den Raum drängenden Männer.

Wings Unterstützung war für ihn von unbezahlba-
rem Wert. Indem er vortäuschte, eines der Opfer Reynals zu sein — bei seinem blutbespritzten Aussehen bereitete das keine Schwierigkeiten; er hatte sich auf den
Boden geworfen, sobald die ersten Angreifer zur Tür
eindrangen und spielte den Ohnmächtigen —, schoß er
unter seinem Körper hervor aus der Nadelpistole, sobald sich eine Gelegenheit bot und machte mindestens
drei Wachmänner und Ranger kampfunfähig, die Reynals Stunner verfehlte.

Als am Schluß der Gruppe Mather in die Kabine
stürzte und eine Salve von Nadelprojektilen verschoß,
während es ihm gelang, jedem Stunnerschuß auszuwei-

chen, mit dem Reynal ihn aufzuhalten versuchte, gab Wing das Manöver auf. Er stemmte sich auf einem Ellbogen hoch und schoß aus nächster Nähe auf Mather, als der Kommodore an ihm vorüber zu Wallis eilte. Er drückte wenigstens noch zweimal ab, bevor Mather ihn unschädlich machte.

Trotz seines massigen Körperbaus war Mather schnell. Sobald er im Augenwinkel Wings Handeln bemerkte, ließ er sich zu Boden fallen, vollführte eine Rolle und schoß zurück, alles in einem durchgehend-fließenden Bewegungsablauf, der allerdings seine Zielsicherheit nicht im geringsten verminderte. Als Wing einen vierten Schuß abzugeben versuchte, trafen ihn fünf Projektile Mathers in die Brust, so dicht nebeneinander, daß sie jeden Schießlehrer mit Stolz erfüllt hätten.

Doch mindestens ein Geschoß Wings hatte ebenfalls sein Ziel getroffen, und Mather konnte sich der Wirkung nicht lange widersetzen. Gedämpft fluchend wälzte er sich auf die Seite, schaute hinüber zu Wallis, die schlaff und blutig unverändert in dem Sessel hing, in dem Reynal sie zurückgelassen hatte.

Schon raubte das Betäubungsmittel Mathers Gliedmaßen die Kräfte, die Nadelpistole glitt ihm aus den zunehmend gefühlloseren Fingern, ihm war, als könne er unmöglich nur noch eine Sekunde länger die Augen offenhalten. Er fühlte, wie die samtige Schwere der Besinnungslosigkeit ihn immer unwiderstehlicher umhüllte, als ihm die Lider herabsanken, aber unter Aufbietung aller Willenskraft schaffte er es, wenigstens einen Rest von Bewußtheit zu bewahren.

Am anderen Ende der Kabine brach Reynal, als schließlich Schweigen entstand, in Gelächter aus.

KAPITEL 12

Das Lachen rettete Mather.

Diese Laute gaben ihm etwas, an dem er inneren Halt fand — einen Anker für das Bewußtsein, ein Licht, das die bedrohliche Dunkelheit der Ohnmacht in Schach hielt. Es wunderte ihn, überhaupt noch, wenn auch nur schwach, bei Besinnung zu sein, denn er wußte, daß ihn nicht weniger als zwei von Wings Projektilen getroffen hatten. Durch eine enorme Willensanstrengung gelang es ihm, die Lider einen Spaltbreit zu öffnen, damit er eine rasche Einschätzung dessen, was er sah, vornehmen konnte.

Der Anblick flößte ihm keineswegs Ermutigung ein. Von den sechs Wachmännern und drei Rangern, die er nach der Sprengung der Kabinentür vorgeschickt hatte, sah er in seinem Blickfeld zwei, getroffen durch Projektile Wings — beide Ranger —, betäubt auf dem Boden liegen, und drei andere Männer wanden sich in Zuckungen, Nachwirkungen der Stunnerschüsse Reynals. Die plötzliche Stille, die folgte, als Reynals Gelächter verstummte, rechtfertigte die Befürchtung, daß auch die übrigen Männer sich in einem Zustand der Handlungsunfähigkeit befanden.

Ebensowenig war Mathers eigene Situation allzu ermutigender Art. Er war auf die rechte Körperseite gesunken, hatte die Knie, fast wie ein Fötus, ein Stück weit an den Leib gezogen, der rechte Arm lag in ganzer Länge gestreckt auf dem Teppichboden, die taube rechte Hand umfaßte noch locker die nutzlose Nadelpistole. Den linken Arm hatte er an die Brust gewinkelt, wo er erschlafft war und unter der Hand, die die Herzgegend bedeckte, ragte — gerade noch sichtbar — eine von Wings Nadeln hervor. Eine sorgsame Überprüfung der

Verhältnisse verwies auf einen Grund, der wahrscheinlich immerhin teilweise dafür verantwortlich sein mochte, wieso er noch wach war: der zweite Pfeil stak in einem solchen Winkel in seiner linken Schulter, daß er sich lediglich in das Halfter der Nadelpistole gebohrt hatte, das er unter dem Jackett trug. Dieser Umstand, die schwache Dosis der Nadelprojektile, mit denen die Ranger ausgerüstet waren, und seine Körperfülle mußten zum Resultat gehabt haben, daß er nicht völlig die Besinnung verloren hatte.

Doch deshalb war er noch lange nicht außer Gefahr. Als Reynal plötzlich neue Aktivitäten aufnahm und zwischen den reglosen Gestalten umherstapfte, um sie zu entwaffnen, schloß Mather die Augen und hoffte, daß die kleine Bewegung nicht auffiel, denn sollte Reynal merken, daß er noch bei Bewußtsein war, ließe er ihm bestimmt keine echte Chance mehr zur Ausführung seines Plans, sondern dann war er so gut wie tot.

Er hörte Reynal sich nähern, aber mit geschlossenen Augen verstärkte sich Mathers Tendenz zum Eindämmern. Er konnte verhindern, daß er eindöste, doch erforderte es alle ihm verbliebene Konzentration. Trotzdem dämmerte er zumindest für einen Augenblick vor sich hin, denn auf einmal, ohne Übergang, merkte er, daß jemand neben ihm stand.

Mather stellte sich weiterhin bewußtlos. Ihm war klar, wer es sein mußte. Beim Gedanken an das, was Reynal Wallis angetan hatte, kostete es Mather allen verfügbaren Willen, dem fast übermächtigen Drang zu widerstehen, sich aus seiner Nähe fortzuwälzen, aber er wußte, daß er es, egal was geschehen mochte, nicht wagen durfte. Er spürte, wie Reynal sich herabbeugte, dann raste ihm ein heftiger Schmerz den Arm herauf und durch den gesamten Körper, als Reynal ihm die Nadelwaffe aus den Fingern nahm.

Doch gegen Reynals Schutzschirm — nach allem

nämlich, was Mather gesehen hatte, ehe er zusammen-
brach, mußte er soeben einen Schutzschirm zu spüren
bekommen haben — war die Nadelpistole ohnehin wirkungslos. Der Kontakt war weniger übel als ein Stun-
nertreffer gewesen, und darüber war Mather froh, aber
einen sonderlich großen Trost bereitete der Vergleich
ihm nicht, während er mit wie zerfransten Nervenspit-
zen auf dem Fußboden zuckte. Seine Glieder krümmten
und verkrampften sich noch mehrere Sekunden lang,
ohne daß er den Konvulsionen hätte gegensteuern können, während Reynal zur Tür trat.

Mather hatte auch keine Möglichkeit, um die Personen zu warnen, die sich im Korridor aufhalten mochten.
Seine Ranger waren — mit Ausnahme Fredericks, der
sich noch unten im Frachtraum bei den Katzen befand
— alle ausgefallen; die Sicherheitsdienstler des Sternenschiffs würden gegen einen so rücksichtslosen Mann
wie Reynal einen sehr, sehr schweren Stand haben. Für
die folgenden ein, zwei Minuten, in denen Mather
nichts als das Fauchen weiterer Stunnerentladungen
aus dem Korridor hörte, konzentrierte er sich auf Bemühungen zur Wiederherstellung seiner gestörten Nerven-
bahnen, auf den Versuch, die Beweglichkeit der linken
Hand zurückzugewinnen — denn sie hatte entscheidende Bedeutung, sollte er irgendeine Aussicht haben, Reynals Treiben zu beenden. Als das Geräusch der Stunnerschüsse endlich ausblieb, verspürte er bei Reynals
Worten, sobald seine Stimme das nächste Mal erklang,
äußerste Betroffenheit.

»Kommen Sie herein, Doktor, sonst muß ich auch auf
Sie schießen! Hier ist ein Patient, um den Sie sich kümmern müssen.«

Mather hörte Shannon aufkeuchen. »Sie haben ... sie
umgebracht!«

»Nur ein paar von ihnen, Doktor. Kommen Sie jetzt
und behandeln Sie Leutnant Wing. Zwingen Sie mich
nicht, Sie anzufassen, das wäre sehr unschön für Sie.

231

Und falls Wing stirbt, sind Sie auch an der Reihe, das verspreche ich Ihnen.«

Nach wie vor war Mather zu keinerlei Handlung imstande, doch er merkte, wie das Gefühl allmählich in Arme und Beine zurückkehrte. Vorsichtig beobachtete er, wie Reynal an ihm vorbei Shannon zu der Stelle führte, wo Wing lag. Reynal hatte den Stunner auf sie gerichtet und bedrohte sie zudem mit seinem Klauenhandschuh. Wing atmete kaum noch, mit fünf Nadeln in der Brust mußte er dem Koma nahe sein. Angespannt, sichtlich furchtsam kniete Shannon sich zu ihm und unterzog Wing einem kurzen Scanning; anschließend entfernte sie die Geschosse aus seinem Brustkorb und begann einen Injektor zu laden. Da Reynal außerordentlich aufmerksam mitverfolgte, was die Ärztin tat, kam Mather zu der Ansicht, daß er unter Umständen nun seine letzte Chance hatte, um das Geschehen maßgeblich zu beeinflussen.

Mathers linke Hand befand sich — so wie alles, was er seiner Jacke entnehmen mochte — außerhalb von Reynals Sicht, solange Reynal ihm fernblieb. Umsichtig machte Mather sich an die Verwirklichung seines Plans. Obwohl jeder Zentimeter, den er sich bewegte, ihm erhebliche Schmerzen bereitete, gelang es ihm zu guter Letzt, das größere der beiden Plastikfläschchen, das auch eine weitere Öffnung hatte, aus dem Jackett zu klauben, es neben sich abzustellen — Reynals Blick verborgen — und den Stöpsel herauszuziehen. Gerade wollte er das zweite Fläschchen herausholen, da schaute Reynal hoch — er kniete bei Wing und Shannon — und blickte sich in der Kabine um. Als Reynal sich erhob, versteckte Mather das kleinere Fläschchen in der Faust, schloß die Lider so weit, daß er nur noch durch ganz schmale Schlitze sah, und hoffte, daß der Mann das mit der anderen Handfläche verdeckte Behältnis nicht bemerkte. (Weshalb sollte er eigentlich an Mather, den Wings Nadelgeschosse und der Kontakt mit dem

Schutzschirm vermutlich vollständig umgehauen hatten, noch irgendeinen Gedanken vergeuden?)

Doch als Reynals Blick noch einmal durch den Raum wanderte und er sich die blutverklebten Lippen mit blutiger Zunge befeuchtete, fiel Mather plötzlich ein Grund ein, warum Reynal zu ihm kommen könnte. Eisiger Schrecken packte ihn, aber sein Entsetzen verdoppelte sich, als er erkannte, daß Reynals Blick zum Schluß nicht auf ihm verharrte, sondern woanders — auf Wallis, die noch immer in völliger Erschlaffung in dem Sessel lag, in den Wing sie gelegt hatte. Sie hatte die Augen geschlossen, die rechte Halsseite war voller Blut, und auf derselben Seite war Blut ihr in die Kleidung geflossen, aber anscheinend ging ihre Atmung regelmäßig. Reynals Miene wechselte von Überlegung zu Entschlossenheit, während er langsam auf sie zuschlenderte, und Mather mußte alle Beherrschung aufbieten, um sich nicht zwischen sie und ihn zu werfen.

Statt dessen zwang er sich zum Nachdenken. Er benötigte Zeit! Soweit er es feststellen konnte, schwebte Wallis durch den Blutverlust bis jetzt in keiner akuten Lebensgefahr, wenngleich möglicherweise Komplikationen auftreten mochten, von denen er nichts verstand. Nach allem Äußerlichen, das Mather ihr von dort aus, wo er lag, ansehen konnte, hatte Reynal wahrscheinlich noch nicht genügend Gelegenheit gehabt, um ihr ernste Schäden zuzufügen; nun jedoch war es offensichtlich seine Absicht, weiterzumachen, wo er aufgehört hatte.

Mather brauchte nicht nur Zeit, um das Vorbereiten seiner Waffe abzuschließen, sondern mußte auch die Möglichkeit zum Aufspringen haben, um sie anwenden zu können. Wenn Reynal sein Vorhaben vereitelte, ehe er überhaupt auf die Beine gelangte, würde Reynal ihn töten, und danach könnte er Wallis ohnehin ungehindert umbringen. Außerdem konnte Mather eine zweite Entladung aus Reynals Schutzschirm kaum in der Erwartung hinnehmen, daß er überlebte.

Fieberhaft zermarterte sich Mather das Gehirn nach einer Verzögerungstaktik, irgendeinem Vorgehen, um Reynal abzulenken und sich — und Wallis — den Aufschub zu ertricksen, den sie nötig hatten. Sein Blick fiel auf Shannon, die sich noch mit dem ohnmächtigen Wing beschäftigte und nervös alle Mühe gab, Reynal *nicht* anzuschauen.

Die Idee, die Mather hatte, war reichlich gewagt, weil er Shannon kaum kannte, doch sie bot momentan den einzigen Ausweg. Er wußte nicht, ob sie sich — insbesondere in seiner gegenwärtigen Verfassung geistiger Umnebelung — in die Tat umsetzen ließ, denn schon bisher war es ihm nur dank seines ausgeprägt starken Willens und bloßer körperlicher Konstitution möglich gewesen, dem Betäubungsmittel der Nadel überhaupt so lange standzuhalten.

Doch um es herauszufinden, mußte er es versuchen. Während er für den Moment die Augen schloß, entschieden alles auf die Karte seiner manchmal unzuverlässigen psychischen Begabung setzte, versuchte er in den veränderten Zustand des Bewußtseins überzuwechseln, der ihm dazu gedient hatte, eine empathische Verschmelzung mit der Lehr-Katze einzugehen. Zu seiner Erleichterung spürte er, wie er beinahe unverzüglich auf die entsprechende mentale Ebene gelangte, und vermutete, daß das Betäubungsmittel des Nadelprojektils es eher begünstigte, das gewünschte Ergebnis herbeizuführen, als es zu erschweren.

Ermutigt tastete er mit seinen parapsychischen Funktionen behutsam nach Shannon, sich dessen bewußt, daß das Fehlen eines körperlichen Kontakts ihm die Sache nicht eben vereinfachte, und startete den Versuch, unter Einsatz aller geistiger Konzentration, aller geballten Ausstrahlung seines erhöhten Bewußtseinszustands, einen Akt geballter Willenskraft zu vollbringen und Shannon zum Handeln zu *zwingen*. Nur eine Armlänge trennte Reynal noch von Wallis. Er hatte den Schutzschirm ausgeschaltet und hockte sich neben ihr auf die Armlehne des Sessels, beugte sich über ihre Gestalt, näherte das Gesicht ihrem blutigen Hals. In rasender Hast verwendete Mather seine ganze übriggebliebene Kraft für einen empathischen Befehl. Fast glaubte er zu fühlen, wie sich Reynals Zähne in den eigenen Hals bohrten, als er Shannon seinen *Willen* aufzwang, dazu nötigte, aufzuspringen und einen Schrei auszustoßen.

Plötzlich spürte er, daß sie seinem Willensakt gehorchte, und im selben Augenblick, als sie ihre Lungen zum Schreien mit Luft füllte, goß er den Inhalt des kleineren Fläschchens in das größere Gefäß, so daß die Flüssigkeiten sich vermischten, dabei einen perlig-trüben Glanz annahmen. *»Neee-i-nnn!«* schrie Shannon noch in derselben Sekunde und fuhr hoch.

Reynal stieß ein Keuchen der Bestürzung aus und schrak von Wallis' Sessel hoch, aktivierte wieder den Schutzschirm — doch damit tat er genau das, was Mather wollte. Reynal setzte sich, Mordlust in den Augen, in Shannons Richtung in Bewegung, hob den Krallenhandschuh, und in diesem Moment raffte sich Mather auf und spritzte den Inhalt des größeren Fläschchens nach Reynal, überschüttete den Schutzschirm mit der milchigen Flüssigkeit, mit der Wirkung, daß in grellem Aufpuffen blaue Funken stoben, Rauch aufwallte und ein intensiver Geruch nach feuchtem Tang sich ausbreitete.

Für einen Augenblick blieb das Schutzfeld noch bestehen, auf seinen Umrissen flackerten blaue Flammen, denen ätzender grünlicher Qualm entquoll, und Mather befürchtete schon, sein Vorhaben werde mißlingen. Hastig wühlte er in seiner Tasche nach der Silberkette, um sie hinterherzuwerfen — aber da loderte schlagartig inmitten der Kabine, rings um Reynal, eine weiße Feuersäule in die Höhe, und Mather warf sich über Wallis' Sessel, kippte ihn mitsamt Wallis hintenüber, um ihr mit seinem Körper Deckung zu geben und legte ihr die Handfläche auf die Wunde am Hals. Shannon torkelte durch die Wucht des Aufflammens rücklings gegen ein Schott, sackte auf die Knie und sank zusammen, während das Feuer wütete. Der Knall lockte Angehörige der Raumschiffsbesatzung in die Kabine, und man bemühte sich, die der Tür am nächsten Liegenden in den Korridor zu zerren.

Doch Reynal stand in hellen Flammen, er brüllte grauenhaft, während die Glut ihn umtoste und die Schallschutzplatten unter der Decke der Kabine versengten. Man forderte Brandbekämpfungsgerät an, aber als es eintraf, war es zu spät, um Reynal noch zu retten. Mittlerweile war von ihm nichts mehr übrig als ein verkohlter, durchschwelter, in seinem Aussehen grob menschenähnlicher Rumpf.

Der Gestank verbrannten Fleischs und Haars durchzog die Luft, während ringsum tiefes Schweigen vollkommener Ungläubigkeit eintrat, bis die in die Decke integrierte Belüftungsanlage ihre Tätigkeit aufnahm und den Rauch aus der Kabine absaugte. Ihr Geräusch wirkte auf Mather wie ein Stichwort, er hob den Kopf und richtete sich über Wallis' stiller Gestalt auf. Unterdessen rappelte auch Shannon sich auf, humpelte mühsam zu ihm, stützte sich unsicher auf den umgeworfenen Sessel und betrachtete voller Grausen, was es noch von Lorcas Reynal zu sehen gab.

»Und was jetzt?« raunte sie mit so leiser Stimme, daß nur Mather sie hörte. »Einen Pfahl ins Herz?«

Mather grinste, tätschelte mit der freien Hand zittrig in aufmunternder Weise ihre Stiefelspitze, dann hob er Wallis so weit in seine Arme, daß er vorsichtig unter seine andere Hand lugen und sich die Halswunde besehen konnte.

»Am besten beordern Sie Ihr medizinisches Personal her, so schnell es geht, Doktor. Was Wallis betrifft, bin ich so gut wie jeder andere zum Erste-Hilfe-Leisten fähig, aber Sie sollten sich mal den Kapitän anschauen, falls er nicht schon hinüber ist.«

»Ist Wallis nicht in Gefahr?« fragte Shannon.

»Sie ist bei mir gut aufgehoben, bis Ihr Personal kommt. Kümmern Sie sich um Lutobo.«

Noch etwas benommen nickte Shannon und trat zu Lutobo, bei dem ein Besatzungsmitglied bereits erste Rettungsmaßnahmen durchführte. Mather fand in Wallis' Arzttasche einen Druckverband und preßte ihn auf die Halswunde, suchte danach nochmals in der Tasche, bis er den Injektor entdeckte; er lud ihn und nahm eine Sprühinjektion an seinem Handgelenk vor. Während er das Stimulans durch seinen Blutkreislauf pochen fühlte, es ihm den Kopf klärte und die Wirkung des Nadelprojektils zurückdrängte, das ihn getroffen hatte, hatte er genügend Zeit, um die Geschosse aus Körper und Kleidung zu entfernen und schüttelte den Kopf, als er an der Rückseite eines Schenkels auf noch eine Nadel stieß. Er fuhr mit einem Taschenscanner an Wallis entlang, um zu entscheiden, ob er ihr gleichfalls ein Stimulans spritzen sollte, da schlug sie unvermutet die Augen auf und brachte ein mattes Lächeln zustande.

»He, du«, flüsterte sie. »Komme ich durch?«

»Ich fürchte ja«, antwortete Mather mit einem Grinsen. Er blickte auf, wandte sich halb ab, als Deller und ein Rettungsteam in die Kabine kamen. »Deller, wir brauchen hier gleich mal 'n bißchen Sauerstoff und anschließend 'ne Transfusion, sobald's sich machen läßt. Sie hat viel Blut verloren.«

Sofort eilte Deller mit einem Medtech und Apparaten herüber, beugte sich vor, um die Daten von Mathers Scanner abzulesen.

»Auch hier Blutgruppenbestimmung und Kreuzprobe für mehrere Einheiten Spenderblut vornehmen«, erteilte Deller Anweisung, als der Medtech sich an Wallis' andere Seite kniete und die Geräte aufzubauen begann. »Kommodore, sind Sie in Ordnung?«

Mather nickte. »Ja, und wenn Blutgruppenbestimmung und Kreuzprobe zu lange dauern, können Sie eine Direkttransfusion von mir durchführen. Wir haben uns schon gegenseitig Blut gespendet, deshalb weiß ich, daß es sich verträgt.«

»Wickeln Sie das ab, Jacy, ich sehe mir mal die anderen Leute an«, sagte Deller zum Medtech und entfernte sich hastig.

Mather half beim Auspacken des Sauerstoffgeräts. Wallis hob die Hand lange genug, um Mathers Hand leicht zu drücken, dann ergriff sie selbst die Sauerstoffmaske und legte sie sich aufs Gesicht. Nach einigen tiefen Atemzügen blickte sie wieder zu Mather auf.

»Vielleicht könntest du fragen, ob jemand ein vasokonstriktorisches Mittel dabei hat«, wisperte sie. »Ich merke, daß mein Blutdruck ganz schön unten ist.«

Der Medtech, der sich damit befaßte, die Transfusion in die Wege zu leiten, nickte Mather zu, und Mather wiederholte das Nicken, während er Wallis eine rötliche Locke aus der Stirn strich.

»Wird erledigt«, sagte er leise. »Wie fühlst du dich?«

»Mir ist schwummrig. Was hast du mit Reynal gemacht?«

Mather erlaubte sich ein richtig teuflisches Grinsen. »Du wirst's mir doch nicht glauben, wenn ich's dir verrate.«

»Versuch's ruhig. *Du* hast ja nicht mitansehen müssen, wie er und Wing dem Kapitän das Blut aussaugten.«

»Nein, aber ich dachte, ich müßte zuschauen, wie er das gleiche mit dir tut. Egal, erinnerst du dich, wie wir die Möglichkeit diskutierten, es mit einem Vampir zu tun zu haben, und über einige klassische Abwehrmethoden sprachen?«

Wallis atmete nochmals tief Sauerstoff ein und schickte den Medtech mit einem Wink fort, damit er sich um andere Betroffene kümmern konnte.

»Also hast du ihn mit Silber verbrannt, Sonnenlicht auf ihn gelenkt und mit Weihwasser bespritzt, hm?« murmelte Wallis, deren Stimme unter der Atemmaske hohl klang. »Ihr Kulturanthropologen seid doch alle gleich.«

»Na hör mal, soweit ich mich entsinne, warst du es, die Dr. Shannon darauf hingewiesen hat, daß selbst die abergläubischsten Überlieferungen und Legenden einen wahren Kern hätten.«

Wallis nahm die Maske vom Gesicht und schaute ihn entgeistert an. »Ist das 'n Scherz? Nein, wahrhaftig nicht, was? Mather Seton, wenn du behaupten willst, daß du, der mit einem hochgradig analytischen Verstand begnadete, akademisch gebildete Liebling des imperialen Geheimdienstes, sich dazu herabläßt, mit Aberglauben ...«

»Möchtest du quatschen oder zuhören?« fragte Mather lediglich dazwischen.

Einen Moment lang betrachtete Wallis ihn, inhalierte noch ein paarmal Sauerstoff, schob dann trotzig die Unterlippe vor. »Ich glaube kein Wort von deinem Gerede, aber erzähl's ruhig. Bestimmt ist es sehr interessant.«

»O ja, das darfst du mir glauben. Also, wie wir wissen, benutzte Reynal einen Antimikrobenschirm, richtig?«

»Na, es war ein bißchen mehr als das, nachdem Wing daran gebastelt hatte. Du hast gemerkt, daß er es war, der mit Reynal zusammengearbeitet hat, oder?«

Mather schnob. »Das habe ich wohl gemerkt. Schließlich habe ich von ihm einige Nadeln abgekriegt. Auf jeden Fall, trotz der Modifikationen, die Wing an dem Schutzschirmgenerator vorgenommen hat, war er nicht so perfekt, wie sie sich's vielleicht wünschten. Ich bin, bevor ich überhaupt je gesehen hatte, wie Reynal ihn benutzte, auf eine mögliche Schwäche aufmerksam geworden.«

»Was meinst du?«

»Tja, du weißt es nicht, weil du anderweitig beschäftigt warst, aber nachdem du und der Kapitän den Laderaum verlassen hatten, ist noch ein Überfall begangen worden, diesmal auf zwei kleine Jungen auf Deck Vier.« Mather übersah Wallis' Miene der Bestürzung. »Einer der Jungen ist auf die bekannte Weise umgebracht worden, allerdings hat Reynal aus irgendeinem Grund darauf verzichtet, ihn zu zerfleischen. Aber den zweiten Jungen hat Reynal entwischen lassen — ziemlich plötzlich, wie's den Anschein hat. Offenbar hat der Junge um den Hals diese Kette mit Identifikationsschildchen getragen.« Mather holte den Umhänger aus der Tasche und zeigte ihn Wallis. »Shannon hat sie bemerkt, während sie am Tatort war, um den überlebenden Buben zu versorgen, und sie hat sie mir gegeben. Es ist sehr hochwertiges Silber.«

»Silber?!« stieß Wallis hervor, unterdrückte ein Kichern. »O weh, Mather, ist etwa 'n Kreuz dran?«

»Nein, es ist aber ein ausgezeichneter Leiter«, antwortete Mather und überhörte ihren Seitenhieb. »Und Reynals Schutzschirm erzeugte rund um ihn ein elektrisches Feld mit hoher Voltstärke, so als wäre er eine Stunnerentladung auf Beinen. Wahrscheinlich hat die Kette beinahe einen Kurzschluß verursacht. Durch diese Überlegung bin ich im Zusammenhang mit den Legenden auf meine Idee gekommen.«

»Also hast du das Kettchen nach Reynal geschmissen, und sein Schutzschirm ist explodiert?«

»Stimmt fast, ist aber nicht alles. Die Gefahr, ihn zu verfehlen, war zu groß, und ich ging davon aus, daß sich nur eine Chance böte.« Er schwieg für einen Moment, half dem Medtech, der sich wieder eingefunden hatte, um die Vorbereitungen für die Direkttransfusion zu beenden. »Nachdem ich mich davon überzeugt hatte, daß es tatsächlich Silber ist, habe ich in der Medizinischen Station Dr. Shannons Reagenzienschrank geplündert. Mitgenommen habe ich ein kleines Fläschchen Salzwasser und ...«

»Salzwasser? Wie Kochsalz in Wasser?«

»Klar. Es ist 'n guter Leiter, und übernatürliche Unholde vertragen kein Salzwasser.«

Wallis ließ den Hinterkopf auf den Teppichboden sinken und nahm erneut einen tiefen Zug Sauerstoff. »Salzwasser«, meinte sie schließlich leise. »Enthält Weihwasser nicht auch Salz? Du hast es nicht zufällig auch weihen lassen?«

»Nun, ich muß gestehen, ich ...«

»Ich will's gar nicht wissen.« Wallis schüttelte den Kopf. »So, du hast also Salzwasser genommen ... Und was noch?«

»Salzwasser und eine starke Silbernitratlösung. Kann dein geniales Biochemikerinnengehirn mir sagen, was daraufhin geschehen ist?«

»Mein geniales Biochemikerinnengehirn ist zu Brei geworden«, entgegnete Wallis ungeduldig. »Willst du mir erzählen, was passiert ist, oder nicht?«

Mather ergriff ihre freie Hand und streifte die Fingerspitzen mit den Lippen, dann lächelte er. »Silbernitrat und Kochsalz ergeben in einer wäßrigen Lösung eine Silberchloridflüssigkeit ... Und dazu ein paar andere Sachen, die jedoch für die Reaktion, um die's hier geht, belanglos sind.«

»Silberchlorid ist aber kein metallisches Silber ...«

»Nein, das nicht, aber wenn man ihm elektrischen Strom zuleitet, entstehen metallisches Silber und Chlorgas. Und du mußt zugeben, daß der Silberchloridflüssigkeit aus dem Kraftfeld verdammt reichlich elektrischer Strom zugeführt worden ist, als ich sie auf Reynals Schutzschirm gespritzt habe.«

Müde schloß Wallis die Augen und nickte. »Metallisches Silber ...«

Mather nickte gleichfalls. »Und Chlorgas ... und Weihwasser. Übernatürliche Wesen verabscheuen beides.«

»Reynal war doch gar kein über . . .«

»Pscht!« Mather legte ihr einen Finger auf die Lippen. »Selbstverständlich war er's nicht. Aber es schadet doch nicht, für alle Fälle ein paar vorbeugende Maßnahmen zu ergreifen, oder?«

Wallis lächelte schwach und nickte zur Zustimmung noch einmal, ehe sie vor Mathers Augen einschlief.

KAPITEL 13

Zwei Tage später — dank Mather Setons neuer Berechnung der erforderlichen Hyperraumsprünge jedoch einen Tag früher als erwartet — flog das zur Gruening-Linie gehörige Sternenschiff der Novaklasse *Walküre* ins Sonnensystem Hyadum Primus und schwenkte in einen Orbit um Tersel ein, den dritten Planeten, auf dem die Hauptstadt des Kafeorischen Imperiums lag und das Hauptquartier der Zweiten Imperialen Flotte seinen Sitz hatte. Sobald es in der Umlaufbahn schwebte, begannen die Shuttle mit dem Transfer von Passagieren hinab auf die planetare Oberfläche. Flugunterbrechung und Aufenthalt waren von planmäßigen vierundzwanzig auf zwölf Stunden gekürzt worden, doch viele pendelten trotzdem hinunter, weil sie nach den furchterregenden Vorfällen während der Reise unbedingt wieder einmal den Fuß auf festen Untergrund setzen wollten. Einige Fluggäste zogen es sogar vor, die *Walküre* endgültig zu verlassen und auf das nächste eintreffende Raumschiff zu warten.

Aber es fand nicht nur in einer Richtung Fährverkehr statt. Als erstes legte das Shuttle eines Untersuchungsrichters an der *Walküre* an, und wenig später machte eines mit Bevollmächtigten und Rechtsanwälten der Gruening-Linie fest. Doch keine dieser Personen würde jemals vollständig über die Ereignisse Bescheid wissen, die sich zwischen Il Nuadi und Tersel an Bord der *Walküre* abgespielt hatten.

Die zuständigen Beamten des Imperiums dagegen — jedenfalls die, denen Mather und Wallis Bericht erstatteten — erfuhren alles; das bedeutete, in dem Umfang, wie das Paar selbst das Vorgefallene durchschaute. Vor allem Wings Verirrung blieb ein Rätsel. Und da weder

Wing überlebt hatte noch Reynal, konnte man den Fall wohl nie wirklich restlos aufklären. Sobald feststand, daß Wallis, der Kapitän sowie die in Mitleidenschaft gezogenen Ranger und Besatzungsmitglieder sich davon erholen würden, hatte Mather nahezu einen vollen Tag damit zugebracht, Material für den Bericht zu sammeln: mit Shannon und der noch schwachen Wallis hatte er Einzelheiten überprüft, ferner Mannschaftsangehörige vernommen, die zumindest Teile des Geschehens als Augenzeugen miterlebt hatten, und ganz allgemein, soweit es sich machen ließ, die Abläufe und Zusammenhänge rekonstruiert.

Inzwischen war der Imperiumskreuzer *Shantar* ebenfalls in einen Parkorbit um Tersel gegangen und hatte sich der *Walküre* so weit genähert, wie die Sicherheitsbestimmungen es erlaubten, und ein Shuttle des Kreuzers steuerte auf die Hangarbuchten des Linienschiffs zu. Die Markierungen des Shuttles gaben darüber Aufschluß, daß es für die Verwendung durch ein Mitglied der Familie des Imperators reserviert war, und *diese* Person würde sich voraussichtlich nicht mit dem Bericht allein zufrieden geben.

»Was glaubst du«, fragte Wallis, »wie wütend wird er sein, weil wir nur drei Katzen liefern?«

Sie und Mather beobachteten durch ein Sichtfenster in einer der druckfesten Türen, die die Andockbucht vom übrigen Hangar trennten, die Beendigung des Anlegemanövers. Abgesehen von einem Halstuch, das die im Heilen begriffenen Verletzungen an ihrem Hals verbarg, ließ sich ihr von den durchgestandenen Härten nichts mehr anmerken; damit stand sie im Gegensatz zu Kapitän Lutobo, der noch zur Genesung im Krankenrevier der Medizinischen Station lag. Heute morgen überwachte der Erste Offizier der *Walküre* den Betrieb; er und Shannon hatten gegenwärtig eine von Nervosität geprägte Aussprache mit den von Tersel heraufgekommenen Repräsentanten der Gruening-Linie.

Mather zuckte die Achseln und stützte beide Hände an die Kante der Sichtfläche. »Alles in allem besehen wird er, wie ich erwarte, wohl froh sein, wenigstens diese drei Exemplare zu erhalten. Vorsorglich habe ich darauf hingewiesen, wie sehr es als Glücksfall zu bewerten ist, daß Reynal nicht beschlossen hat, alle Tiere zu töten. Ich würde wetten, daß man in aller Kürze ein taugliches Forschungsteam zusammenstellen wird, das die Katzen in ihrer natürlichen heimatlichen Umgebung studieren soll. Ich wäre überrascht, wenn nicht sogar der berüchtigte Dr. Torrell dabei sein möchte, wenn die Aufregung erst einmal vorbei ist.«

»Das hängt davon ab, ob er uns noch immer wegen Belästigung und Mißhandlung verklagen will«, sagte Wallis mit einem Auflachen. »Als der Kapitän und ich ihn schließlich in Ruhe ließen, war er stinksauer, und mir ist aufgefallen, daß er an Bord des ersten Shuttles ging, das nach Tersel abgelegt hat.«

»Vielleicht wird er Leiter des Projekts und von einer Lehr-Katze gefressen«, meinte Mather und schmunzelte.

»Na, ist das etwa nett?«

»Sicher nicht, aber er hätt's verdient, und wenn bloß für seine Lümmelhaftigkeit.«

Dagegen wußte Wallis kaum etwas einzuwenden. Während sie wider Willen lachte, betrachtete sie die Reihe von Andockbuchten, hob danach den Blick zum Aussichtsdeck für die Passagiere und stieß auf einmal Mather an. Zwei dick umhüllte Gestalten mit Federkämmen auf den Köpfen breiteten die Arme weit zum Gruß aus, als beide, Wallis und Mather, zu ihnen hinaufschauten, und Mather erwiderte den Abschiedsgruß mit einer betonten Verbeugung, bei der er eine Hand aufs Herz legte und zum Schluß den Handteller nach vorn ausstreckte.

»Bestimmt freuen sich die Aludraner«, äußerte Wallis, nachdem auch sie entsprechend auf den Gruß der beiden Aliens reagiert hatte, »uns aussteigen zu sehen.«

»Auf jeden Fall wird es sie freuen, daß die Katzen ausgeladen werden«, sagte Mather, »obwohl sie zuletzt zugegeben haben, daß Lehr-Katzen keine größere Ähnlichkeit mit ihren grünen Dämonenkatzen aufweisen. Während du dich erholt hast, hatte ich Gelegenheit zu einer Unterhaltung mit Muon und Bana. Es ist wirklich faszinierend, wie viele Kulturen Katzenmythen kennen. Uns ist auf tragische Weise verdeutlicht worden, daß Vampirlegenden bei fast jeder Kultur verbreitet sind, die uns bekannt ist, aber bis jetzt hat noch niemand eine hinlängliche thematische Untersuchung des Verbreitetseins von Mythenkreisen um Katzen vorgenommen.«

»Das klingt, als wär's für *jemanden* ein interessantes Betätigungsfeld«, sagte Wallis mit einem Lächeln und wölbte die rötlichen Brauen.

Mather verstand den Sinn ihrer Andeutung sofort und lächelte gleichfalls. »Ja, ich weiß. Für jemand anderes als uns. Wir ebnen nur den Weg.«

Er spähte durch die Andockbucht hinüber zur Ladezone, wo in Plaststahl-Käfigen, die metallisch glänzten, drei Lehr-Katzen umhertappten, nur gelegentlich ein Aufbrüllen von sich gaben. Er versuchte es zu unterlassen, die hermetisch versiegelte große Kapsel anzuschauen, die bei den Stapeln ihrer sonstigen Ausrüstung lag — sie enthielt die Überreste der vierten, der von Reynal getöteten Katze —, und fragte sich zum wiederholten Mal, ob sie irgend etwas hätten anders angehen können, um die sinnlosen Todesfälle zu vermeiden, die den eigentlich erfolgreichen Verlauf der Expedition doch recht beklagenswert machten. Aber solche nachträglichen Überlegungen blieben unweigerlich hypothetisch.

Ganz anders verhielt es sich mit dem Erfordernis, mit den Vertretern der Gruening-Linie ins reine zu gelangen, noch bevor das Imperiumsshuttle vollends angelegt hatte. Diese Persönlichkeiten befanden sich jetzt in der benachbarten Andockbucht am Fuß der Laderampe

eines Shuttles, das die Kennungen der Gesundheits-
und Einwanderungsbehörde zeigte. Ein paar Schritte
abseits stand ein Stellvertretender Untersuchungsrichter aufgeregt neben fünf Plastahl-Containern und besah sich mißgelaunt deren Etikettierungen, während ein
Angestellter auf an einem Klemmbrett befestigten For-
mularen Vermerke abhakte. (Einen sechsten Container,
Ta'ais Sarg, hatte man unmittelbar nach dem Wieder-
eintritt der *Walküre* in den Normalraum gemäß des
Brauchs der Aludraner mit dem bei ihnen üblichen Ze-
remoniell in Tersels Sonne geschossen.)

Ladearbeiter kamen und fingen an, den ersten Container an Bord des Shuttles zu schaffen, benutzten An-
tigravheber, um den Sarg langsam die Rampe hinaufzu-
lenken. Der Untersuchungsrichter schüttelte den Kopf
und gesellte sich zu den anderen Personen am Fuß der
Rampe; als er sah, daß Mather und Wallis ihm ihre Beachtung schenkten, schnitt er eine noch finsterere Miene.

»Jetzt hast du deine Gelegenheit«, sagte Wallis leise.
»Ich hoffe, du bist heute in Bestform.«

»Oho, meine Liebe, ich bin *immer* in Bestform«, antwortete Mather leise durch zusammengebissene Zähne.
»Warum wartest du nicht hier auf Seine Imperiale Hoheit, während ich mit den Zivilbürokraten ein Wörtchen
wechsle?«

Er strebte mit äußerem Auftreten der Nonchalance
auf die Gruppe zu, hätte jedoch nicht mit gutem Gewissen behaupten können, daß ihr Anblick Optimismus erweckte. Ein älterer Mann mit einem Juristenabzeichen
auf dem Ärmel führte eine lebhafte, teils sogar heftige
Diskussion mit einem jüngeren, der die Kluft trug, wie
sie planetare Mitarbeiter der Gruening-Linie verwendeten. Dr. Shannon und Arthur Bowman, der Erste Offizier der *Walküre*, hörten beiden Diskutierenden aufmerksam zu. Bowman versuchte dann und wann, eine
Bemerkung anzubringen, wurde jedoch jedesmal unter-
brochen.

Als der Untersuchungsrichter sah, daß Mather sich näherte, murmelte er etwas zum Anwalt, und die Auseinandersetzung nahm noch lautstärkere Formen an. Der Streit drehte sich anscheinend ganz allgemein um juristische Probleme, Fragen der Verantwortlichkeit und verschiedene angedrohte rechtliche Schritte gegen Gruening, die Besatzung der *Walküre* und alle übrigen möglichen Schuldigen.

»Guten Morgen, Mr. Bowman«, sagte Mather herzlich, »guten Morgen, Dr. Shannon. Hoffentlich störe ich nicht.« Er schüttelte erst Bowman, dann Shannon die Hand, nickte anschließend dem Rest der Gruppe zu und fand insgeheim abartiges Vergnügen an dem Wissen, daß er tatsächlich gehörig störte. »Ich möchte mich für die hervorragende Unterstützung und Mitarbeit bedanken, die wir bei der Aufgabe genossen haben, unsere Fracht sicher an den Bestimmungsort zu befördern. Ihr gesamtes Personal muß wirklich sehr gelobt werden, Mr. Bowman.«

Der Gruening-Repräsentant wirkte verdutzt, allerdings auch erleichtert, der Rechtsanwalt schaute empört drein, und der Untersuchungsrichter erregte den Eindruck, als hätte er seine Zweifel. Shannon und Bowman waren sichtlich nur darüber froh, daß ihnen jemand zu Hilfe kam. Als erster brachte der Untersuchungsrichter genug Geistesgegenwart auf, um das Wort zu ergreifen.

»Sie sind wohl dieser Kommodore Seton, der für die bedauerliche Situation, mit der ich mich befassen muß, verantwortlich ist, und ich glaube kaum, daß angesichts einer derartigen Sachlage irgendein Lob gerechtfertigt werden kann. Ich muß die Umstände des Todes von fünf Personen klären, und eine sechste Leiche ist bereits unter äußerst fragwürdigen Umständen beseitigt worden.«

»Die Aludraner stufen sie nicht als fragwürdig ein, Richter«, entgegnete Mather ungezwungen.

»Also, nun hören Sie mal her, Kommodore«, mischte sich der Gruening-Repräsentant ein. »Es kommt mir so vor, als nähmen Sie die Angelegenheit insgesamt allzusehr auf die leichte Schulter. Ich kann Ihnen versichern, daß meine Firma sechs Tote im Lauf eines fünftägigen Flugs als weit übertrieben einschätzt.«

»Das gilt auch für mich«, antwortete Mather, »obwohl ich selbst für zwei Tote, wie Sie sehen werden, wenn Sie den offiziellen Bericht lesen, die volle Verantwortung übernehme. Ich hatte nicht die Absicht, einen der beiden Männer umzubringen, aber ich muß klarstellen, es war notwendig. Hinsichtlich der anderen Toten bin ich ebenso betroffen wie Sie, denn es ist tatsächlich eine schwere Tragödie, daß Unschuldige ums Leben gekommen sind. Trotzdem sehe ich keinen Anlaß zu irgendeiner Kritik am Verhalten von Offizieren und Besatzung der *Walküre*. Ich bezweifle, daß unter den gegebenen Umständen selbst erfahrene Offiziere eines Raumschiffs der Imperiumsflotte die Situation tüchtiger gemeistert hätten. Die Imperiumsranger, die meinem direkten Befehl unterstanden, haben sich jedenfalls nicht besser bewährt. Ich wiederhole ...« Er wandte sich dem Rechtsanwalt zu. »Schiffsführung und Besatzung der *Walküre* verdienen Lob.«

»Wir werden sehen, ob ein Gericht bei seinen Untersuchungen zu dem gleichen Ergebnis gelangt, Kommodore«, sagte der Jurist, während er sich geringschätzig zu voller Höhe aufrichtete.

»Ja, das werden wir sehen.«

Mather machte schwungvoll eine förmliche Verbeugung und widerstand der Versuchung, die Hacken zusammenzuknallen, drehte sich danach Shannon und Bowman zu und drückte ihnen ein zweites Mal die Hand.

»Nochmals vielen Dank, Doktor, und Ihnen, Mr. Bowman. Und richten Sie bitte Kapitän Lutobo meine herzlichsten Grüße aus, sobald er Besuch empfangen kann. Dr. Hamilton und ich sind hocherfreut, daß er wieder ganz genesen wird.«

»Ich werde ihm von Ihrer Anteilnahme erzählen, Kommodore«, antwortete Shannon.

»Vielen Dank.«

Damit verbeugte Mather sich knapp vor den drei anderen Männern, dann machte er auf dem Absatz kehrt und ging die kurze Entfernung zurück in die nebenliegende Andockbucht und zu Wallis. Das Shuttle der *Shantar* fuhr inzwischen die Rampe aus, und Mathers Ranger setzten erwartungsvolle Mienen auf, während als erste mehrere Matrosen der Raummarine die Rampe herabkamen.

»Wer zum Teufel *ist* dieser Mather Seton überhaupt?« brummelte der Jurist vor sich hin.

In diesem Augenblick zeigte sich am oberen Ende der Rampe ein hochgewachsener, silberhaariger Mann in der weißen Uniform eines höchstrangigen Flottenadmirals, begleitet von einem Adjutanten. Die Ranger und Matrosen nahmen Haltung an, jedoch nur für einen Moment, bis der Mann sie mit einem Wink anwies, wieder an die Arbeit zu gehen. Auch Mather und Wallis richteten sich respektvoll auf, als der Mann die Rampe herabschritt, doch am jovialen Gesichtsausdruck des Ankömmlings ließ sich ersehen, daß er auf eine strenge Einhaltung des Protokolls keinen größeren Wert legte. Sein Lachen hallte übers ganze Deck bis zu den Zivilisten, die beobachteten, wie er Mather erst die Hand schüttelte, ihm danach begeistert auf den Rücken klopfte und schließlich Wallis überschwenglich in eine bärenstarke Umarmung schloß.

In ungläubigem Schweigen schauten die Gruening-Leute zu, während die drei sich einige Augenblicke lang berieten. Dann blickte der Admiral herüber und sprach kurz mit Wallis, die lächelte, sich umdrehte und zu ihnen kam. Der Anwalt wurde unruhig, als Wallis direkt zu Shannon trat.

»Verzeihen Sie, meine Herren, aber Seine Imperiale Hoheit Admiral Prinz Cedric möchte gern Dr. Shannon kennenlernen. Würden Sie bitte mitkommen, Doktor?«

»Prinz Cedric?« wiederholte Shannon ehrfürchtig im Flüsterton.

Der Gruening-Repräsentant schnappte nach Luft. »Der Bruder des Imperators?«

Wallis hob die Brauen und musterte die Gruppe mit einem Blick der Belustigung. »Ja, natürlich, wieso? Ich dachte, Sie wüßten Bescheid. Wir arbeiten für ihn. Wollen wir gehen, Shivaun? Wir sollten Seine Hoheit nicht warten lassen.«

Nervös hob Shannon die Schultern, widmete Bowman ein halbes Grinsen und folgte Wallis durch den Hangar. Die Ranger beförderten die Lehr-Katzen auf den Antigrav-Paletten nacheinander die Rampe hinauf, und die Tiere verhielten sich — jedenfalls sprachen alle äußeren Anzeichen dafür —, als fänden sie fast Spaß an der Abwechslung. Prinz Cedric sah sich sämtliche Umladevorgänge mit großem Interesse an, lauschte aufmerksam Mathers Erklärungen und schmunzelte vom einen zum anderen Ohr, als er sich dicht vor einen der Käfige beugte, den man gerade an ihm vorbeischaffte und das darin befindliche Tier ihm die Gunst eines gewaltigen Gähnens und eines dunklen Schnurrens erwies, das man noch in der Andockbucht nebenan hören konnte.

»Welch wunderbares Geschöpf, Seton!« rief der Prinz. »Ich glaube, mein Bruder wird kein einziges davon gern verschenken.«

»Sir, ich habe die Ehre, Ihnen Dr. Shivaun Shannon vorstellen zu dürfen«, sagte Wallis, schob Shannon, als sie sich mit ihr dem Prinzen näherte, vor sich her. »Shivaun, das ist Prinz Cedric, unser Boß.«

Bei Wallis' schnoddrigem Ausdruck entfuhr Shannon beinahe ein Keuchen, doch der Prinz, dessen Profil dem seines Bruders, wie man es auf allen Münzen und Geldscheinen des Imperiums sah, genau ähnelte, lächelte nur, als er sich ihr zuwandte, und ergriff ihre Hand.

»Freut mich sehr, Sie kennenzulernen, Doktor. Mathers Bericht erwähnt Sie ausschließlich in der vorteilhaftesten Art und Weise.«

»Sein ... Bericht ... Sir?« vermochte Shannon mit Mühe zu flüstern, als sie sich aus ihrer Verbeugung aufrichtete.

Mather lächelte und legte ihr einen Arm um die Schultern. »Gehörten Sie zum Flottenpersonal der Raummarine, hieße es ›in der Meldung lobend erwähnt‹. So wie's ist, wird es wohl so etwas wie eine zivile Belobigung für Sie geben. Und weil ich Lutobo den Rekordflug nach Tersel verdorben habe, hat Seine Imperiale Hoheit bereits veranlaßt, daß die gesamte Besatzung der *Walküre* eine Ausgleichszahlung in Höhe des verlorengegangenen Bonus bekommt.«

»*Und* eine Sondergratifikation des Imperiums für die erfolgreiche Beendigung von Kommodore Setons Spezialauftrag«, fügte Cedric hinzu. »Vielleicht interessiert es Sie, daß das Raumschiff der Kwia-t'ai sich in Bereitschaft hält und der Botschafter von der sicheren Ankunft der Lehr-Katzen in Kenntnis gesetzt worden ist.«

»Tja, leider sind's nur noch drei, Sir«, äußerte Shannon halblaut.

Der Prinz hob die Schultern. »Mir ist klar, daß sich daran nichts ändern ließ, Doktor. Dem Botschafter ist die Situation gründlich erklärt worden. Er hat ebenfalls volles Verständnis.«

»Das Entscheidende ist«, sagte Mather zu Shannon, »daß wir im wesentlichen Erfolg gehabt haben — und das verdanken wir zum Teil auch Ihnen.«

Shannon schluckte und wußte nicht recht, was sie sagen sollte, doch der Prinz half ihr aus der Verlegenheit, indem er selbst wieder das Wort ergriff, so daß sie den Mund halten konnte.

»Seien Sie für Ihr beispielhaftes Verhalten ganz persönlich meinerseits und im Namen meines Bruders bedankt, Doktor. Vielleicht haben Sie uns dabei geholfen, einen Krieg abzuwenden ... Das ist weniger weithergeholt, als es klingt, glauben Sie mir. Ihre Mitwirkung in dieser Affäre wird nicht vergessen.«

Der Adjutant des Prinzen, der im Hintergrund wartete, räusperte sich diskret, und Cedric schaute sich um; hinter ihm verschwand soeben der letzte Käfig im Shuttle.

»Ah, ich sehe, die Pflicht ruft«, sagte er. »Dr. Shannon, es war mir ein Vergnügen, Sie kennenzulernen.« Für einen flüchtigen Moment nahm er nochmals ihre Hand. »Und jetzt, nachdem Ihr Teil der Aufgabe beendet ist, muß ich leider an Bord zurückkehren und meine Pflicht tun. Mather, Wallis, wir können ablegen, sobald ihr bereit seid.«

Als die beiden nickten, neigte der Prinz knapp den Kopf und erstieg hinter dem letzten Katzenkäfig die Rampe ins Shuttle. Die Matrosen und Ranger luden die restliche Ausrüstung ein, waren damit jedoch offenbar so gut wie fertig.

»Wir gehen wohl besser auch an Bord, sonst fliegt er ohne uns ab«, meinte Mather und drückte noch einmal wohlwollend Shannons Schultern. »Er kann durchaus ein sehr harter Vorgesetzter sein. Sollten die Bürokraten Ihnen künftig noch Ärger machen, lassen Sie's uns wissen.«

Er zwinkerte ihr zu, während er in die Richtung der bewußten Bürokraten deutete, und betrat die Rampe. Shannon lächelte benommen schwach vor sich hin, während sie sich zur Seite drehte, die Hand nahm, die Wallis ihr reichte und grinste dann breiter, als die ältere Kollegin sie rasch noch in eine Umarmung zog.

»Sie sind eine ausgezeichnete Ärztin, Doktor«, sagte Wallis leise, als sie zurücktrat und Shannon in die Augen blickte. »Wenn Sie jemals eine nützliche Empfehlung oder irgend etwas ähnliches brauchen, können Sie über die Imperiale Anthropologische Gesellschaft mit uns in Verbindung treten.« Sie grinste. »Selbstverständlich ist das bloß eine unserer Deckadressen, aber Seine Hoheit ist einer der Förderer. Jede Nachricht wird mit höchster Priorität weitergeleitet.«

Shannon nickte, und nach einem letzten Abschiedswink wandte sich Wallis ab und folgte Mather die Rampe hinauf. Am oberen Ende blieben beide noch einmal stehen und winkten ein letztes Mal, ehe die Rampe eingefahren wurde und man die Schleuse schloß.

Shannon seufzte, dann zog sie sich hinter die druckfesten luftdichten Türen zurück und sah zu, wie sie sich automatisch verriegelten und die Warnlampen aufleuchteten; gleich darauf stob rings um das Shuttle der *Shantar* die Luft aus der Andockbucht ins All. Erst jetzt fiel Shannon auf, daß es Markierungen in den Farben des Imperators trug. Elegant hob das Shuttle von der Startfläche ab und schwebte aus dem Hangar in den freien Weltraum. Shannon blickte ihm nach, bis es im Meer der Sterne nur noch einem dunklen Pünktchen glich.

»Entschuldigung, sind Sie die Bordärztin?« fragte plötzlich hinter ihr eine unbekannte Stimme.

Ein Beamter der Gesundheits- und Einwanderungsbehörde hielt ihr, als sie sich umwandte, einen Frach begleitschein und einen Stift entgegen.

»Verzeihung«, sagte Shannon zerstreut, suchte dem Formular die zum Unterzeichnen bestimmte S⸍ »Ja, ich bin Dr. Shannon. Um was geht's?«

»Wir liefern Ihnen einen Leichnam zum Transp Doktor«, antwortete der Mann. Mit dem Kinn zur Frachtluke des Shuttles hinüber, mit dem d⸍ suchungsrichter eingetroffen war; eben beförd⸍ einen schmalen schwarzen Sarg aus Plaststah⸍i rampe hinab. »Irgendein reicher Exzentriker ... ne Leiche zur Beisetzung nach Hause schaff Glattweg bis nach Terra.«

»Aber das ist ja durch die halbe Galaxis.«

»So ist es«, bestätigte der Beamte mit schiefem Grienen. »Da bleibt für seine Erben nicht mehr viel übrig. Die Frachtkosten und das erwünschte Beisetzungszeremoniell kosten wahrscheinlich mehr, als wir beide zusammen im Lauf mehrerer Jahre verdienen. Ist aber alles im voraus bezahlt worden.«

Shannon schüttelte den Kopf und besah sich das Formular genauer, aber das Ganze war kein Mißverständnis: *Baron Relker von Strelgo, Sol III.* Beigefügt war die Kopie einer Seite eines amtlichen Dokuments — anscheinend ein Auszug des Testaments des Verstorbenen —, doch hatte man den Text mit Ausnahme eines bestimmten Abschnitts geschwärzt.

... sind alle hinterlassenen Gelder zuerst zu verwenden, um sicherzustellen, daß mein Leichnam nach Terra gebracht wird, damit ich in meiner Heimaterde bestattet werden kann.

Heimaterde.

Bei diesem Wort spürte Shannon, wie ihr ein Schaudern das Rückgrat hinablief, und nachdem sie dem Beamten das Formular unterschrieben hatte, wandte sie sich argwöhnisch um und sah dem Sarg nach, bis er — unterwegs zur Lagerung in einem der unteren Frachträume — aus ihrem Blickfeld verschwand.

Und obwohl sie sich zu vergegenwärtigen versuchte, daß es in Wirklichkeit solche Wesen wie Vampire *nicht* gab, verspürte sie trotzdem den außerordentlich beunruhigenden Drang, in ihre Unterkunft zu gehen und das alte Silberkettchen herauszusuchen, das sie als Kind getragen hatte.